P9-CSE-048

Gramley Library
Salem College
Winston-Salem, NC 27108

LES THIBAULT

VI

ŒUVRES DE ROGER MARTIN DU GARD

nrf

ŒUVRES ROMANESQUES

DEVENIR (1908).
JEAN BAROIS (1913).
CONFIDENCE AFRICAINE (1931).
VIEILLE FRANCE (1933).
LES THIBAULT (1922-1939).

Nouvelle édition en 7 volumes :

I. Le Cahier gris. — Le Pénitencier.
II. La Belle Saison. — La Consultation.
III. La Sorellina. — La Mort du Père.
IV. L'Été 1914 *(début)*.
V. L'Été 1914 *(suite)*.
VI. L'Été 1914 *(fin)*.
VII. Épilogue.

ŒUVRES THÉATRALES

LE TESTAMENT DU PÈRE LELEU, *farce paysanne* (1920).
LA GONFLE, *farce paysanne* (1928).
UN TACITURNE, *drame* (1932).

ESSAIS

NOTES SUR ANDRÉ GIDE (1913-1951).

AUTRES ÉDITIONS

Collection « A la Gerbe » in-8° :

JEAN BAROIS (2 *vol.*).
LES THIBAULT (9 *vol.*).

Édition illustrée :

LES THIBAULT (2 *vol. grand in-8°*).
(*Illustrations de* Jacques Thevenet).

Bibliothèque de la Pléiade :

ŒUVRES COMPLÈTES (2 *vol.*).

ROGER MARTIN DU GARD

LES THIBAULT

VI

L'ÉTÉ 1914

***

nrf

GALLIMARD
5, rue Sébastien-Bottin, Paris VIIe

Gramley Library
Salem College
Winston-Salem, NC 27108

Il a été tiré de la présente édition mille cinquante exemplaires sur vélin ivoiré reliés d'après la maquette de Paul Bonet, savoir : mille exemplaires numérotés de 1 *à* 1.000 *et cinquante, hors commerce, marqués de* I *à* L.

Tous droits de traduction, de reproduction et d'adaptation réservés pour tous les pays, y compris la Russie.
© 1953 Librairie Gallimard.

SEPTIÈME PARTIE

(SUITE)

LIX

Chez Liébært, Jacques avait à peine dormi.

Après s'être tourné et retourné sur son étroit lit de fer, après s'être vingt fois demandé si la pâleur de la croisée n'annonçait pas les premières clartés de l'aube, il avait sombré, pendant deux heures, dans un sommeil cataleptique, d'où il était sorti courbatu, hagard.

Dehors, le jour était enfin levé.

Il s'était habillé, avait rangé dans son sac le peu de chose qu'il possédait, fait un paquet de ses papiers; puis il avait traîné la chaise jusqu'à la fenêtre, et il était resté longtemps, les coudes sur l'appui, sans pouvoir penser à rien de précis. L'image de Jenny passait et repassait devant ses yeux. Il eût aimé l'avoir là, près de lui, silencieuse, immobile, sentir leurs épaules, leurs joues, se toucher, comme la veille dans l'auto... Dès qu'il était loin d'elle, il lui semblait avoir tant de choses à lui dire... Il regardait la rue et le quai s'animer peu à peu à la vie matinale des balayeurs et des laitiers. Les boîtes à ordures s'alignaient encore au bord des ruisseaux. Dans la maison d'angle, en face de l'hôtel, les persiennes étaient closes, sauf à l'entresol, occupé par un marchand de faïence; derrière les vitres s'entassaient d'innombrables bibelots à demi enfouis dans la paille : services dépareillés, potiches, bonbonnières, statuettes de bacchantes, bustes de grands hommes. Au-dessous, sur les volets pourpres d'un boucher israélite, s'étalait en caractères hébraïques une enseigne dorée qui retint longuement son regard.

Dès qu'il fut sept heures et qu'il pensa pouvoir payer sa note de la nuit, il s'évada, acheta les journaux, et s'assit pour les lire sur un banc du quai.

L'air était presque frais. Dans le lointain, de claires vapeurs flottaient autour de Notre-Dame.

Jacques lisait et relisait, avec une écœurante et insatiable avidité, ces dépêches et ces commentaires, qui se répétaient à l'infini dans les divers journaux comme dans un jeu de miroirs.

Toute la presse, unanime cette fois, sonnait l'alarme. L'article de Clemenceau, dans *l'Homme libre*, avait pour titre : *Au bord du gouffre. Le Matin*, en manchette, avouait : *L'Heure est critique.*

La majeure partie des journaux républicains, faisant chorus avec la droite, blâmaient le Parti socialiste français d'avoir, « dans les circonstances actuelles », accepté l'organisation, à Paris, d'un congrès international pour la paix.

Jacques ne se décidait pas à quitter ce banc, à commencer cette nouvelle journée... Vendredi, 31 juillet... Malgré tout, cette lecture l'avait lentement tiré de sa torpeur, l'avait aidé à reprendre contact avec le monde. Il lutta un instant contre la velléité de courir, dès ce matin, avenue de l'Observatoire. Mais il eut conscience que cette tentation lui venait de sa lâcheté à vivre, plus encore que de sa tendresse. Il eut honte. La guerre n'était pas fatale; la partie n'était pas perdue; des choses restaient à faire... Dans tous les quartiers de Paris, des hommes, à cette heure, se levaient pour militer... Au reste, n'avait-il pas prévenu Jenny qu'il ne viendrait chez elle qu'à deux heures?

Il était beaucoup trop tôt pour se rendre à *l'Humanité;* mais non pour aller jusqu'à *l'Etendard*. Il ne savait où déposer son sac; il le confierait à Mourlan.

L'idée d'une visite au vieux typo le mit debout. Il irait à pied jusqu'à la Bastille, par les quais. La promenade achèverait de lui rendre son aplomb.

La porte de *l'Etendard* était close.

— « Je reviendrai », se dit-il. Et, pour tuer le temps,

il résolut de pousser jusque chez Vidal, un libraire du faubourg Saint-Antoine, dont l'arrière-boutique servait de lieu de réunion à ce groupe d'intellectuels anarchisants qui éditaient *l'Elan rouge*. Jacques y avait publié des comptes rendus de livres allemands et suisses.

Vidal était seul. En manches de chemise, assis à sa table, près de la fenêtre, il ficelait des brochures.

— « Personne encore? » demanda Jacques.

— « Tu vois. »

Le ton rageur de Vidal le surprit.

— « Pourquoi? Trop tôt? »

Vidal haussa les épaules :

— « Hier non plus, je n'ai pas vu grand monde. Sans doute qu'ils ne tiennent pas à se faire repérer... Tu as lu ça? » ajouta-t-il, en désignant un volume dont plusieurs exemplaires étaient sur la table.

— « Oui. » C'était *L'Esprit de révolte*, de Kropotkine.

— « Fameux! » dit Vidal.

— « Est-ce qu'il y a eu des perquisitions? » demanda Jacques.

— « Il paraît... Ici, non. Du moins, pas encore. Mais tout est paré, ils peuvent venir... Assieds-toi. »

— « Je ne veux pas te déranger. Je repasserai. »

Dehors, comme il s'apprêtait à traverser la chaussée, un sergent de ville s'approcha poliment :

— « Vous avez vos papiers? »

A vingt mètres, arrêtés sur le trottoir, trois hommes qui, d'après leur apparence, pouvaient être des policiers en bourgeois, regardaient. L'agent feuilleta le passeport sans rien dire, et le rendit, avec un salut.

Jacques alluma une cigarette, et s'en alla; mais il était mal à l'aise. « Deux fois en douze heures », se dit-il. « On se croirait en état de siège. » Il fit quelques pas dans l'avenue Ledru-Rollin, le temps de vérifier s'il était suivi. « Ils ne m'ont pas fait tant d'honneur... »

L'idée lui vint alors, puisqu'il était à proximité, de passer au *Modern' Bar*, un café de la rue Traversière, qui était le centre d'une section socialiste particulièrement vivante. Le trésorier, Bonfils, était un ami d'enfance de Périnet.

Gramley Library
Salem College
Winston-Salem, NC 27108

— « Bonfils? Voilà deux jours qu'il n'a pas montré le bout du nez », dit le cafetier. « Et d'ailleurs, ce matin, je n'ai encore vu personne. »

A ce moment, un homme d'une trentaine d'années, qui portait sur le dos une scie en bandoulière, entra dans le bar, sa bicyclette à la main.

— « Bonjour, Ernest... Bonfils est là? »

— « Non. »

— « Des copains? »

— « Personne. »

— « Ah!... Et pas de nouvelles? »

— « Non. »

— « On attend toujours les instructions du Comité central? »

— « Oui. »

L'ébéniste, silencieux, roulait autour de lui des regards interrogateurs; et, pour décoller le mégot fixé à sa lèvre, il remuait la bouche comme un poisson.

— « C'est embêtant », dit-il enfin. « Faudrait tout de même qu'on sache... Ainsi, moi je suis mobilisé au 7-4, le premier jour. Si *ça* arrivait, je ne sais pas ce que j'aurais à faire... Qu'est-ce que tu penses, toi, Ernest? Faudrait-il qu'on y aille? »

— « Non! » cria Jacques.

— « Je ne peux pas te dire », fit Ernest maussade. « C'est ton affaire, mon gars. »

— « Accepter de partir, c'est se faire les complices de ceux qui ont voulu la guerre! » dit Jacques.

— « C'est mon affaire, bien sûr », approuva l'homme, s'adressant au cafetier, comme s'il n'avait pas entendu les paroles de Jacques. Le ton était désinvolte, quoique sa perplexité fût manifeste. Il jeta vers Jacques un coup d'œil mécontent. Il semblait penser : « Je ne demande l'avis de personne. Je demande le mot d'ordre du Comité. »

Il se redressa, retourna sa bécane, dit : « Salut », et s'en alla, sans hâte, en roulant des hanches.

— « Ils m'embêtent, à la fin, à me poser tous la même question », grogna le cafetier. « Qu'est-ce que j'y peux? On dit que, au Comité, ils n'arrivent pas à se mettre d'accord pour donner une consigne. Dans un parti, faudrait pourtant une consigne, pas vrai? »

Avant de retourner à *l'Etendard*, Jacques, songeur, erra quelques instants à travers ce quartier où maintenant l'animation croissait de quart d'heure en quart d'heure. Le stationnement, au bord du ruisseau, d'une file de petites voitures débordant de légumes et de fruits, les cris des marchands ambulants, le fourmillement des ouvriers, des ménagères, qui, pour éviter le soleil, se bousculaient sur le seul trottoir à l'ombre, faisaient de ces rues étroites un marché à ciel ouvert.

Il remarqua que les devantures des bonneteries étalaient presque uniquement des articles d'hommes, et assez inattendus pour la saison : gilets de tricot, ceintures de flanelle, grosses chemises de coton, chaussettes de laine. Les boutiques de chaussures arboraient sur des bandes de carton ou de calicot des enseignes improvisées, qui tiraient l'œil. Les plus timides annonçaient : *Souliers de chasse*, ou : *Souliers de marche*. Quelques audacieux affichaient : *Godillots;* et même : *Brodequins militaires*. Nombre d'hommes s'arrêtaient, intéressés, sans faire d'emplettes. Les femmes, à tout hasard, leur filet à provisions au bout du bras, flairaient, tâtaient les lainages, soupesaient les brodequins cloutés. On n'achetait pas encore, mais l'attention du public prouvait assez que ces déballages répondaient à une préoccupation générale.

La raréfaction grandissante de la monnaie commençait à gêner considérablement le commerce. Des camelots, mués en changeurs, circulaient, une boîte sur le ventre. Ils spéculaient, donnaient quatre-vingt-quinze francs de pièces pour un billet de cent francs. La police semblait fermer les yeux.

La Banque de France avait émis, la veille, quantité de coupures de cinq et de vingt francs, qu'on se montrait comme une curiosité.

— « C'est donc qu'ils avaient ça tout prêt, d'avance », observait-on, d'un air méfiant, rancunier, mais vaguement admiratif.

Jacques finit par échouer à la table d'un café de la place de la Bastille. A jeun depuis hier, il avait soif et faim.

Le flot des banlieusards se répandait par grandes vagues jaillies de la gare de Lyon, des tramways, du métro. Ils s'arrêtaient un instant sur la place ensoleillée, des journaux à la main, la mine soucieuse et intriguée, jetant les regards autour d'eux, comme pour s'assurer, avant de gagner leur travail, que la menace de guerre ne leur avait pas changé Paris pendant la nuit.

Au café, c'était un va-et-vient incessant de gens affairés, inquiets, parlant haut.

L'un contait qu'il avait envoyé sa femme à la mairie demander des précisions sur le fascicule de son livret, et il paraissait assez fier de pouvoir annoncer que, pour satisfaire à l'affluence, les services de renseignements des bureaux militaires avaient dû être triplés.

Un chauffeur de taxi montrait en riant un magazine illustré, qui représentait, sur la même page, en vis-à-vis, le retour à Berlin du Kaiser et le retour de Poincaré à Paris : deux images symétriques, symboliques, où l'on voyait les deux chefs d'Etat, sur le marchepied de leur auto, répondre, du même geste martial, aux acclamations confiantes de leurs peuples.

Un couple, entre deux âges, entra et s'approcha du zinc. La femme dévisageait les consommateurs avec une expression apeurée, quêtant un regard fraternel. Tout de suite, ils parlèrent.

L'homme dit :

— « Nous, on est de Fontainebleau. Ça barde, là-bas. »

Et il se tut.

La femme, plus loquace, expliqua :

— « Hier soir, un officier du 7e dragons, qui loge sur notre palier, on est venu lui dire de faire sa cantine, en vitesse. Et puis, au milieu de la nuit, on a été réveillé par le piétinement des chevaux. La cavalerie avait reçu l'ordre de partir. »

— « Pour où? » interrogea la caissière.

— « On ne sait pas. On s'est mis sur le balcon. Toute la ville était aux fenêtres. On n'entendait pas un cri, pas une parole. Ils ont filé comme des voleurs... sans musique, en tenue de campagne... Après, ç'a été le tour des trains régimentaires, les voitures, avec le barda... Ç'a n'en finissait plus de passer : ç'a duré jusqu'au matin. »

— « A la mairie », reprit l'homme, « on a affiché un ordre de réquisition des chevaux, des mulets, des voitures, — même du fourrage! »

— « Tout ça sent mauvais », constata la caissière, d'un air intéressé, presque satisfait.

— « La réserve de la territoriale est déjà appelée », affirma quelqu'un.

— « Les vieux? Pensez-vous! »

— « Parfaitement! » dit le garçon, s'arrêtant de servir. « Paraît qu'il faut du monde d'avance pour garder les ponts, les embranchements, enfin tout ce qui risque... Je le sais : mon frangin, qui a ses quarante-trois ans pourtant, et qui habite près de Châlons, il a été convoqué à la gare. Paraît qu'ils lui ont fichu un vieux képi sur le crâne, des cartouchières sur son veston, un fusil dans la main, et hardi! viens que je te poste en sentinelle au viaduc! Et, vous savez, ça ne plaisante pas : pour approcher des ponts, faut une carte. Sans ça, l'ordre est de tirer! Paraît qu'il y a déjà des espions qui rôdent autour. »

— « Moi, je pars le deuxième jour », déclara, sans avoir été questionné, un ouvrier peintre, en toile blanche. Il avait parlé sans regarder personne, les yeux penchés sur le petit verre qu'il tournait entre les doigts.

— « Moi aussi », fit une voix.

— « Moi, le troisième! » s'écria un gros plombier bon enfant. « Mais, pour Angoulême! Alors, vous pensez, avant que les Pruscos, ils soient débarqués dans les Charentes!... » Il releva d'un coup d'épaule crâneur le sac à outils qui bringuebalait sur ses reins, et gagna la porte en ricanant : « D'ailleurs, je m'en fous... On verra bien... Faire ça, ou peigner la girafe!... »

— « Il faut ce qu'il faut », conclut sentencieusement la caissière.

Jacques serrait les poings. Muet, crispé, il examinait les visages avec stupeur; il y cherchait une réaction violente, une trace de révolte possible. En vain. Tous ces êtres semblaient avoir été pris tellement à l'improviste par les événements, qu'ils se sentaient surtout désaxés, abrutis; effrayés peut-être, sous leur hâblerie; mais résignés, ou bien près de l'être.

Il se leva, prit son sac et s'enfuit. Il avait plus que jamais le désir, le besoin, de retrouver Mourlan.

Le vieux typo, les mains au fond des poches de sa blouse noire, allait et venait dans les trois chambres de son entresol, dont les portes étaient ouvertes. Il était seul. Sans interrompre sa promenade, il cria : « Entrez! », et ne se retourna que lorsque le visiteur eut refermé la porte.

— « C'est toi, gamin? »

— « Bonjour. Pouvez-vous me garder ça? » dit Jacques, en soulevant son sac. « Un peu de linge, pas marqué. Aucun papier, aucun nom. »

Mourlan fit un bref signe d'acquiescement. Son regard restait courroucé et dur.

— « Qu'est-ce que tu fiches encore ici? » demanda-t-il brutalement.

Jacques le considéra, interloqué.

— « Qu'est-ce que tu attends pour mettre les voiles? Vous ne sentez donc pas que ça y est, cette fois, imbéciles! »

— « C'est vous qui dites ça? Vous, Mourlan? »

— « Oui, c'est moi », fit-il, de sa voix caverneuse. Il secoua les miettes de pain restées dans sa barbe, remit ses mains dans ses poches, et reprit ses allées et venues.

Jacques ne lui avait jamais vu cette mine défaite, cet œil éteint. Il fallait attendre que la crise passât. Sans y avoir été invité, il prit une chaise et s'assit.

Mourlan fit deux ou trois fois son tour de fauve en cage, puis il s'arrêta devant Jacques :

— « Sur qui que tu comptes, toi, aujourd'hui? » cria-t-il. « Sur les fameuses " masses ouvrières "? Sur la grève générale? »

— « Oui! » articula Jacques, avec fermeté.

Une houle secoua les épaules du vieux Christ :

— « La grève générale? Ouiche! Qui c'est qui en parle encore aujourd'hui? Qui c'est qui ose encore y penser? »

— « Moi! »

— « Toi? Tu ne vois donc pas que, même dans ce pauvre troupeau qu'on voudrait sauver malgré lui, il y a une majorité stupéfiante de casse-cou, de batailleurs, de ressauteurs-nés, toujours prêts à relever un défi? et qui seront les premiers à bondir sur leurs flingots, dès qu'on leur aura fait croire qu'un Allemand a passé le poteau frontière?... Chaque type, prends-le à part : c'est généralement un bon bougre, qui dit qu'il ne veut de mal à personne, et qui le croit. Mais il y a encore en lui tout un résidu d'instincts carnassiers, destructeurs : des instincts dont il n'est pas fier, et qu'il cache, mais qui le démangent, malgré tout, et qu'il a toujours envie de satisfaire, pour peu qu'on lui en fournisse l'occase... L'homme est l'homme, rien à faire!... Alors, si on ne peut pas compter sur les individus, sur qui est-ce que tu comptes? Sur les chefs? Lesquels? Sur les chefs du prolétariat européen? Sur les nôtres? Sur nos sympathiques élus, les députés socialistes? Tu ne vois donc pas ce qu'ils font? Ils votent et revotent leur confiance en Poincaré! Pour un peu, ils parapheraient d'avance sa déclaration de guerre! »

Il pivota sur ses talons et fit encore une fois le tour de la chambre.

— « Mais non », murmura Jacques. « Ici, il y a les Jaurès... Ailleurs, les Vandervelde, les Haase... »

— « Ah, c'est sur les grands chefs que tu comptes? » reprit Mourlan, en revenant droit vers lui. « Tu les as pourtant vus de près, à Bruxelles! Crois-tu que si ces bougres-là avaient été des hommes, des hommes vraiment décidés à défendre la paix par des actes révolutionnaires, ils ne seraient pas arrivés à s'entendre pour donner un mot d'ordre unique au socialisme européen? Non! Ils se sont fait acclamer en jetant l'anathème sur les gouvernements! Et puis après? Après, ils ont couru jusqu'au bureau de poste, pour expédier des télégrammes suppliants au Kaiser, au Tsar, à Poincaré, au Président des Etats-Unis, — au Pape! Oui, au Pape, pour qu'il menace François-Joseph de l'enfer!... Ton Jaurès, qu'est-ce qu'il a fait? Il s'en va tous les matins, comme un pleutre, tirer Viviani par la manche, en adjurant son " cher ministre " de faire la grosse voix pour effrayer la Russie!... Non! la classe ouvrière, elle a été trompée par ses propres chefs! Au lieu de prendre résolument la tête d'un mouvement insurrectionnel contre la menace de guerre, ils ont laissé toute liberté d'action aux nationalistes, ils ont renoncé à l'occasion révolutionnaire, ils ont livré le prolétariat au capitalisme triomphant!... »

Il fit deux pas pour s'éloigner, mais virevolta brusquement :

— « Et personne ne m'ôtera de l'idée, d'ailleurs, que ton Jaurès, il plastronne pour la galerie! Dans le fond, il sait aussi bien que moi que les jeux sont faits! que tout est perdu! que demain la Russie et l'Allemagne vont entrer dans la danse! et que Poincaré acceptera la guerre, froidement!... D'abord parce qu'il voudra tenir les criminels engagements qu'il a pris à Pétersbourg, et ensuite... » Il s'interrompit pour aller jusqu'à la porte, l'entrouvrit doucement, et fit entrer une chatte grise avec ses trois chatons. « Viens, ma moumoune... Et ensuite parce que ça le démange d'être celui qui aura essayé de rendre l'Alsace-Lorraine à la France! »

Il s'était approché du rayonnage, chargé de livres et de brochures, qui occupait l'entre-fenêtres. Il y prit un volume, qu'il tapota plusieurs fois du plat de la main, comme on flatte l'encolure d'un cheval.

— « Vois-tu, gamin », fit-il, plus doucement, tandis qu'il remettait le volume en place, « je ne veux pas faire le mariole, mais je ne me trompais guère, après leur congrès de Bâle, quand j'ai écrit ce bouquin-là, pour leur prouver que leur Internationale reposait sur une équivoque. Jaurès m'a engueulé. Tout le monde m'a engueulé. Aujourd'hui, les faits sont là!... C'était folie que de vouloir " concilier " l'Internationalisme socialiste, le nôtre, le vrai, avec les forces nationales qui tiennent encore le pouvoir, partout... Vouloir combattre, — et espérer vaincre, — sans sortir des cadres légaux, en se contentant de " faire pression " sur les gouvernements, et en bornant les attaques à de beaux discours parlementaires, c'était la foutaise des foutaises!... Les neuf dixièmes de nos fameux chefs révolutionnaires, au fond, veux-tu que je te dise? Ils ne pourront jamais se résoudre à agir hors des cadres de l'Etat! Et alors tu comprends la logique? Cet Etat, — qu'ils n'ont pas su, qu'ils n'ont pas voulu culbuter à temps pour mettre la République socialiste à sa place, — ils n'ont plus maintenant qu'à le défendre à la pointe de leurs baïonnettes, le jour où le premier uhlan paraîtra sur la frontière! Et ils s'y préparent, en douce!... Dire qu'il faudra voir ça! » reprit-il rageusement, en tournant une fois de plus sur lui-même, et en marchant à pas rapides jusqu'à l'extrémité de la chambre. « Ce sera la défection générale, je te le dis! La défection à la Gustave Hervé! La défection de tous les chefs, du premier au dernier!... Tu as lu les journaux? La patrie en danger! Tous debout! Sabre au clair! Zim boum boum! C'est le tam-tam, pour préparer le grand casse-pipes!... Avant huit jours d'ici, il n'y aura plus en France, et peut-être en Europe, une douzaine de socialistes pur jus : il n'y aura plus, partout, que des *socialo-patriotards!* »

Il revint rapidement vers Jacques, et lui posa sur l'épaule sa main nerveuse :

— « C'est pour ça que je te le dis, gamin, et tu peux croire Mourlan : débine-toi!... N'attends pas! Retourne en Suisse! Là-bas, il y a peut-être encore du travail pour des gars comme toi. Mais ici, on est foutu, — et bien foutu! »

Jacques sortit de chez Mourlan dans un état de malaise qu'il ne parvenait pas à surmonter. Où chercher du réconfort?

Il courut à *l'Humanité*.

Mais Stefany et Gallot étaient en conférence avec le Patron. Cadieux, auquel il se heurta entre deux portes, eut le temps de lui crier, en courant, que Jaurès venait d'être reçu par deux membres du gouvernement, Malvy et Abel Ferry, et qu'il était revenu en affirmant qu'il ne fallait encore désespérer de rien.

Jacques le quittait à peine qu'il tomba sur Pagès, le jeune collaborateur de Gallot; il était très pessimiste. Le branle-bas militaire semblait s'accélérer en Russie : de toutes parts se confirmait la supposition que le Tsar, la veille, en secret, avait signé l'ukase décisif, l'ukase de la mobilisation générale.

Au *Croissant*, où Jacques ne fit qu'entrer un instant, il n'aperçut personne qu'il connût, sauf la mère Ury, qui, dans un angle de la salle, semblait présider un petit congrès féministe. Juchée sur la banquette de moleskine trop haute pour ses courtes pattes, sans chapeau, son visage de vieille fanatique tout auréolé de mèches grises, elle s'agitait et palabrait au centre d'un groupe de militantes qu'elle avait dû rassembler là pour les endoctriner. Jacques fit semblant de ne pas la voir et s'éclipsa.

Rue du Sentier, au *Progrès*, ils étaient déjà quelques-uns, attablés dans la tabagie de l'entresol, à commenter les racontars du jour : Rabbe, Jumelin, Berthet, et un nouveau venu, un Nancéien, secrétaire de la Fédération de Meurthe-et-Moselle, arrivé le matin à Paris, et qui apportait des nouvelles de l'Est.

Un socialiste allemand, avec lequel il avait fait le voyage, lui avait affirmé qu'un conseil de guerre s'était tenu, la veille au soir, à Berlin. On y avait décidé la convocation du Conseil fédéral. En Allemagne, on prévoyait pour aujourd'hui même des « décisions graves ». Les ponts sur la Moselle étaient occupés militairement par les troupes allemandes. On était à la merci d'un incident. Déjà, la veille, aux environs de Lunéville, des chevau-légers allemands avaient, en manière de provocation, franchi la frontière et galopé pendant quelques centaines de mètres sur le territoire français.

— « A Lunéville? » dit Jacques, songeant brusquement à Daniel, — à Jenny.

Il n'écoutait plus que distraitement. Le Nancéien racontait que, depuis plusieurs nuits, sur toutes les voies ferrées de l'Est, défilaient d'interminables rames de wagons vides qui ralliaient les grandes gares, pour venir ensuite s'accumuler en réserve dans la banlieue parisienne.

Jacques se taisait, le cœur serré. Il voyait, comme un spectacle réel, l'Europe glisser sur la pente fatale. Quel miracle pouvait encore provoquer le revirement sauveur, ce sursaut de l'opinion, cette brusque et massive résistance des peuples?

Et, soudain, il eut l'envie de se rapprocher de son frère. Il ne l'avait pas revu de toute la semaine. C'était l'heure du déjeuner, l'heure où il trouverait Antoine chez lui. « Et puis », se dit-il, « cette visite m'aidera à attendre le moment d'aller chez Jenny. »

LX

— « Monsieur Jacques sait-il qu'on va avoir la guerre? » demanda Léon. Se moquait-il? L'accent était niaisement interrogatif, comme le regard de l'œil globuleux; mais il y avait de la finasserie dans la lippe. Sans attendre une réponse, il ajouta : « Moi, je pars le quatrième jour. Mais j'ai toujours été ordonnance... »

On entendit, sur le palier, claquer la grille de l'ascenseur.

— « Voilà Monsieur », dit Léon. Et il alla ouvrir la porte.

Antoine poussait par l'épaule un petit bonhomme à lunettes, au poil gris, vêtu d'une jaquette d'alpaga. Jacques reconnut l'ancien secrétaire de son père.

M. Chasle, en l'apercevant, eut un haut-le-corps. Dès qu'il rencontrait un visage de connaissance, il jetait sa main sur sa bouche, comme pour étouffer un cri de surprise :

— « Ah, c'est vous? »

Antoine, l'air absent, serra la main de son frère, sans paraître étonné de le trouver là :

— « M. Chasle faisait les cent pas sur le trottoir, en m'attendant... J'ai obtenu qu'il monte déjeuner avec nous. »

— « Une fois n'est pas coutume », susurra modestement M. Chasle.

Antoine se tourna vers le domestique :

— « Vous pouvez servir. »

Ils entrèrent tous trois dans le cabinet de consultation, où Studler, Jousselin et Roy étaient déjà réunis. Des journaux dépliés encombraient le bureau.

— « Je suis en retard parce que, après l'hôpital, j'ai passé au Quai d'Orsay », expliqua Antoine.

Il y eut un silence. Tous le regardaient, sombres.

— « Eh bien? » dit enfin Studler.

— « Ça va mal... Très, très mal... » fit Antoine laconiquement. Il secoua la tête avec une moue découragée. Puis, élevant la voix : « Allons à table. »

Les œufs à la coque furent mangés avec une application soucieuse, sans que personne rompît le silence.

— « D'après ce que dit Rumelles », annonça soudain Antoine, sans lever les yeux de son assiette, « on a maintenant d'assez fortes raisons d'espérer que l'Angleterre marcherait avec nous. En tout cas, pas contre nous. »

— « Alors », demanda Studler, « pourquoi ne se hâte-t-elle pas de le dire? Ça pourrait encore tout sauver! »

Jacques ne put se retenir :

— « Pourquoi? Mais parce qu'il n'est pas du tout certain que l'Angleterre ait le désir de tout sauver... L'Angleterre est sans doute la seule nation qui ait vraiment chance de gagner à la loterie d'une guerre générale. »

— « Tu te trompes », fit Antoine, nerveux. « Il paraît que, en haut lieu, personne à Londres ne veut la guerre. »

A la droite d'Antoine, M. Chasle, piqué sur le bord de sa chaise, écoutait. Où qu'il fût assis, il avait toujours l'air d'être sur un strapontin. Il tournait la tête de droite, de gauche, et fixait avec une attention angoissée celui qui parlait; il en oubliait de manger. Le remue-ménage qui se faisait dans le monde dépassait sa compréhension et sa résistance nerveuse. Depuis l'avant-veille, une peur maladive, nourrie par la lecture des journaux et les conversations, s'était abattue sur le pauvre diable : et, s'il était venu ce matin, c'était avec l'espoir d'être rassuré.

Antoine prit un ton doctrinal, qui sonnait faux :

— « Le cabinet britannique se trouve composé, pour l'instant, d'hommes sincèrement pacifiques. C'est d'ailleurs, paraît-il, la meilleure équipe gouvernementale d'Europe. Grey est un homme avisé, qui manie les affaires étrangères depuis huit ans. Asquith et Churchill sont des types réfléchis et probes. Haldane est remarquablement actif, et connaît bien l'Europe. Quant à Lloyd George, son pacifisme est notoire; il s'est toujours montré hostile aux armements. »

— « Tous des élites », confirma M. Chasle, comme si son opinion était de longue date établie.

Jacques, sur la défensive, regardait son frère, et continuait à manger, en silence.

— « Menée par de tels hommes, l'Angleterre n'a aucune envie de courir l'aventure », conclut Antoine.

Studler intervint de nouveau :

— « Alors, pourquoi Grey s'épuise-t-il, depuis dix jours, à vouloir replâtrer les choses par des trucs diplomatiques, quand le seul moyen sûr de faire reculer les Empires centraux aurait été de les avertir que, en cas de guerre, ils auraient l'Angleterre contre eux? »

— « Eh bien, justement : c'est, paraît-il, ce qu'a fait Grey, hier, dans un entretien avec l'ambassadeur d'Allemagne. »

— « Et qu'en est-il résulté? »

— « Rien... Rien encore... D'ailleurs, au Quai, on craint que cette déclaration ne soit trop tardive pour avoir quelque effet. »

— « Naturellement », grommela Studler. « Pourquoi avoir tant attendu? »

— « Soyez certain que ce n'est pas par hasard », insinua Jacques. « De tous les politiciens retors qui se partagent le pouvoir en Europe, Grey semble bien le plus... »

— « Ce n'est pas du tout ce que dit Rumelles », interrompit Antoine, avec humeur; « Rumelles a été attaché pendant trois ans à Londres; il a souvent été en rapports avec Grey; il en parle donc, lui, en connaissance de cause. Et il en parle, ma foi, fort intelligemment. »

— « C'est ça qui fait le charme », murmura M. Chasle, bas et comme s'adressant à lui-même.

Antoine s'était tu. Il n'avait aucune envie de discuter, ni même de raconter ce qu'il avait appris au Quai. Il était très las. Il avait passé la soirée à classer, avec Studler, des dossiers de notes médicales : à tout hasard, il tenait à laisser ses archives en ordre. Puis, après le départ du Calife, il était monté dans son bureau, brûler des lettres, trier, ranger des papiers personnels. Il avait dormi deux heures, à l'aube. Dès son réveil, la lecture des journaux l'avait mis dans un état d'anxiété fébrile, que n'avaient cessé d'accroître, au cours de la matinée, les conversations, le pessimisme, le désarroi de tous. Sa consultation, ce matin, avait été particulièrement chargée. Il était sorti, harassé, de l'hôpital. Et, pour finir, cet entretien décourageant avec Rumelles... Le moral, cette fois, était sérieusement touché. La tourmente faisait chanceler les bases sur lesquelles il avait précisément construit sa vie : la science, la raison. Il découvrait soudain l'impuissance de l'esprit et, devant tant d'instincts déchaînés, l'inutilité des vertus sur lesquelles son existence laborieuse s'appuyait depuis toujours : la mesure, le bon sens, la sagesse et l'expérience, la volonté de justice... Il aurait aimé être seul, pouvoir réfléchir, lutter contre la dépression, se ressaisir, se préparer stoïquement à l'inévitable. Mais tous étaient tournés vers lui et semblaient attendre ses paroles. Il fronça les sourcils, et, rassemblant son énergie, il poursuivit :

— « Ce Grey, paraît-il, est le type de l'Anglais consciencieux, un peu défiant, un peu timoré, pas très généreux, mais d'un grand loyalisme de pensée et d'action. Tout le contraire de ce que tu crois », dit-il, en s'adressant à son frère.

— « Je le juge sur sa politique », fit Jacques.

— « Rumelles l'explique admirablement, cette politique! Mais c'est compliqué, et je ne me rappellerai sans doute pas tout ce qu'il m'a dit... » Il soupira, et passa la main sur son front. « D'abord, Grey n'a pas les mains libres pour afficher une alliance ferme avec la France. Dans le Cabinet, il y a des hommes orientés vers l'Allemagne, comme Haldane; et quant au peuple anglais, jusqu'à ces derniers jours, il était beaucoup plus préoccupé des difficultés irlandaises que des conséquences du meurtre de Sarajevo; et il aurait refusé tout net l'idée d'avoir à venir se battre sur le continent pour défendre la Serbie... Donc, même si Grey avait eu la tentation d'engager plus tôt et plus nettement l'Angleterre dans le conflit, il risquait de n'être suivi, ni par ses collègues, ni par son Parlement, ni par son pays. »

Il se versa un verre de vin, ce qui lui arrivait rarement au repas de midi, et il le but d'un trait.

— « Ce n'est pas tout », reprit-il. « La question, comme toujours, est aussi d'ordre psychologique. Il semblerait que Grey, depuis le premier jour, ait eu pleinement conscience que l'Angleterre disposait de la paix et de la guerre. Mais il se serait aussi rendu compte que l'arme qu'il avait entre les mains était à double tranchant. Imaginez que le gouvernement anglais, il y a huit jours, ait donné à la France et à la Russie l'assurance publique d'un appui militaire... »

— « ...nous aurions vu immédiatement Berlin changer de ton », interrompit Studler. « L'Allemagne aurait battu en retraite, forcé l'Autriche à rentrer ses griffes, et tout se serait terminé, à l'amiable, par des marchandages de chancelleries ! »

— « C'est possible, mais nullement certain. Et Grey avait, paraît-il, de bonnes raisons pour craindre le contraire : si la Russie avait appris avec certitude qu'elle pouvait compter, non seulement sur l'armée et l'argent français, mais sur la flotte et l'argent anglais, la tentation de risquer la partie, avec de tels atouts, serait sans doute devenue irrésistible... Vue sous ce jour-là », reprit Antoine, en regardant du côté de Jacques, « l'attitude de Grey prend un aspect tout différent. On comprend alors que ce soit justement son authentique désir de sauvegarder la paix qui lui ait fait adopter son jeu de bascule. Il a dit à la France : “ Prenez garde, intervenez auprès de la Russie; elle risque de vous entraîner dans un conflit pour lequel, sachez-le bien, il ne faut pas que vous comptiez sur nous. ” Et, en même temps, il disait à l'Allemagne : “ Attention ! Nous n'approuvons pas votre intransigeance. N'oubliez pas que notre flotte est mobilisée dans la mer du Nord; et que nous n'avons promis à personne de rester neutres. ”

Studler haussa les épaules :

— « Tout scrupuleux qu'il soit, ton Grey pourrait bien n'être qu'un grand naïf. Car la Russie devait fatalement connaître, par son service de renseignements, les menaces que Londres faisait à Berlin; ce qui l'incitait, naturellement, à espérer l'appui anglais. Et, pendant ce temps-là, le contre-espionnage allemand rapportait à Berlin les propos peu encourageants tenus par l'Angleterre à la France et à la Russie... Et, du coup, l'Allemagne n'avait plus aucune raison de prendre au sérieux la menace anglaise... Le jeu de bascule, en fin de compte, c'est uniquement aux chances de guerre qu'il a sans doute profité! »

C'est, d'ailleurs, à peu de chose près, ce qu'avait conclu Rumelles. Mais Antoine ne le dit pas. Il faisait une distinction méticuleuse entre les nouvelles d'ordre général qu'il pensait pouvoir, sans indiscrétion, transmettre à ses collaborateurs, et tout ce qui, dans la libre conversation du diplomate, lui semblait vues personnelles et confidences. La présence de Jacques l'inclinait à plus de circonspection encore que de coutume. Ainsi, il n'avait pas l'intention de raconter qu'on se tâtait, en haut lieu, pour savoir si le moment n'était pas venu de faire un appel direct et pressant à l'appui de la Grande-Bretagne, sous la forme, par exemple, d'une lettre personnelle du Président de la République au roi George. Et, de même, il se garda bien de faire allusion à l'événement précis qui, d'après Rumelles, avait décidé Grey à jeter enfin l'épée britannique dans la balance, au cours de son entretien d'hier avec l'ambassadeur d'Allemagne. Les Allemands, paraît-il, avaient commis, l'avant-veille, le 29, une lourde maladresse : « Promettez-nous la neutralité anglaise », auraient-ils dit en substance à Londres, « nous nous engageons, après notre victoire, à respecter l'intégrité territoriale de la France : nous ne lui confisquerons que des colonies. » Ce discours outrecuidant, — aggravé par le refus de s'engager à ne pas violer la neutralité belge, s'il y avait conflit, — aurait, selon Rumelles, provoqué l'indignation du Foreign Office, amené un revirement francophile dans l'esprit de tous les membres du Cabinet, et précipité plus franchement le gouvernement anglais du côté franco-russe.

Jacques avait écouté l'exposé d'Antoine sans le contredire. Mais il ne cédait pas.

— « Dans tout ça », dit-il, « Rumelles me paraît oublier un peu trop les principales données du problème. »

— « A savoir? »

— « A savoir que, il y a dix ans, la Grande-Bretagne était encore la maîtresse incontestée des mers; et que, si elle ne trouve pas un moyen pour arrêter coûte que coûte le développement accéléré de la flotte allemande, l'Angleterre ne sera bientôt plus qu'une puissance navale de deuxième rang. Voilà des réalités, qui sont archi-connues, mais qui expliquent tout de même plus de choses, à mon avis, que les cas de conscience et les hésitations psychologiques de Grey. »

— « Oui », renchérit Studler. « Et quel rôle joue dans la politique anglaise l'affaire du chemin de fer de Badgad? la mainmise allemande sur une ligne qui relie Constantinople au golfe Persique, c'est-à-dire qui mène droit aux Indes, et qui menace le canal de Suez d'une concurrence vitale! »

— « Tout ça tend à prouver quoi? » fit le jeune Roy, nonchalamment.

— « Quoi? » répéta M. Chasle, comme un écho.

— « Que l'Angleterre a d'impérieux motifs pour souhaiter une guerre qui réduirait la puissance de l'Allemagne », répondit Jacques. « Et, pour moi, ça éclaire toute la question. »

— « L'Angleterre, elle a eu déjà du fil en aiguille avec Napoléon Ier », observa finement M. Chasle. Il ajouta, avec un petit sourire guilleret : « C'est vrai que, pour la guerre, Napoléon Ier, c'était un stratagème comme ils n'en auront jamais en Allemagne! »

Il y eut un bref silence, et une lueur ironique, vite éteinte, passa discrètement dans les regards.

— « Et malgré cela », demanda Jousselin à Jacques, « vous ne pensez pas qu'on peut croire au pacifisme actuel des dirigeants britanniques? »

— « Non. Quand le Kaiser a déclaré : " Notre avenir est sur l'eau ", c'est à l'Angleterre qu'il jetait le gant. Pour moi, je pense que l'Angleterre est en train de le ramasser en ce moment. Elle profite de l'espoir qu'elle peut encore avoir d'écraser la seule nation d'Europe qui la gêne. Je crois que Grey, fort bien renseigné sur les intentions de la Russie, n'avait, en multipliant ses offres de médiation, aucune illusion sur leur efficacité; je crois qu'il n'a pas cessé, volontairement, de donner le change; je crois que, en réalité, le gouvernement anglais considère finalement comme une chance tout ce qui peut rendre inévitable cette guerre dont il a besoin — dont il a besoin, mais dont il n'a pas encore osé, et dont il n'oserait peut-être jamais, prendre lui-même l'initiative. »

Il regarda son frère. Antoine pelait un fruit et semblait s'être désintéressé de la discussion.

— « Déjà, en 1911 », observa Studler, en se tournant vers Manuel Roy, « l'Angleterre a tout fait pour envenimer perfidement les rapports franco-allemands, à propos du Maroc. Sans Caillaux... »

Les yeux de Jacques se posèrent sur Roy. Il était assis au bout de la grande table. Au nom de Caillaux, il avait brusquement levé la tête; et l'on voyait briller ses jeunes dents.

A ce moment, Jousselin qui, depuis un instant, semblait rêveur, prit la parole. Renonçant à poursuivre l'épluchage des amandes fraîches qu'il avait dans son assiette, — et que, distraitement, il s'appliquait à décortiquer, du bout de sa fourchette et de son couteau, — il promena autour de la table son regard caressant :

— « Savez-vous comment j'imagine que les historiens futurs raconteront l'histoire que nous sommes en train de vivre? Ils diront : " En juin 14, un jour d'été, brusquement, un incendie a éclaté au centre de l'Europe. Le foyer était en Autriche. Le bûcher avait été préparé avec soin à Vienne... " »

— « ... Mais », interrompit Studler, « l'étincelle était partie de Serbie! Poussée par un violent, par un traîtreux vent du Nord-Est, qui venait tout droit de Pétersbourg! »

— « Et les Russes », continua Jousselin, « ont aussitôt soufflé sur le feu! »

— « ...avec le consentement incompréhensible de la France...», nota Jacques. « Et, de concert, ils ont jeté sur le bûcher quantité de petits fagots qu'ils tenaient depuis longtemps au sec! »

— « Et l'Allemagne? » demanda Jousselin. Comme personne ne répondait, il poursuivit : « L'Allemagne, pendant ce temps-là, regardait froidement les flammes monter, et les flammèches s'envoler... Etait-ce par duplicité? »

— « Mais oui! » cria Studler.

— « Non. C'était peut-être par sottise », interrompit Jacques. « Par sottise, et par orgueil! Parce qu'elle se targuait follement de pouvoir, en temps voulu, circonscrire le brasier, faire la part du feu! »

— « ...et en retirer des marrons », fit Roy.

— « Ces choses-là, ça ne devrait pas exister », chuchota tristement M. Chasle.

Jousselin reprit :

— « Reste l'Angleterre... »

— « L'Angleterre », s'écria Jacques. « Pour moi, c'est simple : elle disposait, dès le début, d'une importante réserve d'eau, qui aurait parfaitement suffi à éteindre l'incendie; et — circonstance aggravante — elle avait clairement vu le feu prendre et se propager. Mais elle s'est contentée de crier : " Au secours! " et elle s'est soigneusement gardée d'ouvrir ses vannes!... Ce qui, malgré les airs pacifiques qu'elle se sera donnés, risque fort de la faire comparaître au jugement de la postérité comme une sournoise complice des incendiaires!... »

Antoine, le nez dans son assiette, n'avait pas eu l'air d'écouter.

Le Calife tourna vers Jacques son grand œil mouillé :

— « Un point sur lequel je ne peux pas être d'accord avec vous, c'est l'attitude de l'Allemagne! » Et, comme s'il n'était pas maître d'un trouble secret, sa voix prit tout à coup une résonance fébrile : « Je crois à la volonté de guerre de l'Allemagne! »

— « Parbleu! » lança Roy. « L'Allemagne a fait sien le rêve de Charles-Quint, le rêve de Napoléon! Guerre des duchés, Sadowa, 70, autant d'étapes vers la conquête de l'Europe! Et, entre chaque étape, accroissement intensif de sa puissance militaire, pour atteindre plus vite son but pangermaniste! »

Studler, qui avait attendu, tête baissée, la fin de la tirade, se pencha de nouveau vers Jacques :

— « Oui, moi je crois à la préméditation cynique de l'Allemagne ! C'est elle qui, dans la coulisse, et depuis le début, tire les ficelles et fait agir l'Autriche ! »

Jacques voulut parler, mais Studler ne lui en laissa pas le temps. Le Calife semblait en proie à une agitation insolite. Il cria presque :

— « Voyons ! Ça crève les yeux ! Est-ce que l'Autriche, la déliquescente Autriche, se serait jamais permis, seule, de prendre ce ton, le ton de l'ultimatum ? et de refuser à toutes les puissances réunies le moindre délai à la réponse serbe ? et de rejeter, sans même prendre le temps d'une délibération, cette réponse qui était si conciliante ? Allons donc ! Et, si l'on supposait l'Allemagne sans arrière-pensée de guerre, comment expliquer son hostilité systématique à toutes les propositions — sincères ou non, en tout cas diplomatiquement acceptables — de l'Angleterre ? et son refus à porter le débat devant le Tribunal d'arbitrage de La Haye, comme le propose le Tsar ? »

— « Tout ça peut se justifier, dans une grande mesure », hasarda Jacques. « L'Allemagne n'ignorait rien des visées belliqueuses du panslavisme russe. Et elle a toujours soutenu que l'intervention des puissances dans la querelle austro-serbe comportait, de ce fait, plus de dangers que leur abstention. »

Antoine contredit son frère avec vivacité :

— « Au Quai d'Orsay, ils n'ont jamais fait confiance aux protestations pacifiques de l'Allemagne. Ils ont acquis depuis longtemps la conviction morale... »

— « La conviction morale ! » fit Jacques.

— « ...que les Empires centraux sont d'avance résolus à écarter tout ce qui pourrait empêcher, ou même retarder, le conflit. »

Et, pour couper court à cette politique de chambre qui l'exaspérait, il posa sa serviette sur la table et se leva.

Tous l'imitèrent.

— « L'Allemagne, ne l'oublions pas, a fait plusieurs tentatives de conciliation, dont le gouvernement russe, dont le gouvernement français, n'ont voulu tenir aucun compte », dit Jacques à Studler, tandis qu'ils quittaient lentement la salle à manger.

— « Des feintes! Allons! Il lui fallait bien, malgré tout, ménager un peu l'opinion européenne! »

Jousselin observa équitablement :

— « Mais la thèse allemande — nécessité d'une expédition punitive contre la Serbie et stricte localisation du conflit — n'impliquait nullement la volonté d'une guerre européenne... Encore moins d'une guerre *contre nous!* »

— « Sans compter que », ajouta Jacques, « si réellement l'Allemagne avait eu cette volonté de guerre, ce désir d'écraser la France, pourquoi aurait-elle attendu si longtemps? Pourquoi aurait-elle raté, depuis quinze ans, un si grand nombre d'occasions, beaucoup plus favorables que celle d'aujourd'hui? Pourquoi n'a-t-elle pas profité de la crise franco-anglaise de Fachoda, en 1898? de la guerre russo-japonaise, en 1905? de la crise bosniaque, en 1907? de la crise marocaine, en 1911? »

— « Tout ça, je m'en fous », grommela le Calife, buté. Il répéta : « Je m'en fous! » et enfonça ses poings dans ses poches.

M. Chasle, planté devant la porte, grignotait un quignon de pain, et s'effaçait pour laisser successivement passer les autres devant lui. Antoine fermait la marche. M. Chasle lui montra son pain, et cligna de l'œil :

— « Défunt mon père aussi en était adepte : au dessert il lui fallait sa petite croûte... Moi de même, Monsieur Antoine. C'est mon régal. » Dans son sourire, qui semblait l'excuser de tant d'indulgence envers ses faiblesses, perçait néanmoins quelque vanité d'avoir un goût si peu répandu. M. Chasle était beaucoup trop naturel pour être modeste.

Comme Jacques et Jousselin franchissaient le seuil du cabinet de consultation, où le café était servi, Studler se glissa entre eux, leur saisit les coudes, et, se penchant, reprit, sur un ton angoissé, confidentiel :

— « Je m'en fous, parce qu'on peut argumenter sans fin, et trouver des raisons à tout! Je m'en fous, parce que nous avons tous *besoin* de croire que l'Allemagne est coupable, de croire que nous sommes des dupes! Moi, quand j'ouvre un journal aujourd'hui, ce que j'y cherche d'abord, — je ne m'en cache pas, — ce sont des preuves de la duplicité allemande! »

— « Mais pourquoi? » demanda Jousselin, qui s'était arrêté, à l'entrée de la pièce.

Le Calife baissa les yeux :

— « Pour pouvoir encaisser ce qui nous arrive!... Parce que, si on se mettait à douter de la culpabilité allemande, on aurait trop de mal à faire ce qu'ils appellent tous : " notre devoir! " »

Jacques ne put retenir un rire amer :

— « Le devoir " patriotique "! »

— « Oui! » dit Studler.

— « Et vous pouvez encore le prendre en considération, ce prétendu devoir, quand vous voyez ce qu'on nous prépare en son nom? »

Le Calife secouait les épaules comme s'il se débattait entre les mailles d'un filet.

— « Ah », reprit-il, sur un ton coléreux et suppliant, « ne m'embrouillez pas davantage!... Nous savons tous que, si, par malheur, la France mobilisait demain, malgré tout ce que nous pouvons penser, nous ne nous déroberions pas. »

Jacques ouvrait la bouche pour crier : « Moi, si! » lorsqu'il aperçut, debout au milieu de la pièce, son frère, qui s'était retourné et qui le considérait fixement. Paralysé malgré lui, il céda à l'étrange prière qu'il lut dans ce regard : il se tut. Depuis l'arrivée d'Antoine, il était frappé du désarroi qu'il devinait chez son frère; et il en était remué jusqu'au tréfonds, — comme cette nuit, au chevet de leur père mourant, où il avait vu son aîné, qu'il jugeait invincible, éclater brusquement en sanglots.

Antoine se détourna :

— « Manuel », dit-il, « servez-nous le café, mon petit, voulez-vous? »

— « Et puis », continua le Calife, sur un ton de plus en plus fiévreux, « je me dis : " Qui sait? Une grande guerre européenne avancerait sans doute l'avènement du socialisme plus que ne pourraient faire vingt années de propagande en temps de paix! " »

— « Ça », dit Jousselin, « je ne vois vraiment pas comment! Je sais bien que certains de vos doctrinaires professent cette théorie qu'il faut une guerre pour déclencher une révolution. Mais j'ai toujours pensé que c'était, comme dit gentiment le père Philip, une " vue de l'esprit ". Il faut n'avoir aucune idée de ce que sera une nation moderne sous les armes, un peuple mobilisé! Etrange illusion, d'espérer qu'une insurrection, qui n'a pas encore pu réussir dans le laisser-aller de notre régime démocratique, deviendrait tout à coup possible le jour où tous les révolutionnaires seraient prisonniers des cadres de l'armée, à la merci d'une dictature militaire ayant droit de vie et de mort sur les individus! »

Studler n'écoutait pas. Il regardait Jacques, fixement.

— « La guerre », reprit-il d'une voix sombre, « eh bien, quoi? C'est trois ou quatre mois, peut-être... Mais, si, à la suite de ces épreuves, le prolétariat d'Europe se retrouvait plus fort, mieux trempé, plus uni? Et si, après, c'en était vraiment fini de l'impérialisme, de la concurrence des armements? Et si les peuples fondaient enfin une paix solide, la paix dans l'Internationale? »

Jacques secouait obstinément la tête :

— « Non! Tout ce bel avenir problématique, je n'en veux pas, si c'est au prix d'une guerre!... Tout, plutôt que l'abdication de la raison, de la justice, devant la force brutale, et le sang! Tout, plutôt que cette horreur et cette absurdité! Tout, tout, — plutôt que la guerre! »

Roy, qui écoutait, lança :

— « Tout?... même l'occupation du territoire par l'invasion ennemie?... Alors, pour être tranquilles, proposons tout de suite aux Allemands la Meuse, les Ardennes, le Nord, le Pas-de-Calais! Pourquoi non? Avec un confortable débouché sur la mer! »

Jacques haussa imperceptiblement les épaules :

— « Ça gênerait, sans doute, certains industriels du Nord. Mais pensez-vous, franchement, que, pour la majeure partie des ouvriers et des mineurs, ça changerait quelque chose d'essentiel à la misère de leur vie? et que, si on les consultait, la plupart ne préféreraient pas ça, à la mort glorieuse sur un champ de bataille?... » Son visage restait courageux et grave. « Je sais bien que vous considérez la guerre et la paix comme l'oscillation normale de la vie des peuples... C'est monstrueux!... Cette oscillation inhumaine, il faut l'arrêter, une fois pour toutes! Il faut que l'humanité, délivrée de ce rythme sanguinaire, puisse librement orienter son activité vers la création d'une société meilleure! La guerre ne résout aucun des problèmes vitaux de l'homme! Aucun! Elle ne fait qu'accroître la condition misérable du travailleur! Chair à canon, pendant la guerre; esclave plus durement asservi, après : voilà son lot! » Il ajouta sourdement : « C'est simple : je ne vois rien — exactement *rien!* — qui puisse être pire, pour un peuple, que les maux de la guerre! »

— « Très simple », fit Roy, froidement. « Et même un peu... simpliste, si vous permettez! Comme si un peuple n'avait rien à gagner à une guerre victorieuse! »

— « Rien! Jamais! »

La voix d'Antoine s'éleva, nette, tranchante :

— « Insoutenable! »

Jacques tressaillit, et tourna la tête. Jusque-là, Antoine, assis à son bureau, les yeux baissés, avait paru occupé à décacheter des lettres. En réalité, il ne perdait pas un mot de ce qui se disait à quelques mètres de lui. Sans quitter sa place, sans regarder son frère, il reprit :

— « Insoutenable! Historiquement insoutenable! Toute l'histoire... — à commencer par Jeanne d'Arc... »

— « Hé », interrompit plaisamment Jousselin. « Qui sait? Peut-être que, sans la Pucelle, l'Angleterre et la France se seraient fondues en une seule nation... Au grand déshonneur de Charles VII, j'en conviens. Mais, peut-être, au grand profit des deux nations, auxquelles bien des souffrances auraient été évitées... »

Antoine haussa les épaules :

— « Soyez sérieux, Jousselin... Nierez-vous, par exemple, que l'Allemagne n'ait rien gagné à Sadowa, ni à Sedan? »

— « L'Allemagne! » riposta Jacques. « La nation allemande! Une entité... Mais *le peuple?* Mais l'Allemand, l'homme du peuple allemand, qu'est-ce qu'il a gagné? »

Roy se redressa :

— « Et si, à Pâques 1915, — ou même avant! — la France victorieuse a reconquis son Alsace-Lorraine, étendu son territoire jusqu'à la frontière naturelle du Rhin, annexé les richesses minières de la Sarre, augmenté son empire colonial des possessions allemandes en Afrique; si, par la force de ses armes, elle est devenue la plus grande puissance du continent, pourra-t-on prétendre que le peuple français n'aura rien gagné au sacrifice de ses soldats? »

Il se mit à rire, avec bonhomie; puis, estimant sans doute la cause entendue, il tira son étui à cigarettes, prit une chaise, la retourna, et se campa dessus, à califourchon.

— « Pas si simple, tout ça... Pas si simple... », murmura, près de Jacques, Jousselin, pensif.

— « Ah », reprit Jacques, s'adressant à lui et baissant la voix, « je ne peux pas admettre la violence, même contre la violence! Je ne veux laisser dans ma pensée aucune fissure par où des velléités de violence puissent se glisser!... Je me refuse à toute guerre, qu'elle soit baptisée " juste " ou " injuste "! A toute guerre, d'où qu'elle vienne, et pour quelque motif que ce soit! »

L'émotion l'étranglait. Il se tut. « Même la guerre civile! » songea-t-il, se souvenant de ses controverses passionnées avec des révolutionnaires résolus à tout, comme Mithœrg. (« Ce n'est pas à un déchaînement de haine et de massacres », leur disait-il, « que je veux devoir le triomphe de cet idéal de fraternité, auquel j'ai voué ma vie... »)

LXI

— « Pas si simple... », répéta Jousselin, en promenant autour de lui un regard lourd.

Il fit une pause, et, sur un autre ton, comme s'il poursuivait des pensées fugitives :

— « Nous, médecins, nous avons du moins cette chance qu'on ne nous enrôlerait pas pour jouer un rôle sanguinaire... Qu'on nous mobiliserait non pour tuer, mais pour guérir... »

— « Oui, oui... », dit vivement Studler, et son œil mouillé se tourna vers Jousselin avec une sorte de gratitude.

— « Et si vous n'étiez pas médecins ? » fit alors Roy, en les dévisageant, l'un après l'autre, avec une curiosité agressive. (Tous savaient qu'il n'avait jamais fait état de ses diplômes auprès des autorités militaires; que, pendant son service, après un court stage dans le personnel de l'infirmerie, il avait obtenu sa réintégration dans la troupe; et qu'il était, présentement, inscrit comme sous-lieutenant de réserve dans un régiment d'infanterie.)

— « Alors, mon petit Manuel », cria Antoine, « vous ne voulez décidément pas nous donner le café ? »

Il semblait chercher n'importe quel prétexte pour arrêter le débat, et disperser le groupe des discuteurs.

— « Voilà, voilà, Patron ! » fit le jeune homme. Et, sportivement, il se mit debout, en passant sa jambe par-dessus le dossier de sa chaise.

— « Isaac ! » appela Antoine.

Studler s'approcha. Antoine lui tendit une enveloppe.

— « Tiens, l'Institut de Philadelphie s'est décidé à

répondre... » Et, par habitude, il ajouta : « A classer. » Studler le regarda avec étonnement, sans prendre la lettre. Antoine grimaça un bref sourire, et jeta l'enveloppe dans la corbeille à papiers.

Jousselin et Jacques étaient demeurés seuls, debout, dans l'angle de la vaste pièce.

— « Médecin ou non », dit Jacques, sans regarder dans la direction de son frère, mais d'une voix plus soutenue que s'il ne s'était adressé qu'à son voisin, « tout mobilisé, qui répond à l'appel, donne son adhésion à la politique nationaliste, et consent, de ce fait, à la guerre. Selon moi, la question reste donc la même pour tous : suffit-il, pour accepter de prendre un rôle dans cette tuerie, qu'un gouvernement vous en intime l'ordre?... Même si je n'étais pas... ce que je suis », reprit-il, en se penchant vers Jousselin, « même si j'étais un citoyen soumis, satisfait des institutions de son pays, je n'admettrais pas qu'une raison d'Etat puisse me forcer à enfreindre ce qui est pour moi une obligation spirituelle. Un Etat, qui s'arroge le droit de forcer la conscience de ceux qu'il administre, n'a pas à compter sur leur collaboration. Et une société qui ne tient pas compte, avant tout, de la valeur morale des individus, ne mérite que mépris et révolte! »

Jousselin hocha la tête :

— « J'ai été farouchement dreyfusard », dit-il, en guise de réponse.

Antoine, qui semblait occupé à son bureau, se retourna d'un bloc :

— « La question est mal posée », fit-il d'une voix coupante. Tout en parlant, il s'était levé et, regardant son frère, il s'avançait, seul, au milieu de la pièce : « Un gouvernement démocratique comme est le nôtre, — quand bien même sa politique serait contestée par une minorité d'opposition, — n'est au pouvoir que parce qu'il représente légalement la volonté du plus grand nombre. C'est donc à cette volonté collective de la nation, que le mobilisé obéit en répondant à l'appel;

— quelle que puisse être son opinion personnelle sur la politique du gouvernement au pouvoir! »

— « Tu invoques la volonté du plus grand nombre », dit Studler. « Mais la majorité, pour ne pas dire la totalité des citoyens, à l'heure actuelle, souhaite qu'il n'y ait pas la guerre! »

Jacques reprit la parole :

— « Au nom de quoi », demanda-t-il, en évitant de s'adresser à son frère, et en regardant Jousselin avec une fixité assez gauche, « au nom de quoi cette majorité serait-elle tenue de sacrifier des principes réfléchis, légitimes, et de faire passer sa soumission de citoyen avant ses convictions les plus sacrées? »

— « Au nom de quoi? » s'écria Roy, redressé tout à coup comme s'il avait reçu un soufflet.

— « De quoi? » fit, en écho, la voix de M. Chasle.

— « Au nom du pacte social », prononça fermement Antoine.

Roy dévisagea Jacques, puis Studler, comme s'il les mettait au défi de protester. Puis il haussa les épaules, pivota sur ses talons, gagna rapidement un fauteuil éloigné, dans l'embrasure d'une des fenêtres, et s'y laissa choir, le dos tourné.

Antoine, les yeux baissés, remuait nerveusement sa cuillère dans sa tasse, et paraissait se recueillir.

Il y eut un silence que Jousselin rompit avec aménité :

— « Je vous comprends très bien, Patron, et je crois, tout compte fait, que je pense comme vous... La société actuelle, qu'elle ait ou non ses tares, c'est tout de même, pour nous, pour notre génération d'adultes, une réalité. C'est une plate-forme toute faite, et relativement solide, que les générations précédentes ont construite, qu'elles nous ont laissée, — la plate-forme sur laquelle nous avons, à notre tour, trouvé notre équilibre... J'ai conscience de ça, moi aussi, très fort. »

— « Parfaitement », fit Antoine. Il continuait à tourner sa cuillère, sans lever la tête. « En tant qu'individus, nous sommes des êtres faibles, isolés, dépourvus. Notre force, — la plus grande partie de notre force, et, en tout cas, la possibilité d'exercer cette force d'une façon féconde, — nous la devons au groupement social qui nous rassemble, qui coordonne nos activités. Et, pour nous, ce groupement, en l'état actuel du monde, ce n'est pas un mythe : il se trouve défini, limité dans l'espace. Il porte un nom : France... »

Il parlait lentement, d'une voix triste mais ferme, comme s'il avait depuis longtemps préparé ce qu'il disait là, et qu'il eût volontairement saisi l'occasion de le dire :

— « Nous sommes tous membres d'une communauté nationale; et, par là, nous lui sommes pratiquement subordonnés. Entre nous et cette communauté, — qui nous permet d'être ce que nous sommes, de vivre dans une sécurité à peu près complète, et d'organiser, dans ses cadres, nos existences d'hommes civilisés —, entre nous et elle, il y a, depuis des millénaires, un lien consenti, un pacte : un pacte qui nous engage tous! Ce n'est pas une question de choix; c'est une question de fait... Aussi longtemps que les hommes vivront en société, je pense que les individus ne pourront pas, à leur gré, se prétendre libérés de leurs obligations envers cette société qui les protège, et dont ils profitent. »

— « Pas tous! » coupa Studler.

Antoine l'enveloppa d'un bref coup d'œil.

— « Tous! Inégalement peut-être; mais tous! Toi, comme moi! le prolétaire, comme le bourgeois; le garçon de salle aussi bien que le chef de service! Du fait que nous sommes nés membres de la communauté, nous y avons tous pris une place, dont chacun de nous tire journellement avantage. Avantage qui a pour contrepartie l'observance d'un contrat social. Or, l'une des premières clauses de ce contrat, c'est que nous respections les lois de la communauté, et que nous nous y conformions, même si, au cours de nos libres réflexions d'individus, ces lois ne nous paraissent pas toujours justes. Rejeter ces obligations, ce serait ouvrir une brèche dans l'armature des institutions qui font qu'une communauté nationale comme la France est un organisme équilibré, vivant. Ce serait ébranler l'édifice social. »

— « Oui! » fit Jacques, à mi-voix.

— « Et qui plus est », poursuivit Antoine, avec une inflexion rageuse, « ce serait agir sans discernement : car ce serait travailler contre les intérêts réels de l'individu. Parce que le désordre qui résulterait de cette révolte anarchique aurait pour l'individu des conséquences infiniment plus néfastes que sa soumission à des lois, même défectueuses. »

— « Savoir! » dit vivement Studler.

Antoine jeta un nouveau coup d'œil vers le Calife et, cette fois, fit un demi-pas vers lui :

— « Est-ce que nous n'avons pas sans cesse à nous soumettre, en tant que citoyens, à des lois que nous désapprouvons, en tant qu'individus? La communauté nous autorise d'ailleurs à entrer en lutte avec elle : la liberté de penser et d'écrire existe encore en France! Et nous avons même une arme légale pour combattre : le bulletin de vote. »

— « Parlons-en! » riposta Studler. « Belle duperie, en France, que ton suffrage universel! Sur quarante millions de Français, il n'y a même pas douze millions d'électeurs! Il suffit de six millions et une voix, la moitié des votants, pour constituer ce qu'on a le front d'appeler la majorité! Nous sommes donc trente-quatre millions d'imbéciles, soumis à la volonté de six millions d'individus, — lesquels votent, pour la plupart, tu sais comment : à l'aveuglette, sous la pression des racontars de bistros! Non, non, le Français n'a aucun pouvoir politique réel. A-t-il le moyen de modifier la constitution du régime? de désapprouver, ou même de discuter, les lois nouvelles qu'on lui impose? Il n'est même pas consulté sur les alliances que l'on contracte en son nom, et qui peuvent l'entraîner dans des conflits où il laissera sa peau! Voilà ce qu'on appelle, en France, la souveraineté nationale! »

— « Je te demande pardon », rectifia Antoine, posément. « Je ne me sens pas si dépourvu que tu veux bien le dire. Evidemment, je ne suis pas personnellement consulté sur chaque événement de la vie sociale. Mais, si la communauté adopte une politique qui me déplaît, libre à moi de donner mon suffrage à ceux qui la combattront au Parlement!... En attendant, aussi longtemps que mon vote n'aura pas réussi à chasser du pouvoir ceux qui, jusque-là, y représentent la volonté du plus grand nombre, et à mettre à leur place des gens qui modifieront selon mes préférences la politique de l'État, mon devoir est simple. Et indiscutable. Je suis engagé par le pacte social. Je dois plier. Je dois obéir. »

— « *Dura lex*, c'est *lex!* » chuchota sentencieusement M. Chasle, dans un silence.

Le Calife allait et venait de long en large.

— « Reste à savoir », bougonna-t-il, « si, dans le cas présent, le désordre révolutionnaire, que provoquerait l'insoumission des mobilisés, ne serait pas un mal infiniment moins grave que... »

— « ...que la plus courte des guerres! » acheva Jacques.

A l'extrémité du cabinet, Roy fit un mouvement, et l'on entendit gémir les ressorts de son siège. Mais il ne dit rien.

— « Pour ce qui est de moi, Patron », dit doucement Jousselin, « je pense comme vous : j'obéirai... Ceci dit, je comprends que, pour d'autres, en un moment aussi exceptionnel, à la veille d'un cataclysme comme celui qui nous menace, cette soumission soit un devoir... inacceptable... inhumain. »

— « Au contraire », repartit Antoine. « Plus l'individu a conscience de la gravité de l'événement, et plus son devoir devrait lui paraître impérieux! »

Il fit une pause, et remit son café sur le plateau, sans l'avoir bu. Son visage était contracté, sa voix tremblait.

— « Je m'interroge là-dessus depuis plusieurs jours », avoua-t-il, tout à coup, sur un ton oppressé qui fit se lever involontairement vers lui les yeux de Jacques. Il appuya quelques secondes son pouce et son index au creux de ses paupières, avant de relever la tête, et de glisser dans la direction de Jacques un étrange et vif regard. Puis, pesant ses mots :

— « Si la mobilisation était décrétée ce soir, par un gouvernement que la majorité a élu, — fût-ce même contre mon vote, — eh bien, ce n'est pas parce que je penserais ceci ou cela de la guerre, ni parce que je ferais partie d'une minorité d'opposition, que j'aurais le droit de rompre délibérément le pacte, et de me dérober à des obligations qui sont les mêmes pour tous — exactement les mêmes pour tous! »

Jacques avait écouté, sans presque intervenir, ces paroles prononcées pour lui. Il se sentait beaucoup moins révolté par la thèse d'Antoine, qu'il n'était ému, malgré lui, par l'accent humain, confidentiel, qui frémissait sous ces affirmations dogmatiques. D'ailleurs, si opposée à la sienne que fût l'attitude de son frère, il ne pouvait s'empêcher de penser que, en cette occurrence, Antoine demeurait logique, parfaitement fidèle à lui-même.

Brusquement, comme si quelqu'un l'eût violemment contredit, Antoine croisa les bras, et cria :

— « Nom de Dieu, ça serait vraiment trop commode, de pouvoir n'être citoyen que jusqu'à la guerre — exclusivement!... »

Le silence qui suivit fut particulièrement lourd.

Jousselin, dont la sensibilité enregistrait toutes les nuances, crut opportun de faire diversion. Sur un ton cordial, comme si la discussion était close et que tous fussent d'accord, il déclara, en guise de conclusion :

— « Au fond, le Patron a raison. La vie sociale est une espèce de jeu. Il faut choisir : accepter les règles, ou bien se retirer de la partie... »

— « Moi, j'ai choisi », dit, près de lui, Jacques, à mi-voix.

Jousselin tourna légèrement la tête et le considéra, une seconde, avec une attention, une émotion, involontaires. Il semblait, au-delà de cette présence réelle, apercevoir toute une destinée pathétique.

La face glabre de Léon se glissa dans l'entrebâillement de la porte :

— « *On* demande Monsieur au téléphone. »

Antoine se retourna et regarda le domestique en battant des cils, comme s'il venait d'être éveillé en sursaut. « Encore elle », pensa-t-il enfin.

— « C'est bon. Je viens. »

Il attendit quelques secondes, les yeux baissés, le front soucieux, et, sans hâte, quitta la pièce.

« Que va-t-elle me dire? » songeait-il, en gagnant son petit bureau. « *Tu ne m'aimes plus!... Tu ne m'aimes plus comme avant!...* » Il arrive fatalement une heure où elles vous disent ça, — toutes!... Ce que nous « n'aimons plus », on les étonnerait bien en le leur apprenant... Ce n'est pas elles, c'est nous! C'est l'homme que nous sommes devenu, devant elles... Ce n'est pas : « Tu ne m'aimes plus », qu'elles devraient dire, mais : « Tu n'aimes plus l'homme que tu deviens dès que nous sommes ensemble... »

Il était arrivé devant l'appareil, et, sans bien réfléchir, il avait décroché le récepteur.

— « C'est toi, Tony? »

Il eut un sursaut, une espèce de révolte. Il restait là, devant cette voix connue, trop connue, chantante et grave, douce exprès, — et il ne pouvait se décider à répondre. Une rage froide... Depuis deux jours, il se sentait délivré d'elle, de ses sortilèges. Pas seulement délivré : nettoyé... Oui, il lui semblait être lavé d'une sorte de souillure... Il songea à Simon. Non, c'était fini, fini : les amarres étaient bien rompues. Pourquoi renouer?

Il reposa doucement le récepteur au milieu de la table et recula d'un pas. Il entendait, dans l'appareil, une sorte de grésillement... un bruit haletant, hoquetant, pareil à un râle... C'était atroce... Tant pis! A aucun prix, il ne fallait rétablir le contact...

Mais, au lieu de retourner dans son cabinet, il alla donner un tour de clef à la porte du couloir, revint vers son divan, alluma une cigarette, et, après un dernier regard vers la table — où le récepteur s'était tu et gisait, contourné, luisant, pareil à un reptile mort, — il s'allongea pesamment parmi les coussins.

Devant la cheminée du cabinet, tête à tête avec Studler, M. Chasle, heureux de pouvoir à son tour prendre la parole et se faire écouter, essayait, en son verbiage impropre et sibyllin, de donner à son auditeur quelques précisions sur son négoce.

— « Les trucs nouveaux, les lubies, les petites inventions... Toujours du neuf, c'est notre devis... Quoi? Je vous enverrai le bulletin de l'A. C., *l'Association des Chercheurs*... Vous verrez. Nous prenons déjà des dispositions collatérales... Il faut bien, avec cette guerre... On va transformer l'orientation... La défense nationale... Chacun dans sa sphère... Quoi? » (Il interrogeait sans cesse, et d'une façon anxieuse, comme s'il n'avait pas bien entendu une question urgente.) « Les inventeurs nous apportent déjà du très sensationnel », continua-t-il aussitôt. « Je ne voudrais pas divulguer... Mais, par exemple, ça, je peux dire : un filtre portatif pour eau de mares et pluies... Précieux en campagne... Tous les mauvais miastres qui déciment l'organisme du soldat... » Il eut un petit rire satisfait : « Et, plus sensationnel encore : un appareil de pointage automatique, muni d'un déclencheur de départ... Pour les fantassins à mauvaise vue... Ou même les artilleurs... »

Roy qui, de sa place, écoutait depuis un instant ces propos incohérents, se leva :

— « Automatique? Comment? »

— « Justement », fit Chasle, flatté. « C'est ça le charme. »

— « Mais encore? Comment ça fonctionne-t-il? »

Chasle eut un geste péremptoire :

— « Tout seul! »

Jacques et Jousselin, toujours debout à la même place, dans l'angle des bibliothèques, causaient à voix basse :

— « Le plus irritant », disait Jacques, le front barré d'un pli rageur, « c'est de penser qu'un jour viendra, fatalement, et très proche peut-être, où l'on ne comprendra même plus que ces histoires de service armé, de nations sous les drapeaux, aient pu avoir le caractère d'un dogme, d'un devoir indiscutable et sacré! Un jour où il paraîtra inconcevable qu'un pouvoir social ait pu s'arroger le droit de fusiller un homme parce qu'il refusait de prendre les armes!... Exactement comme il nous paraît inconcevable que, jadis, des milliers d'hommes en Europe aient pu passer en jugement et subir la torture, pour leurs convictions religieuses... »

— « Ecoutez! » s'écria Roy.

Il avait ramassé sur le bureau un journal du jour qu'il parcourait d'un air détaché, et, comiquement, à haute et intelligible voix, il lut :

— « *Jeune ménage avec enfant désire louer pour trois mois petite maison tranquille avec jardin, près rivière poissonneuse, de préférence Normandie ou Bourgogne. Ecrire :* 3.418, *bureau du journal!* »

Son rire sonnait clair. Il était vraiment le seul, aujourd'hui, qui sût encore rire.

— « Joyeux comme un collégien qui va avoir ses vacances », murmura Jacques.

— « Joyeux comme un vrai héros », rectifia Jousselin. « Quand il n'y a pas de joie, il n'y a pas d'héroïsme; il n'y a que de la bravoure... »

M. Chasle avait tiré sa montre, et, ainsi qu'il faisait toujours avant de consulter l'heure, il écouta « la petite bête », un instant, avec le regard fixe d'un médecin auscultant. Puis il annonça, en levant les sourcils, pardessus ses lunettes :

— « Une heure trente-sept. »

Jacques tressaillit.

— « Je suis en retard », dit-il, en serrant la main de Jousselin. « Je me sauve, sans attendre mon frère. »

Antoine, étendu sur son divan, perçut dans le vestibule la voix de Jacques, que Léon reconduisait vers l'escalier.

Il ouvrit précipitamment la porte :

— « Jacques!... Ecoute... »

Et, comme Jacques, surpris, venait à lui :

— « Tu t'en vas? »

— « Oui. »

— « Entre une minute », fit Antoine, d'une voix trouble, en lui touchant le bras.

Jacques était venu rue de l'Université avec le désir d'avoir avec son frère un entretien seul à seul. Il aurait voulu l'avertir de l'usage qu'il avait fait de sa fortune; il lui déplaisait de paraître se cacher d'Antoine. Et, même, il s'était dit : « Peut-être lui parlerai-je de Jenny... » Bien qu'il fût pressé par l'heure, il accepta de bonne grâce ce tête-à-tête, et pénétra dans le petit bureau.

Antoine referma la porte.

— « Ecoute », reprit-il, sans se rasseoir. « Causons sérieusement, mon petit. Qu'est-ce que... tu comptes faire, toi? »

Jacques affecta un air étonné, et ne répondit pas.

— « Tu as été réformé. Mais, en cas de mobilisation, on revisera toutes les réformes, on enverra tout le monde au feu... Qu'est-ce que tu comptes faire, toi? »

Jacques ne pouvait se dérober :

— « Je n'en sais rien encore », dit-il. « Pour l'instant, je suis légalement hors de leurs griffes : ils ne peuvent rien contre moi. » Devant le regard insistant de son frère, il ajouta, sèchement : « Ce que je peux te dire, c'est que je me couperais plutôt les deux mains que de me laisser mobiliser. »

Antoine détourna les yeux, une seconde.

— « C'est l'attitude la plus... »

— « ...la plus lâche? »

— « Non; je n'ai pas pensé ça », fit Antoine, affectueusement. « Mais, peut-être : l'attitude la plus égoïste... » Comme Jacques ne bronchait pas, il poursuivit : « Ne crois-tu pas? En un pareil moment, refuser de servir, c'est faire passer son intérêt personnel avant l'intérêt général. »

— « Avant l'intérêt *national!* », riposta Jacques. « L'intérêt général, l'intérêt des masses, c'est manifestement la paix, et non la guerre! »

Antoine fit un geste évasif, qui semblait vouloir écarter de la conversation toute controverse théorique. Mais Jacques insista :

— « L'intérêt général, c'est moi qui le sers, — par mon refus! Et je sens bien, — je sens d'une façon indubitable, — que ce qui se refuse en moi, aujourd'hui, c'est le meilleur! »

Antoine retint un mouvement d'impatience :

— « Réfléchis, voyons... Quel résultat pratique peux-tu espérer de ce refus? Aucun!... Quand tout un pays mobilise, quand l'immense majorité — comme ce serait le cas — accepte l'obligation de la défense nationale, quoi de plus vain, de plus voué à l'échec, qu'un acte isolé d'insubordination? »

Le ton restait si volontairement mesuré, si affectueux, que Jacques en fut touché. Très calme, il regarda son frère, et esquissa même un sourire amical.

— « Pourquoi revenir là-dessus, mon vieux? Tu sais bien ce que je pense... Je n'accepterai jamais qu'un gouvernement puisse me forcer à prendre part à une entreprise que je considère comme un crime, comme une trahison de la vérité, de la justice, de la solidarité humaine... Pour moi, l'héroïsme, il n'est pas du côté de Roy : l'héroïsme n'est pas de prendre un fusil et de courir à la frontière! c'est de lever les crosses, — et de se laisser conduire au poteau, plutôt que de se faire complice!... Sacrifice illusoire? Qui sait? C'est l'absurde docilité des foules qui a rendu et rend encore les guerres possibles... Sacrifice isolé? Tant pis... Si ceux qui ont le cran de dire “ non ” doivent être peu nombreux, qu'y puis-je? C'est peut-être simplement parce que... » Il hésita : « parce qu'une certaine... force d'âme ne court pas les rues... »

Antoine avait écouté, debout, étrangement immobile. Un mouvement imperceptible faisait vibrer la ligne de ses sourcils. Il regardait fixement son frère, et respirait à petites bouffées, comme un dormeur.

— « Je ne nie pas qu'il faille une force morale peu commune pour s'insurger, seul ou presque, contre un décret de mobilisation », fit-il enfin, avec douceur. « Mais c'est une force perdue... Une force qui va stupidement se briser contre un mur!... L'homme convaincu, qui se refuse à la guerre et se fait fusiller pour sa conviction, je lui accorde toute ma sympathie, toute ma pitié... Mais je le tiens pour un rêveur inutile... Et *je lui donne tort.* »

Jacques se contenta d'écarter légèrement les bras, comme il avait fait déjà lorsqu'il avait dit : « Qu'y puis-je? »

Antoine le considéra un instant en silence. Il ne désespérait pas encore.

— « Les faits sont là, et nous pressent », reprit-il. « Demain, la gravité des événements, — des événements qui ne dépendent plus de personne, — peut obliger l'Etat à disposer de nous. Crois-tu vraiment que ce soit l'heure, pour nous, d'examiner si les contraintes que nous impose notre pays sont en accord avec nos opinions personnelles? Non! Les responsables décident, les responsables commandent... Dans mon service, quand j'ordonne d'urgence un traitement que je juge opportun, je n'admets pas qu'on le discute... »

Il leva gauchement la main vers son front, et posa une seconde ses doigts sur ses paupières, avant de continuer, avec effort :

— « Réfléchis, mon petit... Il ne s'agit pas d'approuver la guerre — crois-tu que je l'approuve? — il s'agit de la subir. Avec révolte, si c'est notre tempérament; mais une révolte intérieure, et que le sentiment du devoir sache museler. Marchander notre concours, au moment du danger, ce serait trahir la communauté... Oui, c'est là que serait la vraie trahison, le crime envers les autres, le manque de solidarité... Je ne prétends pas nous interdire le droit de discuter les décisions que le gouvernement va prendre. Mais plus tard. Après avoir obéi. »

Jacques ébaucha un nouveau sourire :

— « Et moi, vois-tu, je prétends qu'un individu est libre de se désintéresser totalement des prétentions nationales au nom desquelles les Etats se font la guerre. Je nie à l'Etat le droit de violenter, pour quelque motif que ce soit, les hommes dans leur conscience... Je répugne à employer toujours ces grands mots. Pourtant, c'est bien ça : c'est ma conscience qui parle plus haut, en moi, que tous les raisonnements opportunistes, comme les tiens. Et c'est elle, aussi, qui parle plus haut que vos lois... La seule façon d'empêcher que la violence règle le sort du monde, c'est d'abord de se refuser, soi, à toute violence! J'estime que le refus de tuer est un signe d'élévation morale qui a droit au respect. Si vos codes et vos juges ne le respectent pas, c'est tant pis pour eux : tôt ou tard, ils auront un compte à rendre... »

— « Soit, soit... », fit Antoine, agacé de voir l'entretien dévier de nouveau vers les idées générales. Et, croisant les bras : « Mais, *pratiquement*, quoi? »

Il s'avança vers son frère, et, dans un de ces mouvements spontanés qui étaient si rares entre eux, il lui saisit tendrement les épaules de ses deux mains :

— « Réponds-moi, mon petit... On mobilise demain : qu'est-ce que tu vas faire? »

Jacques se dégagea, sans impatience, mais fermement :

— « Je continuerai à lutter contre la guerre! Jusqu'au bout! Par tous les moyens! Tous!... Y compris, — s'il le faut... — le sabotage révolutionnaire! » Il avait baissé la voix, malgré lui. Il s'arrêta, oppressé : « Je dis ça... Je ne sais pas », reprit-il, après une courte pause. « Mais, une chose est sûre, Antoine, absolument sûre : moi, soldat? Jamais! »

Il fit l'effort de sourire une dernière fois, esquissa un bref signe d'adieu, et gagna la porte, sans que son frère cherchât à le retenir.

LXII

Jacques trouva Jenny chez elle, seule, habillée, prête à sortir, les traits tirés, et dans un état d'extrême fébrilité. Elle n'avait aucune nouvelle de sa mère; aucune lettre de Daniel. Elle se perdait en conjectures. Les nouvelles des journaux l'avaient terrifiée. De plus, Jacques était en retard; obsédée par le souvenir des policiers de Montrouge, elle s'était persuadé qu'il lui était arrivé quelque chose. Elle se jeta dans ses bras, sans pouvoir articuler un mot.

— « J'ai essayé », dit-il, « de me renseigner sur la situation des étrangers qui se trouvent en Autriche... Il ne sert à rien de se leurrer : là-bas, c'est l'état de siège. Sans doute, les sujets allemands peuvent encore rentrer chez eux; les Italiens, peut-être aussi, bien que les relations entre l'Italie et l'Autriche soient très tendues... Mais les Français, les Anglais ou les Russes!... Si votre mère n'a pas quitté Vienne depuis plusieurs jours — et elle serait ici, — il doit être trop tard... Vraisemblablement, elle sera empêchée de partir... »

— « Empêchée? Comment? Mise en prison? »

— « Mais non! Simplement, on lui refusera l'autorisation de prendre le train... Pendant une semaine ou deux peut-être : le temps que les événements se décident; le temps qu'on prenne des dispositions internationales... »

Jenny ne répondit rien. La présence de Jacques suffisait déjà à la délivrer des tourments de son imagination. Elle se serra contre lui, s'abandonnant sans réserve à ce baiser profond dont elle attendait, depuis la veille, le retour. Et, lorsqu'enfin elle se dégagea, ce fut pour balbutier :

— « Je ne veux plus rester seule, Jacques... Emmenez-moi... Je ne veux plus vous quitter! »

Ils partirent, à pied, dans la direction du Luxembourg.

— « Nous prendrons un tram au carrefour Médicis », dit-il.

Malgré l'heure, le grand jardin, ce jour-là, était à peu près vide. Un souffle intermittent faisait bruire le haut des arbres. L'odeur lourde des œillets d'Inde s'élevait des parterres. Isolé sur un banc au bord des plates-bandes, un couple, dont on n'apercevait pas les visages tant l'homme et la femme étaient ployés l'un vers l'autre, semblait emplir l'espace d'une vibration amoureuse.

De l'autre côté des grilles, ils retrouvèrent la ville; la ville fiévreuse, courbée sous la menace, et dont la rumeur paraissait l'écho des redoutables nouvelles qui, par ce bel après-midi d'été, s'échangeaient d'un bout à l'autre de l'Europe. En deux jours, le Paris des vacances s'était subitement repeuplé. Des camelots traversaient le carrefour en criant des éditions spéciales. Tandis que Jacques et Jenny attendaient le tramway, un omnibus de gare, à deux chevaux, passa devant eux : dans l'intérieur s'entassaient des parents, des enfants, des bonnes; sur le toit, parmi les bagages échafaudés, on distinguait une voiture d'enfant, des filets à crevettes, un parasol.

— « Des têtus, qui bravent le destin », murmura Jacques.

Rue Soufflot, boulevard Saint-Michel, rue de Médicis, la circulation était incessante. Cependant, ce n'était ni le Paris laborieux des jours ouvrables, ni le Paris qui muse, le dimanche, au soleil. C'était une fourmilière dérangée. Tous ces passants marchaient vite, comme s'ils étaient pressés; mais leur air absent, leur hésitation à obliquer à gauche plutôt qu'à droite, indiquaient bien que la plupart d'entre eux n'allaient nulle part : incapables de demeurer seuls en face d'eux-mêmes, — et du monde, — ils avaient quitté leur logis, leur besogne, sans autre but que de se fuir et de pouvoir, un instant, confier le poids de leur âme à ce flot d'inquiétudes fraternelles que charriait la rue.

Tout l'après-midi, silencieuse et proche comme une ombre, Jenny suivit Jacques, du Quartier Latin aux Batignolles, de la Glacière à la Bastille, du quai de Bercy au Château d'Eau. Partout, c'étaient les mêmes nouvelles, les mêmes commentaires, les mêmes indignations; et, partout déjà, les mêmes épaules courbées, les mêmes résignations qui se préparaient.

Par instants, lorsqu'ils se retrouvaient seuls, Jenny, le plus naturellement du monde, parlait d'elle, ou du temps : « J'ai eu tort de prendre mon voile... Traversons, pour regarder cette boutique de fleurs... La grosse chaleur est tombée; sentez-vous? on respire... » Et ces phrases ingénues, qui mettaient tout à coup sur le même plan l'étalage d'un fleuriste, les problèmes européens et la température, agaçaient un peu Jacques. Il posait alors sur la jeune fille un regard indifférent et lourd, dont le feu sombre, solitaire, l'intimidait soudain. Parfois aussi, il détournait la tête, attendri, et il se demandait : « Ai-je raison de la mêler à tout ça?... »

Dans les couloirs de la C. G. T., il surprit le regard curieux, sévère, qu'un camarade, rencontré par hasard, posait sur Jenny. Et, tout à coup, elle lui apparut telle qu'elle était là, sur ce palier poussiéreux, parmi ces ouvriers, avec son tailleur ajusté, son voile de crêpe, et, dans le maintien, sur le visage, il ne savait quoi d'indéfinissable : la trace, l'empreinte, de tout un milieu social. Il en éprouva de la gêne, et l'entraîna dehors.

Sept heures sonnaient. Par les boulevards, ils rallièrent le quartier de la Bourse.

Jenny était lasse. Cette puissance de vie qui émanait de Jacques, — et qui la subjuguait, — épuisait aussi ses forces. Elle se souvenait d'avoir eu déjà auprès de lui, autrefois, à Maisons-Laffitte, cette même sensation de fatigue, de surmenage, à cause de cette tension soutenue qu'il semblait exiger d'autrui, qu'il imposait presque, par sa voix, par son regard accaparant, par les brusques sautes de sa pensée.

Comme ils approchaient de *l'Humanité*, Cadieux les croisa en courant.

— « Cette fois, ça y est », cria-t-il. « L'Allemagne mobilise ! La Russie est arrivée à ses fins ! »

Jacques eut un haut-le-corps. Mais Cadieux était déjà loin.

— « Il faut savoir. Attendez-moi là. » (Il hésitait à introduire la jeune fille dans les bureaux du journal.)

Elle traversa la chaussée, et resta sur le trottoir à faire les cent pas. Des gens, comme les abeilles d'une ruche, ne cessaient d'entrer et de sortir par la porte de l'immeuble où Jacques avait disparu.

Au bout d'une demi-heure, il revint. Il avait le visage bouleversé.

— « C'est officiel. La nouvelle vient d'Allemagne. J'ai vu Groussier, Sembat, Vaillant, Renaudel. Ils sont tous là-haut, à attendre des détails. Cadieux et Marc Levoir font la navette entre le Quai d'Orsay et le journal... Devant l'accélération des préparatifs militaires russes, l'Allemagne mobilise... Est-ce une vraie mobilisation? Jaurès affirme que non. C'est ce qu'on appelle en allemand : *Kriegsgefahrzustand*. Un cas prévu, paraît-il, par leur Constitution. Jaurès, dictionnaire en main, donne comme traduction littérale : " Etat de danger de guerre... Etat de menace de guerre... " Il est admirable le Patron : il refuse de désespérer ! Il est encore sous l'impression de confiance qu'il a rapportée de Bruxelles, de ses entretiens avec Haase et les socialistes allemands. Il répète : " Tant que ceux-là sont avec nous, rien n'est perdu ! " »

Il avait pris le coude de Jenny, et entraînait la jeune fille, d'un pas rapide, au hasard. Ils firent plusieurs fois le tour du pâté de maisons.

— « Que va faire la France? » demanda Jenny.

— « Il paraît qu'un Conseil des ministres a été réuni, d'urgence, à quatre heures. Un communiqué avoue que le Conseil a envisagé *les mesures nécessaires, pour la protection de nos frontières*. L'agence Havas annonce ce soir que nos troupes de couverture ont pris leurs avant-postes; mais on dit, d'autre part, que, pour éviter d'offrir à l'ennemi un prétexte de conflit, l'Etat-Major songerait à laisser, tout le long de la frontière, une zone inoccupée, de quelques kilomètres... L'ambassadeur d'Allemagne est, en ce moment même, en conférence avec Viviani... Gallot, lui, qui connaît bien les choses d'Allemagne, est très pessimiste. Il dit qu'il ne faut pas se faire d'illusions sur la formule; que le *Kriegsgefahrzustand* est une façon déguisée de mobiliser avant le décret officiel de mobilisation... En tout cas, à l'heure actuelle, l'Allemagne est en état de siège : ce qui veut dire que la presse est muselée, que toute manifestation contre la guerre est maintenant impossible là-bas... C'est ça, pour moi, le plus grave, peut-être : le salut ne pourrait venir que du soulèvement populaire... Stefany, en revanche, comme Jaurès, s'entête dans son optimisme. Ils disent que le Kaiser, en choisissant cette mesure préliminaire au lieu de décréter la mobilisation, a prouvé qu'il cherchait encore à sauvegarder la paix. C'est plausible, après tout. L'Allemagne laisse ainsi au gouvernement de Pétersbourg l'ultime possibilité de faire un geste conciliant, de contremander peut-être la mobilisation russe. Il y a, paraît-il, depuis hier, un échange ininterrompu de télégrammes personnels entre le Kaiser et le Tsar... Au moment où j'ai quitté Stefany, Jaurès venait d'être appelé au téléphone, de Bruxelles; ils avaient tous l'air d'espérer un message important... Je ne suis pas resté, je voulais voir ce que vous deveniez... »

— « Ne vous occupez pas de moi », dit vivement Jenny. « Remontez vite là-haut. Je vous attends. »

— « Là? Debout, dans la rue? Non!... Venez au moins vous asseoir au *Progrès*. »

Ils partirent rapidement vers la rue du Sentier.

— « Bonjour! » fit une voix caverneuse.

Jenny se retourna, et aperçut, derrière eux, un vieux Christ échevelé, drapé dans une blouse noire de typo. C'était Mourlan.

Jacques dit aussitôt :

— « L'Allemagne mobilise! »

— « Pfuit! Je sais... C'était couru!... » Il cracha. « Rien à faire... Il n'y a jamais rien à faire!... Et il n'y aura rien à faire, d'ici longtemps! Tout doit être détruit. Toute notre civilisation doit disparaître, pour qu'on puisse construire quelque chose de propre! »

Il y eut un silence.

— « Vous alliez au *Progrès?* » demanda Mourlan. « Moi aussi. »

Ils firent quelques pas, sans échanger un mot.

— « Tu as réfléchi à ce que je t'ai dit, ce matin? Tu ne te débines pas? » reprit le vieux typo.

— « Pas encore. »

— « A ta guise... » Il hésita : « Moi, je viens de la *Fédé*... » Il jeta vers la jeune fille un coup d'œil investigateur, et fixa sur Jacques un regard insistant. « J'aurais deux mots à te dire. »

— « Parlez », dit Jacques. Et, posant sa main sur l'avant-bras de Jenny, il précisa : « Parlez librement, entre amis. »

— « Bon », fit Mourlan. Il appuya deux doigts calleux sur l'épaule de Jacques, et baissa la voix : « Tuyau sérieux : le ministre de la Guerre a signé aujourd'hui l'ordre d'arrêter tous les suspects inscrits au *Carnet B*. »

— « Ah... », fit Jacques.

Le vieux secoua affirmativement la tête, et siffla entre ses dents :

— « Avis à ceux que ça intéresse! »

Il s'aperçut que Jenny était toute pâle et le dévisageait avec effroi. Il lui sourit :

— « Du calme, belle enfant... Ça ne veut pas dire qu'on va tous nous coller au mur, ce soir... Mais l'ordre est donné, à tout hasard; pour que, le jour où il leur plaira de nous mettre à l'ombre, et d'organiser en toute impunité leur grand casse-pipes, ils n'aient plus qu'à faire exécuter l'ordre par leurs brigades spéciales... Déjà, les " poulets " travaillent, dans la banlieue. On a perquisitionné au *Drapeau rouge*, paraît-il; et à *la Lutte*. Iszakovitch a failli se faire pincer ce matin dans une rafle, à Puteaux. Fuzet, lui, est coffré : on l'accuse d'être l'auteur des *Mains sanglantes*, tu sais, l'affiche contre l'Etat-Major... Ça va barder, faut s'y attendre, mes petits. »

Ils entrèrent dans le café. Jacques installa la jeune fille dans la salle du bas, où il n'y avait presque personne.

— « Prenez quelque chose avec nous », proposa Jacques au typo.

— « Non. » Mourlan leva la main vers le plafond : « Je vais monter, un instant, prendre le vent... Ce qu'il a dû s'en dire, des sottises, là-haut, depuis ce matin...! Au plaisir! » Il serra la main de Jacques, et murmura une dernière fois : « Crois-moi, gamin, débine-toi! »

Avant de s'éloigner, il enveloppa les deux jeunes gens d'un bon sourire amical, inattendu. Ils entendirent son pas sonore ébranler le petit escalier en vrille.

— « Où coucherez-vous ce soir? » questionna Jenny, angoissée. « Pas à cet hôtel dont ils ont pris l'adresse, hier? »

— « Oh! » fit-il nonchalamment, « je ne suis même pas certain qu'on m'ait fait l'honneur de me mettre sur les listes noires... » Il ajouta, voyant son regard anxieux : « D'ailleurs, soyez tranquille, je n'ai pas l'intention de reparaître chez Liébært. J'ai déposé mon sac, ce matin, chez Mourlan. Et, quant aux papiers compromettants que je puis avoir, ils sont dans ce paquet que j'ai laissé chez vous. »

— « Oui », dit-elle, en le regardant. « A la maison, vous ne risquez rien. »

Il était resté debout. Il commanda un thé, mais n'eut pas la patience d'attendre que Jenny fût servie :

— « Etes-vous bien?... Je retourne à *l'Huma*... Ne bougez pas. »

— « Vous reviendrez? » dit-elle, d'une voix oppressée. Elle était soudain prise de peur. Elle baissa les yeux pour qu'il ne vît pas sa détresse. Elle sentit la main de Jacques se poser sur la sienne. Ce reproche muet la fit rougir : « Je plaisante... Allez!... Ne vous occupez pas de moi... »

Restée seule, elle but quelques gorgées du thé qu'on lui apporta, un breuvage amer qui sentait la camomille; puis, repoussant sa tasse, elle s'accouda au marbre frais.

Par la baie largement ouverte, entrait, avec les bruits de la rue, un jour aveuglant, qui faisait miroiter les glaces, les étagères de verre, les barres de cuivre, l'acajou du comptoir. Parmi tous ces reflets, derrière le zinc, dans un murmure de source, le cafetier rinçait des carafes. Des journaux traînaient sur les tables. Jenny regardait autour d'elle, sans penser à rien. Le temps passait. Dans son cerveau fatigué, des obsessions puériles, ou bien des idées sombres, des peurs soudaines, erraient comme des fantômes. Elle s'efforça de fixer son attention sur un chat gris, couché en rond près d'elle, sur la banquette. Dormait-il, ce chat? Les yeux étaient clos, mais les oreilles, mobiles. Il avait surtout l'air contracté par la volonté de dormir. Subissait-il, lui aussi, cette panique vague qui planait? Le bout de ses pattes recourbées avait un abandon moelleux, qui pourtant paraissait feint. Dormait-il? Ou faisait-il semblant? Pour tromper qui? Lui-même, peut-être?... Le soir commençait à tomber. De temps à autre, des hommes, des ouvriers, entraient, échangeaient avec le cafetier un regard de connivence, traversaient la salle et grimpaient à l'entresol; au moment où ils ouvraient la porte de l'étage, une bouffée de bruit, des éclats de discussion, se mêlaient un instant à la rumeur du dehors.

— « Me voilà! »

Elle tressaillit; elle ne l'avait pas vu revenir.

Il s'assit près d'elle. La sueur perlait à son front. D'un brusque coup de tête, il rejeta sa mèche en arrière, et s'épongea le visage.

— « Une bonne, une très bonne nouvelle, dans tout ce chaos! » dit-il, à mi-voix. « Le coup de téléphone, c'était un message, via Bruxelles, des social-démocrates allemands. Ils n'abandonnent pas la lutte : au contraire! Jaurès a raison : ces gens-là sont des frères, ils ne flancheront pas! Là-bas, ils sont dans les mêmes transes que nous. Et ils tiennent plus que jamais à conserver le contact, pour pouvoir agir de concert. Mais, avec l'état de siège en Allemagne, les communications entre eux et nous vont devenir très difficiles. Alors, ils nous envoient, par la Belgique, un délégué, Hermann Müller, qui doit arriver ici demain, muni, évidemment, de pouvoirs étendus. On pense qu'il vient s'entendre avec les socialistes français pour une action immédiate, de grande envergure, contre les forces de guerre. Vous comprenez? A *l'Huma*, tous les espoirs se concentrent sur cette mission inespérée, sur cette suprême rencontre, demain, de Müller et de Jaurès, — des deux prolétariats!... Entre eux, sans doute, des résolutions décisives vont être prises! D'après Stefany, il ne s'agit rien de moins que d'organiser, enfin, dans les deux pays, un vaste soulèvement de la classe ouvrière. Il était temps! Mais ce n'est jamais trop tard. Par la grève générale, on peut encore réussir! »

Il parlait vite, sur un ton saccadé, dont la fièvre était contagieuse.

— « Le Patron est décidé à faire paraître, demain, un article terrible... Un pendant au *J'accuse* de Zola!... »

Il vit, à la vague interrogation du regard, que cette comparaison, — qui d'ailleurs, n'était pas de lui, mais de Pagès, le secrétaire de Gallot, — n'éveillait aucune notion précise dans l'esprit de Jenny; et, pendant quelques secondes, il sentit cruellement tout ce qui la séparait encore de lui.

— « Vous venez de parler à Jaurès? » fit-elle, naïvement.

— « Non, pas aujourd'hui. Mais j'étais dans l'escalier, avec Pagès, au moment où Jaurès quittait le journal. Il était, comme toujours, entouré par un groupe d'amis. J'ai entendu qu'il leur disait : « Je mettrai tout ça dans mon article de demain, vous verrez! Je veux dénoncer tous les responsables! Je veux, cette fois, dire tout ce que je sais! » Et, ma parole, je crois qu'il riait, ce diable d'homme! Oui, il riait! Il a un rire à lui, un rire de bon géant, un rire tonique... Après ça, il a dit : « Mais, d'abord, allons dîner. Au plus proche, hein? Chez Albert... »

Elle se taisait, le regard attentif.

— « Ça vous amuserait de le voir de près? » reprit-il. « Venez manger quelque chose au *Croissant*. Je vous le montrerai... J'ai faim. Nous avons bien le droit de dîner, nous aussi! »

LXIII

Il était plus de neuf heures et demie. La plupart des habitués avaient quitté le restaurant. Jacques et Jenny s'installèrent sur la droite, où il y avait peu de monde.

Jaurès et ses amis formaient, à gauche de l'entrée, parallèlement à la rue Montmartre, une longue tablée, faite de plusieurs tables mises bout à bout.

— « Le voyez-vous ? » dit Jacques. « Sur la banquette, là, au milieu, le dos à la fenêtre. Tenez, il se tourne pour parler à Albert, le gérant. »

— « Il n'a pas l'air tellement inquiet », murmura Jenny, sur un ton de surprise qui ravit Jacques; il lui prit le coude, et le serra doucement.

— « Les autres aussi, vous les connaissez? »

— « Oui. Celui qui est à droite de Jaurès, c'est Philippe Landrieu. A sa gauche, le gros, c'est Renaudel. En face de Renaudel, c'est Dubreuihl. Et, à côté de Dubreuihl, c'est Jean Longuet. »

— « Et la femme? »

— « Je crois que c'est Mme Poisson, la femme du type qui est en face de Landrieu. Et, à côté d'elle, c'est Amédée Dunois. Et en face d'elle, ce sont les deux frères Renoult. Et celui qui vient d'arriver, celui qui est debout près de la table, c'est un ami de Miguel Almereyda, un collaborateur du *Bonnet rouge*... J'ai oublié son... »

Un claquement bref, un éclatement de pneu, l'interrompit net; suivi, presque aussitôt, d'une deuxième détonation, et d'un fracas de vitres. Au mur du fond, une glace avait volé en éclats.

Une seconde de stupeur, puis un brouhaha assourdissant. Toute la salle, debout, s'était tournée vers la glace brisée : « On a tiré dans la glace ! » — « Qui ? » — « Où ? » — « De la rue ! » Deux garçons se ruèrent vers la porte et s'élancèrent dehors, d'où partaient des cris.

Instinctivement, Jacques s'était dressé, et, le bras tendu pour protéger Jenny, il cherchait Jaurès des yeux. Il l'aperçut une seconde : autour du Patron, ses amis s'étaient levés; lui seul, très calme, était resté à sa place, assis. Jacques le vit s'incliner lentement pour chercher quelque chose à terre. Puis il cessa de le voir.

A ce moment, Mme Albert, la gérante, passa devant la table de Jacques, en courant. Elle criait :

— « On a tiré sur M. Jaurès ! »

— « Restez là », souffla Jacques, en appuyant sa main sur l'épaule de Jenny, et la forçant à se rasseoir.

Il se précipita vers la table du Patron, d'où s'élevaient des voix haletantes : « Un médecin, vite ! » — « La police ! » Un cercle de gens, debout, gesticulant, entourait les amis de Jaurès, et empêchait d'approcher. Il joua des coudes, fit le tour de la table, parvint à se glisser jusqu'à l'angle de la salle. A demi caché par le dos de Renaudel, qui se penchait, un corps était allongé sur la banquette de moleskine. Renaudel se releva pour jeter sur la table une serviette rouge de sang. Jacques aperçut alors le visage de Jaurès, le front, la barbe, la bouche entrouverte. Il devait s'être évanoui. Il était pâle, les yeux clos.

Un homme, un dîneur, — un médecin, sans doute, — fendit le cercle. Avec autorité, il arracha la cravate, ouvrit le col, saisit la main qui pendait, et chercha le pouls.

Plusieurs voix dominèrent le vacarme : « Silence !... Chut !... » Les regards de tous étaient rivés à cet inconnu, qui tenait le poignet de Jaurès. Il ne disait rien. Il était courbé en deux, mais il levait vers la corniche un visage de voyant, dont les paupières battaient. Sans changer de pose, sans regarder personne, il hocha lentement la tête.

De la rue, des curieux, à flots, envahissaient le café.

La voix de M. Albert retentit :

— « Fermez la porte ! Fermez les fenêtres ! Mettez les volets ! »

Un refoulement contraignit Jacques à reculer jusqu'au milieu de la salle. Des amis avaient soulevé le corps, l'emportaient avec précaution, pour le coucher sur deux tables, rapprochées en hâte. Jacques cherchait à voir. Mais autour du blessé, l'attroupement devenait de plus en plus compact. Il ne distingua qu'un coin de marbre blanc, et deux semelles dressées, poussiéreuses, énormes.

— « Laissez passer le docteur ! »

André Renoult avait réussi à ramener un médecin. Les deux hommes foncèrent dans le rassemblement, dont la masse élastique se referma derrière eux. On chuchotait : « Le docteur... Le docteur... » Une longue minute s'écoula. Un silence angoissé s'était fait. Puis un frémissement parut courir sur toutes ces nuques ployées ; et Jacques vit ceux qui avaient conservé leur chapeau se découvrir. Trois mots, sourdement répétés, passèrent de bouche en bouche :

— « Il est mort... Il est mort... »

Les yeux pleins de larmes, Jacques se retourna pour chercher Jenny du regard. Elle était debout, prête à bondir, n'attendant qu'un signal. Elle se faufila jusqu'à lui, s'accrocha à son bras, sans un mot.

Une escouade de sergents de ville venait de faire irruption dans le restaurant, et procédait à l'évacuation de la salle. Jacques et Jenny, serrés l'un contre l'autre, se trouvèrent pris dans le remous, poussés, bousculés, entraînés vers la porte.

Au moment où ils allaient la franchir, un homme qui parlementait avec les agents réussit à pénétrer dans le café. Jacques reconnut un socialiste, un ami de Jaurès, Henri Fabre. Il était blême. Il balbutiait :

— « Où est-il ? L'a-t-on transporté dans une clinique ? »

Personne n'osa répondre. Une main timide fit un geste vers le fond de la salle. Alors, Fabre se retourna : au centre d'un espace vide, la lumière crue éclairait un paquet de vêtements noirs, allongé sur le marbre comme un cadavre de la Morgue.

Dehors, un service d'ordre improvisé s'efforçait de disperser l'attroupement qui s'était amassé devant l'immeuble, et qui obstruait le carrefour.

Jacques vit Jumelin et Rabbe qui discutaient avec les agents. Remorquant Jenny, agrippée à lui, il réussit à les rejoindre. Ils arrivaient du journal, ils n'avaient assisté à rien; pourtant, c'est d'eux qu'il apprit comment l'homme avait tiré, de la rue, à bout portant, par la fenêtre ouverte; et comment, après une courte poursuite, des passants l'avaient arrêté.

— « Qui est-ce? Où est-il? »

— « Au commissariat de la rue du Mail. »

— « Venez », dit Jacques, en entraînant Jenny.

Un rassemblement s'était formé devant le poste de police. Jacques exhiba en vain sa carte de presse : on ne laissait plus pénétrer personne.

Ils allaient s'éloigner, lorsque Cadieux sortit du commissariat, sans chapeau et courant. Jacques le happa au passage. Cadieux se retourna, et avant de reconnaître Jacques (auquel il avait cependant parlé, tout à l'heure, devant *l'Humanité*), il le considéra un instant, l'œil égaré. Enfin, il murmura :

— « C'est vous, Thibault?... Voilà le premier sang versé... la première victime... A qui le tour? »

— « L'assassin? » demanda Jacques.

— « Un inconnu. Il s'appelle Villain. Je l'ai vu. Un type jeune, vingt-cinq ans, peut-être. »

— « Mais, pourquoi Jaurès? Pourquoi? »

— « Un patriote, sans doute! Un fou... »

Il dégagea son coude que Jacques tenait, et repartit, en courant.

— « Retournons là-bas », dit Jacques.

Suspendue au bras de Jacques, silencieuse et raidie, Jenny s'efforçait de marcher au même pas que lui.

Il se pencha :

— « Vous êtes fatiguée... Si je vous installais tranquillement, quelque part? Je viendrais vous reprendre... »

Elle était malade d'émotions, de lassitude; mais l'idée qu'ils pussent, en un pareil moment, se séparer... Sans répondre, elle se serra davantage contre lui. Il n'insista pas; cette vivante tiédeur, à son côté, l'aidait à lutter contre son désespoir; et, lui non plus, il ne se souciait guère de se trouver seul.

La nuit était lourde. L'asphalte empestait. Tout alentour de la rue Montmartre, les voies étaient noires de piétons. La circulation était interrompue. Des grappes humaines se penchaient aux fenêtres. Des passants, qui ne se connaissaient pas, s'interpellaient : « Jaurès vient d'être assassiné! »

Un cordon de sergents de ville avait à peu près réussi à faire le vide devant le *Croissant*, et s'efforçait de maintenir à distance les vagues déferlantes venues des boulevards, où la nouvelle s'était répandue avec la rapidité d'un court-circuit.

Comme Jacques et Jenny arrivaient au carrefour, un détachement de gardes républicains montés débouchait de la rue Saint-Marc. Le peloton dégagea d'abord l'accès de la rue de la Victoire, jusqu'à la Bourse. Puis, il vint se déployer au centre de la place, et caracola quelques minutes pour refouler les curieux contre les maisons. A la faveur du désordre, — des gens timorés s'échappaient par les rues latérales, — Jacques et Jenny purent se glisser au premier rang. Leurs regards étaient fixés sur la façade du sombre café, dont les volets de fer étaient descendus. Par l'entrebâillement de la porte, gardée par des sergents de ville, et qui ne s'ouvrait plus que pour le va-et-vient de la police, on apercevait, par instants, la salle violemment éclairée.

Coup sur coup, deux taxis, plusieurs limousines à cocarde, franchirent le barrage. Ceux qui en descendaient, salués par l'officier qui dirigeait le service d'ordre, s'engouffraient précipitamment dans le café, dont la porte se refermait aussitôt. Des gens renseignés murmuraient des noms : « Le Préfet de police... le docteur Paul... Le Préfet de la Seine... Le Procureur de la République... »

Enfin, par la rue de la Victoire, une voiture d'ambulance dont le timbre clair tintait sans arrêt, s'avança au trot de son petit cheval. Un peu de silence se fit. Les agents placèrent la voiture devant l'entrée du *Croissant*.

Quatre infirmiers sautèrent sur la chaussée et entrèrent dans le restaurant, laissant béante la porte arrière du véhicule.

Dix minutes passèrent.

La foule, énervée, piétinait sur place : « Qu'est-ce qu'ils foutent là-dedans ! » — « Faut bien faire les constatations, quoi ! »

Soudain, Jacques sentit les doigts de Jenny se crisper sur sa manche. La porte du *Croissant* venait de s'ouvrir à doubles vantaux. Tout le monde se tut. M. Albert sortit sur le trottoir. L'intérieur du café apparut illuminé comme une chapelle, et grouillant de sergots noirs. On les vit s'écarter, faire la haie, pour livrer passage à la civière. Elle était recouverte d'une nappe. Quatre hommes, nu-tête, la portaient. Jacques reconnut des silhouettes familières : Renaudel, Longuet, Compère-Morel, Théo Bretin.

Sur la place, tous les fronts, instantanément, se découvrirent. À la fenêtre d'un immeuble, un timide : « Mort à l'assassin ! » jaillit, et monta dans la nuit.

Lentement, dans un silence qui permettait de distinguer le pas des porteurs, la civière blanche franchit le seuil, traversa le trottoir, se balança quelques secondes, et, d'un seul coup, disparut au fond du véhicule. Deux hommes, aussitôt, y montèrent. Un sergent de ville grimpa près du cocher. Puis l'on perçut nettement le bruit de la portière. Alors, tandis que le cheval démarrait, et que la voiture, encadrée par un peloton d'agents cyclistes, s'engageait, en tintant, vers la Bourse, une soudaine, une sourde et houleuse rumeur, couvrit la sonnerie grêle du timbre, et, s'élevant de partout à la fois, délivra enfin des centaines de poitrines oppressées : « Vive Jaurès !... Vive Jaurès !... Vive Jaurès !... »

— « Tâchons maintenant d'aller jusqu'à *l'Huma* », souffla Jacques.

Mais, autour d'eux, la foule semblait avoir pris racine. Les yeux restaient obstinément tournés vers le mystère de cette façade obscure, gardée par la police.

— « Jaurès, mort... », balbutia Jacques. Il répéta, après une pause : « Jaurès, mort... Je ne parviens pas à y croire... Surtout, je ne parviens pas à imaginer, à mesurer, les conséquences ... »

Peu à peu, les rangs tassés se desserraient; il devenait possible de se déplacer.

— « Venez. »

Comment atteindre la rue du Croissant? Inutile de songer à fendre le barrage qui gardait le carrefour; non plus que de rejoindre les grands boulevards par la rue Montmartre.

— « Tournons l'obstacle », dit Jacques, « la rue Feydeau et le passage Vivienne! »

Ils sortaient à peine du passage et débouchaient dans la cohue du boulevard Montmartre, lorsqu'une irrésistible poussée de foule les bouscula, les entraîna.

Ils tombaient en pleine manifestation : une colonne de jeunes patriotes, brandissant des drapeaux et gueulant *la Marseillaise,* dévalait du boulevard Poissonnière, en une coulée qui occupait toute la largeur de la voie, et refoulait tout devant elle.

— « A bas l'Allemagne!... Mort au Kaiser!... A Berlin!... »

Jenny, soulevée, sentit qu'elle perdait l'équilibre. Elle eut l'impression qu'elle allait être arrachée à Jacques, piétinée. Elle poussa un cri de panique. Mais il avait passé le bras autour de sa taille, et il la serrait vigoureusement contre lui. Il parvint à la porter, à la pousser jusque dans l'embrasure d'une porte cochère, qui était close. Aveuglée par la poussière que remuait ce piétinement de troupeau, assourdie par la stridence des cris, des chants, terrifiée par ces visages hurlants qui frôlaient le sien avec des regards fous, elle aperçut, presque à portée de sa main, une poignée de cuivre. Rassemblant ce qui lui restait d'énergie, elle fit un brusque effort, tendit le bras et s'agrippa à cette poignée, qui lui parut être le salut. Il était temps : elle se sentait défaillir. Elle ferma les yeux, mais ses doigts crispés sur la barre de cuivre ne lâchèrent pas prise. Elle entendait, contre son oreille, la voix essoufflée de Jacques qui répétait : « Cramponnez-vous... N'ayez pas peur... Je vous tiens... »

Quelques minutes s'écoulèrent. Il lui parut enfin que

le tumulte s'éloignait. Elle rouvrit les yeux, et vit Jacques lui sourire. Le flot humain continuait à couler le long d'eux, mais moins vite, en vagues espacées, sans cris : des curieux, plutôt que des manifestants. Elle tremblait encore de tous ses membres, et ne pouvait pas reprendre haleine.

— « Courage », murmura Jacques. « Vous voyez, c'est fini... »

Elle passa la main sur son front, assujettit son chapeau et s'aperçut que son voile était déchiré. « Que dire à maman? » songea-t-elle, étourdie.

— « Essayons de sortir de là », dit Jacques. « Vous sentez-vous la force d'avancer? »

Le mieux était de suivre le courant, et de s'échapper par une voie latérale. Il avait renoncé à *l'Humanité*. Non sans une courte et involontaire irritation; mais, ce soir, il avait charge d'âme : un être fragile, infiniment précieux, lui était confié. Il devinait que Jenny était à la limite de sa résistance nerveuse, et il n'avait plus d'autre souci que de la ramener avenue de l'Observatoire. Elle se laissait soutenir et guider. Elle ne crânait plus; elle ne répétait plus : « Ne vous occupez pas de moi... » Elle s'appuyait, au contraire, de tout son poids sur le bras de Jacques, avec un abandon qui trahissait malgré elle le degré de son épuisement.

A petits pas, ils gagnèrent la place de la Bourse, sans rencontrer un taxi. Trottoirs et chaussée étaient envahis par les piétons. Tout Paris semblait dehors. Dans les salles de cinéma, la nouvelle du crime avait été projetée sur l'écran au milieu de la représentation, et, partout, la séance avait été levée, dans l'angoisse. Les gens qui les dépassaient parlaient haut, et des mêmes choses. Jacques saisissait au passage des bribes de conversation : « La gare du Nord et la gare de l'Est sont occupées par la troupe, depuis ce soir... » — « Qu'est-ce qu'on attend? Pourquoi la mobilisation n'était-elle pas encore... » — « Au point où nous en sommes, voyons! il faudrait un miracle, pour... » — « Moi, j'ai télégraphié à Charlotte qu'elle revienne demain, avec les enfants... » — « Je lui ai dit : Madame! si vous aviez un fils de vingt-deux ans, peut-être que vous ne parleriez pas comme ça!!! :

Les crieurs de journaux se faufilaient entre les groupes »

— « *Assassinat de Jaurès!* »

Place de la Bourse, aucune voiture n'était en station.

Jacques fit asseoir Jenny sur l'entablement des grilles. Il restait près d'elle, debout, tête baissée. Il murmura, de nouveau :

— « Jaurès, mort... »

Il pensait : « Qui recevra demain le délégué allemand? Et qui, maintenant, nous défendra? Jaurès est le seul qui n'aurait jamais désespéré... Le seul que le gouvernement ne serait jamais parvenu à faire taire... Le seul, peut-être, qui pouvait encore empêcher la mobilisation... »

Des gens pressés entraient dans le bureau de poste, dont les fenêtres illuminées éclairaient le trottoir. C'était là qu'il était venu expédier la dépêche à Daniel, le soir du suicide Fontanin, le soir où il avait revu Jenny... Pas même quinze jours!...

Sur la façade du kiosque à journaux, les éditions spéciales arboraient des manchettes menaçantes : *Toute l'Europe en armes... La situation s'aggrave d'heure en heure... Les ministres sont en délibération à l'Elysée pour prendre les décisions que comportent les mesures provocantes de l'Allemagne...*

Un ivrogne qui passait devant eux en zigzaguant, lança, d'une voix avinée : « A bas la guerre! » Et Jacques remarqua que, ce soir, c'était la première fois qu'il entendait ce cri. C'eût été puéril d'en tirer une conclusion. Néanmoins, le fait était frappant : ni devant la dépouille de Jaurès ni sur les boulevards, devant les patriotes qui clamaient : « A Berlin! » aucune voix n'avait poussé le cri de révolte, qui, l'avant-veille encore, retentissait spontanément dans toutes les manifestations de la rue.

Un taxi libre passa, de l'autre côté de la place. Des gens le hélaient. Jacques courut, sauta sur le marchepied, amena l'auto devant Jenny.

Ils s'y jetèrent, l'un contre l'autre, sans un mot. Ils étaient dans le même état d'anxiété et de détresse, choqués comme s'ils venaient d'échapper à un accident. Mais cette voiture les isolait enfin de l'univers hostile.

Jacques avait pris Jenny dans ses bras; il l'étreignait avec force : en dépit de sa lassitude, il éprouvait une sorte d'exaltation paradoxale, un goût de vivre plus violent que jamais.

— « Jacques », souffla Jenny à son oreille, « où allez-vous passer la nuit? » Et, vite, comme si elle récitait une phrase préparée : « Venez à la maison. Là, vous ne risquez rien. Vous vous reposerez sur le divan de Daniel. »

Il ne répondit pas tout de suite. Il pétrissait entre ses doigts la main de la jeune fille, une main qui n'était pas seulement, comme de coutume, sans résistance et douce, mais brûlante, nerveuse, vivante, et qui semblait rendre les caresses.

— « Je veux bien », dit-il, simplement.

Ce fut seulement au bas de l'escalier, quelques instants plus tard, — au moment où, marchant derrière Jenny, il s'aperçut qu'il étouffait machinalement son pas pour longer la baie vitrée de la loge, — qu'il eut conscience de la situation, et mesura du même coup la preuve de confiance et d'amour que Jenny lui donnait : elle était seule à Paris, et elle lui offrait, à l'insu de Mme de Fontanin, à l'insu de Daniel, de passer la nuit chez elle... La gêne qu'il en ressentit, Jenny devait l'éprouver, pensait-il, jusqu'à l'angoisse. Il se trompait : elle agissait, après réflexion, conformément à ce qu'elle jugeait être bien, et ne s'inquiétait de rien autre. Depuis la rencontre des policiers, elle tremblait pour Jacques. L'espoir qu'il consentirait à se réfugier avenue de l'Observatoire, l'obsédait. Et ce projet — qui, huit jours plus tôt, ne lui aurait pas même paru concevable — avait si bien pris racine dans son esprit, qu'elle n'en distinguait plus la témérité; elle était seulement reconnaissante à Jacques d'avoir accepté si vite.

A peine arrivée dans l'appartement, elle retira avec décision son chapeau, sa jaquette, et s'affaira à des besognes. Elle ne semblait plus sentir sa fatigue. Elle voulait faire du thé, ranger la chambre de son frère, mettre des draps pour transformer en lit le divan.

Jacques protestait. Il dut finalement l'immobiliser de force, en lui saisissant les poignets :

— « Vous allez me faire le plaisir de laisser tout ça », dit-il, en souriant. « Il est bientôt deux heures du matin. A six heures, je serai reparti. Je vais m'étendre là, tout habillé. Il est d'ailleurs bien peu probable que je puisse dormir. »

— « Au moins », supplia-t-elle, « laissez que je vous donne une couverture... »

Il l'aidait à disposer les coussins, à brancher une lampe de chevet sur la prise électrique.

— « Et maintenant, il faut penser à vous, oublier que je suis là, dormir, dormir... C'est promis? »

Elle inclina tendrement la tête.

— « Demain matin », reprit-il, « je décamperai sans faire de bruit, pour ne pas vous réveiller. Je veux que vous vous leviez très tard, reposée... Qui sait ce que demain nous réserve?... Je reviendrai après le déjeuner, pour vous apporter les nouvelles. »

Elle fit un nouveau signe de soumission.

— « Bonsoir », dit-il.

Debout, dans cette chambre où il avait tant de clairs souvenirs, il la prit chastement entre ses bras. Leurs poitrines se touchaient. Comme il l'attirait davantage contre lui, elle perdit un peu l'équilibre; leurs genoux se heurtèrent. Ils furent saisis du même trouble, mais lui seul en eut conscience.

— « Serrez-moi », murmura-t-elle. « Serrez-moi bien... »

Elle avait jeté les bras autour du cou de Jacques, et elle l'embrassait avec une passion soudaine, une sorte d'ivresse. Dans son audace innocente, elle se montrait plus imprudente que lui. Ce fut elle qui le fit reculer d'un pas, jusqu'au lit. Ils y tombèrent, sans desserrer leur enlacement.

— « Serrez-moi fort », répétait-elle. « Plus fort... Encore plus fort... » Et, pour qu'il ne vît pas son émoi, elle tendit le bras vers la table et éteignit la lampe.

Il cherchait à se dominer, mais il savait maintenant que Jenny ne regagnerait pas sa chambre, qu'ils ne se sépareraient plus cette nuit... « Nous aussi... », se dit-il, dans un éclair. « Nous, comme tous les autres... » Une ombre de dépit, une sorte de désespoir et de peur se mêlait à son désir. Haletant, gagné par un vertige que déjà il ne maîtrisait plus, il l'étreignait, en silence, dans l'obscurité complice.

Un spasme subit le surprit, lui coupa le souffle, l'immobilisa... Puis son corps se détendit; la respiration lui revint. Avec un sentiment de délivrance, avec un peu de honte aussi, avec une âcre impression de tristesse, de solitude, il reprit possession de lui-même.

Inconsciente et toute fondue de tendresse, Jenny continuait à se blottir dans ses bras. Elle pensait à peine. Elle souhaitait seulement que cet instant merveilleux n'eût pas de fin. Elle appuyait sa joue contre le drap du veston; elle écoutait, comme un prodige, les battements de ce cœur si rapproché du sien. Par la croisée ouverte, une clarté laiteuse, — était-ce la lune? était-ce déjà l'aube? — noyait la chambre d'une vapeur irréelle, où les murs, les meubles, toutes les choses dures et opaques, semblaient tout à coup devenues diaphanes. Dormir... Après les heures dramatiques qu'ils venaient de vivre ensemble, dormir dans les bras l'un de l'autre avait la douceur d'une récompense.

Ce fut lui qui, le premier, glissa dans le sommeil. Elle l'entendit, dans un dernier baiser, balbutier quelques mots indistincts; puis, avec une émotion indicible, elle le sentit s'endormir contre elle, tandis qu'elle résistait une minute encore à sa lassitude, afin de prolonger le plus longtemps possible la conscience de son bonheur; et lorsque, étroitement serrée contre lui, elle sombra, à son tour, elle eut la sensation délicieuse que c'était à lui, plus encore qu'au sommeil, qu'elle s'abandonnait.

LXIV

Il s'éveilla avant elle. Pendant plusieurs minutes, tandis qu'il reprenait lentement pied dans la vie réelle, il contempla, avec ravissement, dans le jour matinal, ce tendre visage dont les émotions, la fatigue, altéraient à peine la jeunesse. La bouche, amollie, semblait s'apprêter à sourire. Sur la roseur mate et lisse de la joue, s'allongeait, comme une touche d'aquarelle, l'ombre transparente des cils. Il se retint d'y poser les lèvres. Délicatement, il se glissa jusqu'au bord du divan, et parvint à se lever sans qu'elle eût tressailli.

Debout, il aperçut dans la glace ses vêtements froissés, son teint terreux, ses cheveux en broussaille. La pensée qu'il aurait pu apparaître ainsi à la jeune fille lui fit précipitamment gagner la porte. Pourtant, avant de disparaître, il choisit quelques pois de senteur dans le vase de la cheminée, et les posa, en guise d'adieu, à la place qu'il venait de quitter. Puis il sortit de la chambre sur la pointe des pieds.

Il était sept heures passées. Samedi, premier août. Un mois nouveau; un mois d'été, le mois des vacances. Qu'apporterait-il? La guerre? La révolution?... Ou la paix?

La journée s'annonçait belle.

Il se souvint qu'il y avait un établissement de bains boulevard du Montparnasse, près de la *Closerie des Lilas*.

Avant d'y entrer, il acheta les journaux.

Plusieurs d'entre eux, *le Matin*, *le Journal*, étaient imprimés sur une seule feuille. Economies de guerre, déjà? Ils abondaient en renseignements précis, destinés aux mobilisés, « pour le cas où... ».

Le numéro de *l'Humanité* avait paru, comme à l'ordinaire. Largement encadré de noir, il était tout rempli des détails du meurtre. Jacques fut surpris d'y lire une lettre émue de M. Poincaré à la veuve de Jaurès : *... A une heure où l'union nationale est plus nécessaire que jamais, je tiens à vous exprimer...* Or, Jacques savait que Mme Jaurès était en voyage, et que les amis de Jaurès avaient renoncé à prendre aucune disposition pour les obsèques, avant son retour. La lettre avait donc été communiquée d'urgence à la presse par Poincaré lui-même. Dans quel but?

Une vibrante proclamation, signée Viviani, au nom du Conseil des ministres, prenait soin de spécifier que Jaurès, *en ces jours difficiles*, avait *soutenu de son autorité l'action patriotique du gouvernement*. Le paragraphe final rendait un son de discrète menace : *Dans les graves circonstances que la Patrie traverse, le gouvernement compte sur le patriotisme de la classe ouvrière, de toute la population, pour observer le calme, et ne pas ajouter aux émotions publiques par une agitation qui jetterait la capitale dans le désordre.* Le gouvernement redoutait-il des émeutes? Un échotier racontait que M. Malvy, le ministre de l'Intérieur, en apprenant, au Conseil des ministres, la nouvelle de l'assassinat, avait précipitamment quitté l'Elysée, pour rejoindre son ministère, et se tenir en liaison avec la Préfecture de police.

Tous les journaux, d'ailleurs, avec une unanimité qui révélait un mot d'ordre, insistaient sur la nécessité de faire l'union, et profitaient du meurtre pour célébrer à qui mieux mieux *l'exemple* que *le grand républicain*, avant de mourir, avait donné *à son parti*, en approuvant le gouvernement *de prendre en vue des plus formidables hypothèses, les précautions nécessaires*. A lire ces commentaires, il semblait que la voix qui venait de s'éteindre ne s'était jamais élevée pour autre chose que pour encourager la politique nationaliste de la France.

La manœuvre était subtile et perfide. L'adversaire abattu, le comble de l'habileté était bien de s'emparer du cadavre, d'en faire un symbole de loyalisme gouvernemental, de s'en servir comme d'une arme — et justement contre le socialisme décapité. « Iront-ils jusqu'à lui voter des obsèques nationales? » se demanda Jacques, écœuré.

De tous ces journaux détrempés par la buée du bain, il fit une boule qu'il jeta loin de lui, et s'enfonça, rageur, dans l'eau tiède.

« Regarder les choses en face », se dit-il.

L'armée des « patriotards » s'accroissait avec une telle rapidité que, maintenant, la lutte semblait impossible. Journalistes, professeurs, écrivains, savants, intellectuels, tous, à qui mieux mieux, abdiquaient leur indépendance critique, pour prêcher la nouvelle croisade, exalter la haine de l'ennemi héréditaire, prôner l'obéissance passive, préparer l'absurde sacrifice. Même dans les feuilles de gauche, l'élite des chefs populaires, — qui, hier encore, protestaient, du haut de leur autorité, que ce monstrueux conflit des Etats d'Europe ne serait qu'une amplification sur le terrain international de la lutte de classes, une conséquence dernière des instincts de profit, de concurrence et de propriété, — semblaient tous, aujourd'hui, prêts à mettre leur influence au service du gouvernement. Certains avaient bien la pudeur de balbutier quelques regrets : « *Hélas, notre rêve était trop beau...* » Mais tous capitulaient; tous légitimaient la défense nationale, et encourageaient déjà leur clientèle ouvrière à collaborer, sans scrupule de conscience, à l'œuvre de mort. Leur défaillance collective laissait soudain le champ libre à l'expansion des mensonges patriotiques; et elle risquait de paralyser définitivement, au cœur mal assuré des masses, ces velléités de révolte, qui étaient jusque alors, pour Jacques, l'unique espoir de sauver la paix.

« Ah », songea-t-il, avec un sentiment de poignante impuissance, « le coup a été magistralement préparé... La guerre n'est possible qu'avec un peuple fanatisé. D'abord, la mobilisation des consciences; celle des hommes, ensuite, ne sera plus qu'un jeu! » Un souvenir de meeting lui revint à l'esprit. Était-ce Jaurès? ou Vandervelde? ou quel autre leader, écouté par un peuple avide de confiance? — qui, un soir, à la tribune, avait comparé le geste individuel du révolutionnaire à cette brouettée de gravats que, de père en fils, les hommes de la côte vont verser au bord de la mer : « Les lames déferlent », s'était-il écrié. « Les vagues éparpillent le tas de poussière. Mais chacune de ces brouettées laisse un minuscule résidu de pierres lourdes, que la vague n'entraîne pas! Et la digue s'élève peu à peu! Et le temps viendra, fatalement, où les pierres superposées constitueront une jetée solide, contre quoi le flot refoulé sera devenu impuissant : un sol nouveau, sur lequel les générations futures s'avanceront, triomphantes!... » Nobles métaphores, qui, ce jour-là, soulevaient le délire des manifestants! « Mais », songea Jacques, « devant le raz de marée d'aujourd'hui, que restera-t-il de tous ces efforts dérisoires? »

Il eut aussitôt honte de sa faiblesse : « Ne pas faire comme les autres... Ne pas se laisser désarmer par le désespoir! Tout ne commence vraiment à être irrémédiable qu'à partir du moment où, à leur tour, les meilleurs renoncent, et s'inclinent devant ce mythe : la fatalité des evénements! Les événements, c'est nous qui les faisons! Espérer, coûte que coûte! Et agir! Lutter jusqu'au bout contre les suggestions alarmantes, contre la contagion perfide de la panique! Rien n'est encore perdu! »

Il se sentait terriblement seul. Seul, parce que fidèle, et pur. Seul, mais aussi comme protégé par ce pathétique isolement. Quelle que fût sa détresse, il savait qu'il avait raison, qu'il défendait la vérité. Jamais il ne consentirait au reniement!

Sans retourner chez Jenny, il courut à *l'Humanité.*

L'immeuble, ce matin, faisait penser à une maison mortuaire.

Malgré l'heure, dans les escaliers, dans les couloirs, ce n'était déjà qu'allées et venues de militants, dont les visages bouleversés portaient la double trace du chagrin et du découragement. Le nom de l'assassin passait de bouche en bouche : Raoul Villain... Personne ne le connaissait. Etait-ce un déséquilibré? un agent du nationalisme? Qui avait armé son bras? Au commissariat, il n'avait su donner aucune explication de son acte. Sur un papier, trouvé dans sa poche, étaient tracées ces lignes mystérieuses : *La patrie est en danger, il faut sévir contre les assassins.*

Stefany, comme tous les rédacteurs du journal, avait passé la nuit debout. Son teint avait pris la couleur du mastic. Ses petits yeux noirs clignotaient, brûlés par les larmes et l'insomnie.

Une dizaine de socialistes se pressaient dans son bureau. La discussion était vive.

On affirmait que M. de Schœn, l'ambassadeur allemand, avait tenté au Quai d'Orsay une incroyable démarche pour obtenir de la France qu'elle restât neutre et refusât son concours militaire à la Russie. L'Allemagne s'engageait à ne pas entrer en guerre contre la France, si, pour gage de sa neutralité, le gouvernement français consentait à lui laisser occuper les forts de Toul et de Verdun, pendant toute la durée de la campagne allemande contre les Russes.

Certains, comme Burot, comme Rabbe, peu nombreux d'ailleurs, insinuèrent que ce marchandage de la dernière heure offrait, après tout, un moyen de préserver la France du conflit. Mais la plupart se firent, d'une façon assez inattendue, les défenseurs de l'alliance franco-russe. Le jeune Jumelin, sur un ton qui rappelait à Jacques les indignations d'un Manuel Roy, s'insurgea :

— « Ce serait la première fois, dans l'Histoire, que la France refuserait de faire honneur à sa signature! »

Burot, brusquement, se leva.

— « Pardon! » fit-il. « Ne déraillons pas, à plaisir!... Regardez de près la suite des faits, les dates comparées des mobilisations! Je laisse même de côté ce que nous pouvons savoir des préparatifs militaires russes, secrètement commencés depuis longtemps, activement, obstinément poursuivis, malgré tous les efforts de la France.

Ne parlons, pour l'instant, que des décrets officiels. Eh bien, l'ukase du Tsar a été signé avant-hier *jeudi*, dans l'après-midi; — et cela, malgré le terrible avertissement qu'avait donné l'Allemagne, en déclarant d'avance et tout net que la mobilisation russe signifierait la guerre. Avant-hier, *jeudi!* Or, François-Joseph, lui, n'a signé son décret qu'hier, *vendredi*, à la fin de la matinée. Puis, hier également mais quelques heures plus tard, l'Allemagne annonçait le *Kriegsgefahr*, — qui n'est tout de même pas l'équivalent d'une mobilisation générale. Voilà l'exacte chronologie des événements... Et cela n'est un secret pour personne », reprit-il, en sortant un journal de sa poche. « D'après l'aveu même d'un organe gouvernemental comme *le Matin*, la mobilisation générale russe a *précédé* la mobilisation générale autrichienne. Le fait est là! Et il est d'importance! Il sera capital aux yeux des historiens futurs. Indiscutablement, la Russie doit être tenue pour l'Etat agresseur!... Eh bien », continua-t-il, après une pause, et en pesant ses mots, « j'ai autant que quiconque le souci de l'honneur français. Mais j'estime que ces constatations de fait autoriseraient aujourd'hui la France à refuser son aide à la Russie, sans trahir le moins du monde les obligations qu'elle a contractées! Bien plus : j'estime que le refus de se solidariser avec l'Etat agresseur serait l'ultime occasion, pour notre gouvernement, de prouver, d'une façon éclatante, irréfutable, qu'il n'a jamais voulu la guerre! »

Il y eut un silence, et comme une brusque levée d'espoirs.

Jumelin lui-même ne trouvait rien à répliquer. Mais il n'aimait pas reconnaître ses torts; il dévia la question :

— « Les obligations que la France a contractées... Les connaît-on, seulement, ces obligations? Qui sait au juste quels engagements nouveaux Poincaré, travaillé par Isvolsky, a pris, au nom de la France, depuis deux ans? »

— « Et qu'a répondu le ministre? » demanda Jacques. « L'offre de Schœn a naturellement été considérée aux Affaires étrangères comme un " piège "? C'est l'éternel refrain de la diplomatie française! »

— « Sinon comme un piège », rectifia Cadieux, qui se

piquait d'être renseigné, « du moins comme une provocation déguisée : une sorte d'ultimatum. »

— « Dans quel but? »

— « Mais, de contraindre la France à se prononcer tout de suite! Tout le monde sait que le plan de campagne de l'Etat-Major allemand est de remporter, dès le début, sur le front français, une victoire décisive qui lui permettrait de se retourner ensuite vers le front oriental. Il importe donc que l'Allemagne puisse attaquer le plus tôt possible la France. D'où le désir allemand d'obliger la France à entrer en guerre *avant* que la bataille s'engage sur le front germano-russe! »

Stefany, depuis un instant, donnait des signes d'impatience. Sa voix vibrante coupa court au débat :

— « Vous raisonnez tous, bon Dieu, comme si la guerre était déclarée, ou allait l'être tout à l'heure! Et cela, au moment où l'alliance des socialistes français et allemands va se resserrer plus étroitement que jamais! au moment même où l'arrivée de Müller, qui sera parmi nous ce soir, permet de compter enfin sur une action commune, immédiate, décisive! »

Tous se turent. Un instant, l'ombre de Jaurès plana dans la pièce. Stefany parlait comme eût parlé le Patron. Dans les circonstances présentes, en effet, l'envoi officiel, à Paris, d'un délégué de la social-démocratie, pour sceller, en dépit des gouvernements, le pacte de paix entre les peuples, n'était-ce pas un fait sans précédent, et dont il était légitime de tout espérer?

— « Ils sont chics, ces Allemands! » s'écria Jumelin. Et sa confiance juvénile, succédant sans transition aux vues les plus pessimistes, symbolisait assez bien le désarroi général.

L'entrée de Renaudel fit diversion.

Il était pâle et bouffi. Son regard était absent. Il avait passé la nuit à veiller le corps de son ami.

Il venait assister à la réunion du bureau de la Fédération socialiste de la Seine, qui avait été convoqué d'urgence, ce matin, à *l'Humanité*, afin d'examiner la situation créée dans le Parti par la disparition du chef. Et il désirait, auparavant, entretenir Stefany de l'appel que venait de lancer l'Union des Syndicats. Il affirmait que, à Lyon, à Marseille, à Toulouse, à Bordeaux, à Nantes, à Rouen, à Lille, partout, de nouvelles manifestations s'organisaient. — « Non, non », répétait-il, en serrant les poings, « il ne faut pas encore désespérer! »

On les laissa seuls. Et Jacques, après avoir essayé de voir Gallot, qui n'était pas dans son bureau, s'éclipsa : avant de rejoindre Jenny, il voulait prendre le vent des milieux anarchistes, et passer au *Libertaire.*

Mais, place Dancourt, il se heurta aux frères Cauchois, deux ouvriers maçons, habitués du *Libertaire,* — qui le dissuadèrent d'aller plus loin.

— « On en vient. N'y a personne. Les copains se garent. La police rôde. A quoi bon se faire repérer? »

Jacques les accompagna un bout de chemin. Ils allaient devant eux, sans but. Ils avaient exceptionnellement déserté leur chantier, « à cause de tout ça ».

— « Qu'est-ce que tu en dis, toi, de leur guerre? » demanda l'aîné, un grand rouquin, taché de son, assez grossier de traits, mais dont l'œil bleuâtre avait, ce matin, des douceurs inaccoutumées.

— « Il s'en fout, lui, il est Suisse », coupa le cadet. (Bien qu'il ne fût pas son jumeau, il était une vivante réplique de son frère; mais, à la façon dont une sculpture achevée ressemble à son premier épannelage.)

Jacques jugea inutile d'entrer dans des précisions.

— « Non, je ne m'en fous pas », dit-il sombrement.

Le cadet observa, de bonne grâce :

— « Bien sûr. Mais ça n'est tout de même pas comme si tu étais dans le jus, comme nous. »

L'aîné, qui avait dû boire un peu pour fêter ce congé improvisé, se montrait loquace :

— « Oh, nous, c'est simple. Celui qui n'a que sa carcasse, il y tient!... Je ne dis pas que, à l'occasion, on ne se ferait pas crever la peau pour ses idées. Mais, pour celles des patriotards, salut! Ceux à qui ça plaît, qu'ils y aillent! Notre patrie, à nous, c'est là où on peut travailler tranquille. Est-ce pas, Jules? »

Le cadet, défiant, sifflotait.

— « Alors? » demanda Jacques. « Si on mobilise, pourtant... — vous autres, quoi? » (Il pensait à son propre cas. La réponse qu'il avait faite à la question d'Antoine : « Que vas-tu faire? » était rigoureusement sincère. Il ne savait pas. Il lutterait, désespérément. Mais où? et avec qui? et comment?... Il se refusait d'ailleurs à y réfléchir : c'eût été déjà douter de la paix.)

Le cadet jeta vers son aîné un regard furtif, et, comme s'il redoutait que l'autre ne bavardât, il répondit précipitamment :

— « On n'est mobilisé que le neuvième jour. On a le temps de voir venir. »

Mais l'aîné n'avait pas remarqué l'avertissement de son frère. Il se pencha vers Jacques, et baissa la voix :

— « Tu connais Saillavar? Non? Un grêlé... Saillavar, il est de Port-Bou. Alors, tu penses! La frontière espagnole, il sait ça par cœur, lui, comme nous les rues de Ménilmuche... » Il cligna confidentiellement de l'œil : « En Espagne, même s'il y a la guerre, paraît que ça reste neutre. Là-bas, c'est franc : rien ne t'empêche de gagner ta croûte, comme un homme... Et, pour le travail, on n'en craint pas beaucoup. Est-ce pas, Jules? »

Le cadet regardait Jacques en dessous. Ses prunelles bleues eurent une lueur de métal. Il grommela :

— « Va jamais raconter ça, toi! »

— « Sois tranquille », fit Jacques, en leur serrant la main.

Il les regarda s'éloigner, songeur, et secoua négativement la tête :

— « Non, pas ça... Pas moi... Filer en pays neutre, ça peut se défendre. Mais, si pour " travailler tranquille " et " gagner sa croûte ", pendant que les autres... Non!... » Il fit quelques pas et s'arrêta de nouveau : « Alors, quoi? »

LXV

Anne, d'un pas résolu, s'était approchée du téléphone. Elle allait décrocher le récepteur, lorsqu'elle pensa : « Je suis idiote. Onze heures vingt; il est encore à l'hôpital... Si j'allais le surprendre, à la sortie? Là, il ne m'échappera pas. »

Elle se souvint qu'elle avait donné congé au chauffeur pour la matinée. Afin de ne pas perdre une minute, — afin surtout de n'avoir pas à patienter, — elle sortit de chez elle dès qu'elle fut prête, et sauta dans un taxi.

— « Rue de Sèvres! Je vous arrêterai. »

Le concierge de l'hôpital n'avait pas encore vu sortir le docteur Thibault.

Anne jeta un coup d'œil sur les voitures qui stationnaient le long du trottoir. Elle n'y vit pas celle d'Antoine. Mais il pouvait l'avoir garée dans la cour; et puis, il ne prenait pas toujours son auto le matin.

Elle remonta dans le taxi. Le buste à la portière, elle surveillait les allées et venues du grand portail. Midi moins cinq... Midi... Douze coups tintèrent à l'horloge, auxquels répondit, presque aussitôt, le clocher de l'église voisine. Un flot d'employés, d'infirmières, se répandit sur le trottoir.

Tout à coup, son front devint moite. Elle venait de se rappeler qu'il y avait une autre sortie, dans la rue latérale. Elle descendit en hâte, et partit à pied, après avoir dit au concierge d'arrêter le docteur, s'il sortait.

Le trottoir était étroit, encombré de gens pressés. Sur la chaussée, c'était un défilé de voitures, de camions : le vacarme infernal des rues populeuses. Elle fut prise d'un vertige, et s'arrêta. Ses tempes bourdonnaient. Elle ferma les yeux et se demanda, froidement, s'il n'eût pas mieux valu être morte. Mais elle se redressa aussitôt, repartit comme une somnambule, atteignit la porte, la loge.

Le docteur Thibault? Mais oui, il avait quitté l'hôpital, depuis un instant déjà...

Elle ne répondit rien, ne remercia pas, sortit de la voûte comme une furie. Que faire? Téléphoner une fois de plus rue de l'Université? (Elle l'avait fait, à plusieurs reprises, dans la journée d'hier. Elle l'avait fait, ce matin encore, juste comme Antoine venait de partir. Du moins, c'est ce qu'avait répondu Léon. « Si tôt? » avait-elle dit. Etait-ce vrai? A sept heures et quart?...)

Elle rentra dans la loge :

— « Pourrais-je téléphoner? C'est urgent. »

La ligne était surchargée. Elle dut attendre. Enfin elle obtint la communication :

— « Monsieur n'est pas là... Monsieur a prévenu qu'il ne rentrerait pas déjeuner... »

Léon avait son accent le plus impersonnel. Anne le haïssait maintenant. Elle ne pouvait plus supporter cette voix polie, traînante, qui s'interposait toujours entre Antoine et elle, qui lui interdisait ce contact direct, vivant, presque charnel, qu'elle venait mendier, au bout du fil.

Elle raccrocha, sans dire un mot, et se retrouva sur le trottoir. « Tant pis! J'irai!... Je verrai bien s'ils me mentent! »

Il fallait d'abord rejoindre son taxi. Elle courut, se faufilant dans la foule, furieuse de céder à cette passion qui la fouaillait, mais sans force pour lui résister.

— « 4 *bis*, rue de l'Université! »

Dès qu'elle aperçut, de loin, la façade neuve, les stores, la porte cochère, une frayeur la paralysa. Elle se représentait Antoine, dérangé pendant son repas, venant à elle du fond de l'antichambre, sa serviette à la main, l'air rogue. Que lui dirait-elle : « Tony, je t'aime »? Elle eut soudain peur de lui, de ses sourcils crispés, de sa mâchoire, de ce regard agacé et dur qu'elle imaginait trop bien.

Lui écrire, peut-être?

— « Arrêtez... Au coin, là... Au bureau de poste. »

Elle demanda un pneu, et griffonna :

« Il faut que je te voie, Tony, rien qu'un instant. N'importe quand, n'importe où. Téléphone-moi. J'attends. Il faut que je te voie, mon Tony. »

C'était la phrase qu'elle se répétait sans arrêt : « Il faut que je le voie. » Elle était sûre que, si elle le revoyait, ne fût-ce qu'une minute, elle trouverait les mots pour le retenir, le reprendre.

Elle glissa son pneu dans la boîte, et s'enfuit, honteuse d'elle.

Antoine était encore à table, quand le pneu arriva rue de l'Université.

— « Mais, mon petit, je vous crois », disait-il à Roy qui, le feu aux joues, venait de faire le récit des manifestations chauvines auxquelles il avait pris part, la veille au soir. « Je n'ai que trop de raisons de vous croire! Nous assistons, en ce moment, à une extravagante explosion de patriotisme... Seulement, savez-vous à quoi ils me font penser, tous ces braves garçons qui parcourent les Boulevards pour bien affirmer qu'ils approuvent la guerre? »

Léon lui remit le petit bleu. Il reconnut l'écriture. Une ombre obscurcit son regard.

— « ... Ils me font penser à une réclame, qu'on voyait sur les murs de Paris, quand j'étais gosse... » Tout en parlant, il déchirait le pointillé, sans regarder ce qu'il faisait. Enfin, il jeta les yeux sur le papier, le déchira aussitôt en petits fragments, et acheva sa phrase : « L'image représentait un troupeau d'oies... Elles acclamaient un cuisinier, armé d'un long couteau pointu... Avec cette légende : *Vive le pâté de Strasbourg!...* » Il éparpilla dans son assiette les débris du petit bleu, et se tut.

Entre Anne et lui, il n'y avait eu aucune explication. Simplement, depuis son entrevue avec Simon, Antoine se dérobait obstinément à toute visite, à tout rendez-vous, à tout téléphonage. Il n'avait pas prémédité cette attitude évasive, qui lui ressemblait assez peu; et il en souffrait, car il aimait les situations nettes. Il comptait bien avoir avec Anne un entretien décisif. Il y songeait même, avec précision, plusieurs fois par jour, — chaque fois que Léon l'accueillait, les yeux baissés, par la formule fatidique : « *On* a téléphoné. » Mais les heures se suivaient, harassantes; et, pendant les rares moments où il échappait à sa vie professionnelle, il s'abîmait, angoissé, dans la lecture des journaux, ou se laissait accaparer, avec une complaisance maladive, par ceux qu'il rencontrait, et qui, comme lui, ne pouvaient plus penser qu'à la guerre, ni parler d'autre chose. Par instants, il s'étonnait de n'éprouver plus qu'une indifférence hostile pour cette femme à laquelle il n'avait rien à reprocher, et qui, malgré tout, huit jours auparavant, occupait encore une si grande place dans son existence...

Il croyait son cas particulier. Il ne se doutait pas qu'il avait obéi à un phénomène très général. Le frisson qui secouait l'Europe ébranlait les vies privées; de toutes parts, entre les êtres, les liens factices se desserraient, se rompaient d'eux-mêmes; le vent précurseur qui passait sur le monde faisait tomber des branches les fruits véreux.

LXVI

Dès avant midi, Jacques était de retour avenue de l'Observatoire.

Jenny ne l'attendait pas si tôt. Elle avoua, confuse, qu'elle avait dormi jusqu'à neuf heures. Elle était plongée dans la lecture des journaux, en quête des moindres nouvelles d'Autriche. Sa voix tremblait, dès qu'elle évoquait le sort de sa mère, retenue à Vienne. Elle se leva, et fit deux ou trois pas à travers la chambre, son visage dans les mains.

Il ne savait que dire pour la tranquilliser sans lui mentir. Le poids des événements s'aggravait pour lui de cette détresse fragile si proche; et, à toutes les raisons qu'il avait déjà de lutter pour la paix menacée, s'ajouta, pendant quelques minutes, le souhait puéril de pouvoir délivrer la jeune fille de son angoisse.

— « Asseyez-vous », dit-il. « Ne restez pas comme ça, debout, avec cette pauvre figure... Cela m'est insoutenable, ma chérie... Rien n'est encore perdu!... »

Elle ne demandait qu'à le croire. Il souriait, à tout hasard, pour la rassurer. Il parla avec fougue de la mission Müller, des espoirs tenaces de Stefany. Il se prenait lui-même à son jeu. Il alla jusqu'à dire, dans un élan presque sincère :

— « Peut-être même est-ce un bien que le danger soit devenu aussi manifeste, aussi universel! puisque tout dépend de ce grand sursaut d'opinion, qu'il faut provoquer! »

— « Oui », fit-elle, les prunelles fixes.

Elle se releva nerveusement pour aller manœuvrer le

store; ses gestes étaient si fébriles quc la corde lui resta dans les doigts.

Il alla vers elle, lui entoura les épaules de son bras, la serra contre lui :

— « Allons, restez tranquille, regardez-moi... Ça me paraît si bon d'être là! Je viens souffler un peu, reprendre force. J'ai besoin de vous... J'ai besoin que vous ayez confiance! »

Aussitôt, elle changea de visage, et sourit courageusement.

— « A la bonne heure! Maintenant, mettez votre chapeau, je vous emmène déjeuner. »

— « Voulez-vous que nous déjeunions ici? » proposa-t-elle, avec un enjouement qui le surprit, tant il paraissait peu feint. « Ce serait si gentil! J'ai des œufs, quelques pêches, du thé... »

Il accepta.

Tout heureuse, elle courut allumer le fourneau à gaz. Jacques la suivit jusqu'à la cuisine. Distrait un instant de son idée fixe, il la regardait étendre un napperon sur la table, disposer avec symétrie le couvert, aligner des coquilles de beurre dans le ravier, s'affairer, avec ce sérieux que les femmes d'ordre mettent à accomplir les rites domestiques les plus inutiles. Comme elle était souple et naturelle dans ses moindres attitudes! L'amour avait vaincu sa raideur, libéré en elle cette grâce féminine que, jusqu'alors, une contrainte secrète semblait retenir prisonnière.

— « Notre première dînette », remarqua-t-elle, sur un ton presque grave, lorsqu'elle déposa sur la table le plat d'œufs.

Ils s'installèrent l'un en face de l'autre, comme de vieux camarades. Elle était gaie; lui, s'efforçait à l'être, mais son front demeurait soucieux. Elle l'examinait à la dérobée. Il s'en aperçut, et sourit :

— « On est bien, là! »

— « Oui », fit-elle, avec conviction. « Nous avons tellement besoin d'être ensemble, maintenant! »

Il baissa les yeux. Il songeait soudain à l'avenir, et il était saisi d'effroi.

Le repas se poursuivit sans qu'ils parvinssent à rompre pour de bon le silence. Par moments, Jacques enveloppait la jeune fille d'un long et tendre regard; et, ne trouvant aucune parole pour exprimer ce qu'il ressentait, il allongeait le bras et mettait sa main, quelques secondes, sur celle de Jenny.

Elle souffrait de le voir si taciturne. Depuis ces derniers jours, une transformation s'opérait en elle : pour la première fois, en dépit de sa nature, en dépit d'une longue habitude de repliement, elle eût souhaité pouvoir parler d'elle. Les heures qu'elle vivait seule n'étaient qu'un interminable monologue adressé à Jacques, où elle s'analysait minutieusement devant lui, où elle lui découvrait sans indulgence ses défauts de caractère, ses possibilités, ses limites. Car elle était obsédée par la crainte qu'il se fît des illusions sur elle, et qu'il ne fût affreusement déçu, le jour où il la connaîtrait mieux.

Lorsqu'ils eurent vidé le compotier de fruits, elle voulut qu'il pliât sa serviette, et elle lui donna le rond de Daniel. Puis elle lui prit le bras, ainsi qu'elle faisait avec son frère, et le ramena vers sa chambre.

En passant devant le salon, dont la porte était entrouverte, il aperçut le piano, qu'illuminait en ce moment un rai de soleil... Il s'arrêta, et, cédant à un brusque caprice :

— « Jenny, jouez-moi... vous savez... cette chose... Cette chose que vous jouiez... autrefois. »

— « Quoi donc? »

Elle savait bien ce qu'il voulait dire. Mais elle avait frémi devant ce rappel douloureux de leur été, à Maisons-Laffitte.

— « Oh, Jacques... Pas aujourd'hui... »

— « Si! »

Elle poussa la porte, gagna le piano, et, docilement, attaqua cette *Troisième Etude* de Chopin, — qui lui rappelait un des soirs les plus troubles, les plus désespérés, de sa vie.

Il se tenait debout, les bras croisés, dans l'ombre, derrière elle afin qu'elle ne le vît pas. Il fermait nerveusement les yeux, pour refouler ses larmes; et, le cœur brisé de douceur, il écoutait trembler dans le silence ce chant de félicité nostalgique. Aux dernières notes, elle se leva, toute droite, recula, et vint s'appuyer contre lui.

— « Pardon », murmura-t-il, à son oreille, d'une voix basse et déchirante qu'elle ne lui connaissait pas.

— « Pourquoi? » dit-elle, effrayée.

— « Nous aurions pu être si heureux, et depuis si longtemps...! »

Elle frissonna, et, vivement, lui mit sa main sur la bouche.

La croisée était ouverte. Elle l'entraîna, doucement, jusqu'au balcon. Sous eux, les cimes de l'avenue formaient un tapis vert, compact, d'où jaillissaient, par intervalles, semblables au pépiement d'une volée de moineaux, des cris d'enfants invisibles. Au loin, les frondaisons du Luxembourg offraient déjà cette patine bronzée qui précède de peu les rouilles de l'automne.

Jacques regardait machinalement le panorama lumineux qui s'étendait devant eux. « Müller doit avoir quitté Bruxelles », songea-t-il. Il ne pouvait penser à rien d'autre.

Auprès de lui, Jenny, rêveusement, murmura :

— « Je connais chaque arbre... Et dessous ces arbres, je connais chaque banc, chaque socle de statue... Toute mon enfance est dans ce jardin... » Elle ajouta, après une pause : « J'aime me souvenir... Vous aussi? »

— « Non », fit-il, sans ménagement.

Elle tourna vivement la tête, lui jeta un regard attristé, et remarqua, sur un ton désapprobateur :

— « Daniel non plus. »

Il sentit qu'il devait s'expliquer; il fit un effort :

— « Pour moi, le passé est passé. Chaque jour vécu tombe dans un trou noir. J'ai toujours eu les yeux vers l'avenir. »

Ces paroles la blessaient plus qu'elle n'osait le dire, elle pour qui le présent comptait peu, et l'avenir pas du tout; elle, dont la vie intérieure se nourrissait presque exclusivement de réminiscences.

— « Ce n'est pas possible. Vous dites ça pour vous singulariser! »

— « Me singulariser? »

— « Non », reprit-elle, en rougissant, « ce n'est pas " singulariser " que je voulais dire... » Elle demeura songeuse quelques secondes. « Est-ce que vous n'éprouvez pas, quelquefois, le besoin de... déconcerter les gens? Pas pour le plaisir de déconcerter, bien sûr... Mais, pour mieux leur échapper, peut-être... Non? »

— « Comment ça? Leur échapper? » Il réfléchissait; il avoua : « Oui, peut-être... C'est vrai qu'il m'est intolérable de sentir que les gens ont sur moi une opinion arrêtée. C'est comme s'ils essayaient de me limiter, de mettre l'embargo sur ma pensée. Et alors, oui, peut-être m'arrive-t-il de les dérouter exprès : simplement pour me délivrer de cette emprise... »

Il remarqua que Jenny venait de l'obliger à faire sur lui-même un retour qu'il n'eût sans doute pas fait tout seul, et il lui en sut gré. Il se reprocha de l'avoir blessée en affichant un sot mépris pour les sentimentalités du souvenir. Il resserra l'étreinte du bras qu'il avait glissé autour d'elle :

— « Je vous ai peinée tout à l'heure. C'est idiot... On est tellement énervé par tout ça... » Il sourit : « Et puis, disons aussi, pour diminuer ma faute, que Jenny est une petite fille... exagérément sensible! »

« Oui, c'est vrai », dit-elle aussitôt. « Exagérément sensible! » Elle médita une minute : « Je suis sensible; et, pourtant, je ne suis pas bonne. »

Il sourit.

— « Non, non... Je me connais bien! Toutes les fois que j'agis d'une façon qui peut faire croire que je suis bonne, c'est, en réalité, après réflexion, par volonté, pour accomplir un devoir... Je suis tout à fait dénuée de cette bonté naturelle, spontanée, inconsciente, qui est la vraie... La bonté de maman, par exemple... » Elle faillit ajouter : « La vôtre. » Mais elle ne le fit pas.

Il lui jeta un regard surpris. Quelque chose, en elle, semblait s'être muré, soudain. Elle ne lui paraissait jamais plus mystérieuse que lorsqu'elle s'analysait à haute voix. A ces moments-là, ses traits se figeaient, l'œil devenait dur; et Jacques avait l'impression de perdre le contact, d'avoir devant lui un être pétrifié, résistant, incommunicable; une énigme, dont le secret humiliait son orgueil de mâle.

Il murmura, sérieux :

— « Jenny, vous êtes comme une île... Une île riante, une île ensoleillée... — mais inaccessible!... »

Elle tressaillit :

— « Pourquoi dites-vous ça? Vous êtes injuste! »

Un souffle ténébreux, qui la glaça, passa entre eux. Ils restèrent quelques instants silencieux, l'un près de l'autre, penchés sur l'appui du balcon, livrés à leurs pensées étanches, à leurs inquiétudes.

Deux coups, espacés, lointains, sonnèrent à l'horloge du Sénat. Il consulta sa montre, et se redressa :

— « Deux heures! » Et, cédant à son obsession, il ajouta : « Müller est en route. »

Ils rentrèrent dans l'appartement. Il ne lui avait pas proposé de l'accompagner, et elle ne le lui avait pas demandé. Toutefois, — tant la chose allait de soi, — il ne fut pas étonné de l'entendre dire, en courant vers sa chambre :

— « Une minute, seulement... Je suis prête. »

A *l'Humanité*, où Jacques s'était décidé à introduire Jenny, son premier soin fut de s'enquérir auprès de Rabbe, qu'ils croisèrent à mi-étage, des dispositions prises pour l'arrivée du délégué allemand. Le train de Belgique qui amenait Müller arrivait à Paris un peu après cinq heures. Le groupe des députés socialistes était convoqué pour six heures, dans une des salles du Palais-Bourbon, afin de l'y recevoir. Vu l'importance de cette conférence, on prévoyait qu'elle se prolongerait tard dans la nuit.

— « Nous irons tous l'attendre à la gare du Nord », ajouta le vieux militant.

— « Nous irons aussi », dit Jacques, en se penchant vers Jenny.

Gare du Nord! Elle évoqua, en une seconde, tous les détails de sa première rencontre avec Jacques, la poursuite dans les couloirs du métro, le banc du square

Saint-Vincent-de-Paul... Elle leva les yeux sur lui, persuadée naïvement qu'il y songeait aussi. Mais il était tourné vers Rabbe. Il lui demandait quelles décisions avaient été votées, le matin, à la réunion de la Fédération socialiste.

— « Aucune », bougonna le vieux. « Les membres du bureau se sont séparés sans avoir rien décidé. Le Parti n'a plus de chef! »

Les divers bureaux du journal étaient sous pression. Chez Gallot, Pagès, Cadieux et quelques autres discutaient.

Le bruit s'était répandu que, depuis la déclaration du *Kriegsgefahr*, l'Etat-Major français assiégeait le gouvernement pour obtenir, sans autre délai, le décret de mobilisation. Ce n'était plus, disait-on, qu'une question d'heures. Pagès prétendait même tenir d'un scribe militaire, employé au secrétariat du général Joffre, que le décret avait été signé par Poincaré à midi. Mais Cadieux, qui revenait du Quai d'Orsay, affirmait que la nouvelle était fausse.

— « Je le saurais », déclara-t-il, avec assurance.

Il disait qu'aux Affaires étrangères, le gros sujet de préoccupation, aujourd'hui, était l'attitude du gouvernement anglais. Certains politiciens comme Caillaux auraient songé à obtenir des chefs socialistes français une démarche auprès de Keir-Hardie, afin que le Parti socialiste anglais renonçât à prôner la neutralité de l'Angleterre. D'autre part, Poincaré aurait pris l'initiative d'écrire à George V une lettre personnelle, pressant l'Angleterre de se déclarer pour la France, — l'intervention anglaise étant la dernière chance de sauver la paix.

— « De quand, cette lettre? » demanda Jacques.

— « D'hier. »

— « C'est ça! Quand Poincaré a su que la Russie proclamait officiellement sa mobilisation, et que la guerre n'était plus évitable! »

Personne ne releva le propos.

Une dépêche du matin, sans doute officielle, annonçait que les Etats-Majors français et anglais se tenaient en constante liaison, et qu' « un plan d'action était concerté ». S'agissait-il d'une action militaire? On savait, de source officieuse, que l'Angleterre avait donné l'ordre à sa flotte de surveiller les Détroits; que l'accès des ports de guerre avait été interdit aux navires de commerce; que l'artillerie anglaise occupait déjà les forteresses qui commandaient ces ports; et que tous les phares de la côte avaient reçu l'ordre de ne pas s'allumer ce soir.

Marc Levoir entra.

Il se faisait l'écho d'un nouvel entretien que Viviani aurait eu avec M. de Schœn. Le président du Conseil aurait dit : « L'Allemagne mobilise. Nous le savons. » Et comme l'ambassadeur se taisait, Viviani aurait ajouté : « L'attitude de l'Allemagne nous dicte la nôtre... Toutefois, pour manifester jusqu'au bout, et aux yeux de tous, notre volonté tenace de sauvegarder la paix, le général Joffre a donné l'ordre à toutes nos troupes de se replier à une distance d'au moins dix kilomètres de la frontière. Dans ces conditions, si un incident se produit, c'est que vous l'aurez voulu! »

Pagès, qui avait des accointances au ministère de la Guerre, mit aussitôt les choses au point. D'après lui, l'initiative française était sans aucune portée réelle; elle ne pouvait nuire en rien au plan de campagne prévu par l'Etat-Major français, et ne constituait qu'un apparent sacrifice à la paix. Dans l'entourage du ministre Messimy, on ne cachait pas, disait-il, que ce recul momentané n'était rien de plus qu'une habileté diplomatique, un moyen de frapper ostensiblement l'opinion européenne, spécialement l'opinion anglaise.

— « Je veux bien croire », dit Jacques, « que leur but soit *aussi* de se concilier l'adhésion de l'Angleterre... Mais, pour moi, leur but principal c'est de nous atteindre, nous! Nous, les pacifistes! Une façon de nous surprendre, de gagner nos sympathies, de se faire absoudre par nous! Un prétexte honorable qu'ils nous offrent de nous rallier, sans scrupule, à une autorité militaire dont le premier acte est si peu agressif. Je vois déjà ce que nous lirons demain dans les feuilles d'opposition! »

Gallot, qui, malgré le bruit de la conversation, continuait à classer des paperasses, leva brusquement son profil de hérisson derrière le rempart de ses dossiers :

— « Et la preuve, c'est la hâte, l'insistance, avec lesquelles le gouvernement a officieusement annoncé cette mesure aux chefs du Parti, avant même de l'avoir prise ! »

Son ton rageur, qui s'accordait si bien avec son physique, avec ses membres grêles et son aspect de rond-de-cuir frileux, lui donnait souvent l'air d'avoir tort, même quand il avait raison. Mais, aujourd'hui, Jacques remarqua que la colère ne parvenait pas à chasser de ses yeux une expression d'insondable tristesse, qui le rendait émouvant, en dépit de sa laideur.

Un groupe de jeunes militants fit irruption dans le bureau. Le bruit venait de se répandre qu'un cortège de la Ligue des Patriotes se dirigeait vers la Concorde pour manifester devant la statue de Strasbourg.

— « On y va? » proposa Pagès.

Tous étaient déjà debout. (En réalité, ils semblaient moins impatients de provoquer une bagarre vengeresse, que de saisir cette occasion de faire enfin « quelque chose ».)

Jenny devina que Jacques, malgré l'envie qu'il avait de les suivre, hésitait à cause d'elle.

— « Allons-y », dit-elle résolument.

LXVII

Un soleil brumeux, mais mordant, pesait sur les crânes, et rendait l'air du centre de Paris irrespirable. La population, de plus en plus inquiète, et qu'agaçait, comme les mouches, cette température d'orage, ne quittait plus la rue. A la porte des établissements de crédit, des commissariats, des administrations municipales, stationnaient des groupes agités, que les sergents de ville s'efforçaient de disperser sans incident. Les aboiements des crieurs de journaux, dominant le sourd bruissement de la foule, achevaient d'ébranler les nerfs.

Place des Pyramides, le pied du monument de Jeanne d'Arc était fleuri comme un catafalque. Sous les arcades de la rue de Rivoli, des files de piétons se pressaient dans les deux sens. La plupart des magasins avaient clos leur devanture. Sur la chaussée, les voitures étaient aussi nombreuses qu'aux jours les plus actifs de l'hiver. En revanche, le jardin des Tuileries eût été désert, sans les pelotons de gardes républicains qu'on y avait massés en réserve; dans l'ombre des arbres, où luisaient les croupes mouvantes des chevaux, les casques allumaient de brefs éclairs.

La nouvelle de la manifestation devait être erronée : la place de la Concorde n'offrait aucun aspect insolite. La circulation n'y était même pas interrompue. A peine si un faible barrage d'agents défendait, à tout hasard, l'accès de la statue de Strasbourg, dont le socle, lui aussi, disparaissait sous des couronnes enrubannées aux couleurs nationales.

Déçue, la petite cohorte, qui venait de *l'Humanité*, se disloqua.

Jacques et Jenny s'engagèrent dans la cohue de la rue Royale.

— « Quatre heures et demie », dit Jacques. « Allons recevoir Müller. Vous n'êtes pas fatiguée? Nous pourrions remonter à pied jusqu'à la gare du Nord. »

Ils prirent les boulevards, puis la rue Caumartin pour gagner la rue Saint-Lazare. Tout à coup, comme ils arrivaient devant Saint-Louis-d'Antin, un vacarme assourdissant remplit l'espace : la grosse cloche de l'église tintait, par grands coups d'une seule note, distincts, bourdonnants, solennels.

Les gens, figés sur place, se dévisagèrent un instant, avec stupeur. Puis ils se mirent à courir dans toutes les directions.

— « Quoi? Qu'est-ce qu'il y a? » balbutia Jenny, que Jacques avait saisie par le bras.

— « Ça y est », murmura quelqu'un, auprès d'eux.

Au loin, d'autres cloches s'ébranlaient. En une minute, le ciel de Paris était devenu pareil à une coupole de bronze, heurtée de toutes parts du même rythme tenace, sinistre comme un glas.

Jenny ne comprenait pas. Elle répétait :

— « Qu'est-ce qu'il y a? Où court-on? »

Sans un mot, il l'entraîna sur la chaussée que des centaines de personnes, insouciantes des voitures, traversaient en tous sens.

Un attroupement, qui grossissait à vue d'œil, s'était formé, devant un bureau de poste.

Sur le vitrage, un papier blanc venait d'être collé, de l'intérieur. Mais Jacques et Jenny se trouvaient à trop grande distance pour pouvoir lire. On entendait murmurer : « Ça y est... Ça y est... » Ceux des premiers rangs demeuraient une minute, hébétés, le front levé vers l'affiche, qu'ils avaient l'air d'épeler, à grand effort d'attention. Puis ils se retournaient, l'œil morne, le visage suant et défait; les uns, sans rien dire, sans regarder personne, se frayaient un passage et s'enfuyaient, le menton sur la poitrine; d'autres, au contraire, les yeux embués, hochaient la tête, et s'en allaient comme à regret, quêtant des regards fraternels, et balbutiant des paroles étouffées qui ne trouvaient pas d'accueil.

Enfin, les deux jeunes gens purent approcher à leur tour. Sur la petite feuille rectangulaire, fixée au carreau par quatre pains à cacheter rosâtres, une écriture impersonnelle, appliquée, une écriture de femme, avait tracé ces trois lignes, sagement soulignées à la règle :

MOBILISATION GÉNÉRALE
Le premier jour de la mobilisation
est le dimanche 2 août.

Jenny serrait contre son buste la main que Jacques avait glissée sous son bras. Lui, il restait immobile. Comme les autres, il pensait : « Ça y est. » Dans son cerveau, les pensées se succédaient, très vite. Il s'étonnait, malgré tout, de souffrir si peu. N'eût été ce tocsin qui, de seconde en seconde, lui martelait le cerveau, peut-être même eût-il ressenti une sorte de détente nerveuse : cette espèce de soulagement organique que lui apporterait tout à l'heure, sans doute, à la fin de cette journée orageuse, la première goutte de pluie... Apaisement factice, qui ne dura qu'un instant. Comme un blessé qui, d'abord, n'a pas senti le coup, mais dont la plaie s'ouvre soudain et saigne, une douleur aiguë le pénétra; et Jenny perçut un soupir rauque, entre les dents contractées.

— « Jacques... »

Il ne voulait pas parler. Il se laissa emmener par elle, hors du rassemblement. Des chaises, des tables de bistrot encombraient le trottoir. Ils s'assirent, en silence. Par-dessus les têtes pressées et dont le flot se renouvelait sans cesse, ils apercevaient, sur le vitrage, l'affiche blanche, dont ils ne pouvaient détourner les yeux.

Ainsi, pendant des semaines, il avait vécu, sans douter un seul jour du triomphe de la justice, de la vérité humaine, de l'amour; non pas comme un illuminé qui souhaite un miracle, mais comme un physicien qui attend la conclusion d'une expérience infaillible, — et tout s'écroulait... Honte! Une rage froide, méprisante, lui serrait la gorge. Jamais il ne s'était senti aussi mortifié. Pas tant révolté ni découragé, que confondu et humilié : humilié par l'atrophie de la volonté populaire, par l'incurable médiocrité de l'homme, par l'impuissance de la raison!... « Et moi? » se dit-il. « Que faire maintenant? » Dans un éclair de conscience, il plongeait en lui-même, au plus dense de sa solitude. Il y cherchait une réponse, un mot d'ordre, une direction. En vain. Et il ne pouvait se défendre d'une sorte de panique devant sa propre incertitude.

Jenny respectait son silence. Elle regardait autour d'elle, avec une curiosité mêlée d'effroi. Elle réalisait assez mal ce qu'était la mobilisation, ce qu'était la guerre. Elle avait aussitôt pensé à sa mère, à Daniel; à Jacques surtout. Mais, faute d'imagination, les dangers que couraient tous ces êtres chers ne lui apparaissaient pas nettement.

Comme un écho aux anxiétés de Jacques, elle dit, à mi-voix :

— « Qu'est-ce que vous allez faire? »

La voix était calme et ferme. Il prit le temps de penser : « Comme elle est bien, dans tout ça... »

Mais il n'avait pas le courage de répondre. Il détourna les yeux, et s'épongea le front.

— « Allons tout de même à la gare », fit-il, en se levant.

Tout l'après-midi, tassée dans sa bergère, près du téléphone, Anne avait espéré en vain un message d'Antoine. Vingt fois, elle avait failli décrocher le récepteur. Elle était à bout de nerfs; mais résolue à attendre, à ne pas appeler la première. Un journal déplié traînait à ses pieds. Elle l'avait parcouru avec exaspération. Que lui importaient ces histoires, et l'Autriche, et la Russie, et l'Allemagne?... Repliée sur elle-même comme une maniaque, elle ne cessait d'imaginer la scène qu'elle aurait avec Antoine, chez eux, dans leur chambre de l'avenue de Wagram, ajoutant sans cesse de nouveaux détails, de nouvelles répliques, des reproches de plus en plus blessants et qui soulageaient un instant sa rancune. Puis elle oubliait tout à coup sa colère, elle lui demandait pardon, l'entourait de ses bras, l'entraînait vers le lit...

Elle entendit soudain, au rez-de-chaussée, des portes claquer, des pas courir. Machinalement, elle leva les yeux vers la pendule : cinq heures moins vingt. La porte s'ouvrit en coup de vent, et la femme de chambre parut :

— « Madame! Joseph a vu l'ordre de mobilisation! On vient de l'afficher à la poste! C'est la guerre! »

— « Alors? » fit Anne, glaciale.

Elle se répétait, mentalement : « La guerre... », sans bien comprendre. Sa première pensée fut de dépit : « Simon va revenir. » Puis elle songea : « Qu'il aille donc se battre, l'imbécile. » Mais, aussitôt, une idée poignante la transperça : « Mon Dieu, s'il y a la guerre, Tony va partir... Ils vont me le tuer!... » Elle se leva d'un bond :

— « Mon chapeau, mes gants... Vite... Commandez la voiture. »

Elle s'aperçut dans la glace de la cheminée, vieillie, les narines pincées. « Non... Je suis trop laide aujourd'hui », se dit-elle, avec désespoir.

Quand la femme de chambre revint, Anne s'était rassise dans sa bergère, le buste penché en avant, les mains jointes et serrées entre ses deux genoux... Sans se redresser, elle dit, d'une voix douce :

— « Non, Justine... Merci... Décommandez Jo... Préparez-moi un bain, voulez-vous? Un bain très chaud... Et faites-moi mon lit. Je voudrais essayer de dormir un peu... »

Quelques instants plus tard, elle était dans sa chambre, couchée dans la pénombre. Les rideaux étaient tirés. L'appareil était à sa portée : elle n'aurait qu'à étendre le bras, s'il appelait... C'était encore là, entre ces draps frais, qu'elle souffrirait le moins. Naturellement, le mieux ne se ferait pas sentir tout de suite. Il fallait patienter une demi-heure, et puis les palpitations cesseraient, le tumulte du sang s'apaiserait, le cerveau s'engourdirait un peu. Mais cela demandait un effort vraiment surhumain, d'attendre ainsi, allongée, les paupières closes, sans un mouvement, sans un battement de cils... Tony... La guerre... Tony... Ah, seulement le voir... Le reprendre...

Elle se releva d'un bond, et, chancelante, pieds nus, pressant son visage entre ses mains, elle courut jusqu'au petit salon. Sans même prendre la peine d'approcher une chaise, elle s'agenouilla sur le tapis, devant le bureau, saisit une feuille de papier, un crayon, et griffonna :

« Je souffre trop, Tony. Ça ne peut plus durer. Je ne peux plus, je ne peux plus. Tu vas partir, peut-être? Quand? Je ne sais plus rien de toi. Que t'ai-je fait? Pourquoi? Il faut que je te voie, Tony. Ce soir. Chez nous. Je t'attendrai. Il est cinq heures. J'y vais. Je t'attendrai, là-bas, toute la soirée, toute la nuit. Viens quand tu pourras. Mais viens. Il faut que je te voie. Promets-moi que tu viendras. Mon Tony. Viens. »

Elle sonna :

— « Dites à Jo qu'il porte ça, tout de suite... Qu'il monte à l'appartement. »

L'idée lui vint que Simon avait peut-être pris le train du matin, qu'il pouvait arriver d'une minute à l'autre... Alors, elle s'habilla en hâte et s'enfuit.

Pour dompter ses nerfs, elle s'obligea à marcher, et, malgré son impatience, gagna l'avenue de Wagram à pied.

Cette fois, sans qu'elle pût dire pourquoi, elle était sûre, sûre, qu'Antoine viendrait.

Elle pénétra « chez eux » par la porte privée de l'impasse. Et, au moment où elle tournait la clef dans la serrure, elle *sentit* qu'il était là. Sa certitude fut telle, qu'elle sourit superstitieusement. Elle referma sans bruit le battant, et s'élança sur la pointe des pieds à travers les pièces dont les portes étaient ouvertes, appelant, à mi-voix : « Tony... Tony... » La chambre était vide. Il l'avait entendue, il se cachait. Elle courut à la salle de bains. Elle courut jusqu'à la cuisine. Epuisée, elle revint dans la chambre, et s'assit sur le lit.

Antoine n'était pas là, mais il allait venir...

Lentement, elle commença à se dévêtir. Elle ôta d'abord ses souliers, puis retira ses bas, comme on pèle un fruit, d'un geste long et brusque qui dénudait d'un coup sa chair. Elle crut entendre marcher et tourna la tête. Non, ce n'était pas encore lui... Ses yeux errèrent à travers la chambre, et se fixèrent sur leur lit. Elle aimait s'éveiller la première, surprendre son amant endormi, examiner, tout à loisir, le front sans rides, et la bouche assoupie, la bouche sans volonté, — si différente, avec ses lèvres détendues, entrouvertes, enfantines! C'est à ces moments-là seulement qu'elle le sentait en sa possession. « Mon Tony... » Il allait venir. Elle en avait la certitude. Il viendrait ce soir.

Elle ne se trompait pas.

LXVIII

La gare du Nord était occupée militairement. Dans la cour, dans le hall, ce n'était que pantalons rouges, faisceaux, ordres brefs, bruits de crosses. Cependant, on laissait circuler les civils; et Jacques n'eut pas de peine à pénétrer, avec Jenny, jusqu'aux quais.

Une soixantaine de militants étaient venus attendre le train. « Ça y est ! » répétaient-ils, en s'abordant. Ils secouaient la tête avec colère, crispaient les poings, et se dévisageaient un instant avec des regards outrés. Mais, sous cette violence trop aisément contenue perçait déjà de la passivité, de la résignation. Tous semblaient penser : « C'était fatal. »

— « Qu'est-ce qu'il aurait dit, qu'est-ce qu'il aurait fait, le Patron ? » fit le vieux Rabbe, après avoir serré silencieusement la main de Jacques.

— « Il n'y a plus d'espoir que dans cette conférence avec Müller », murmura Jacques. L'accent était têtu : il s'obstinait dans sa confiance, comme on tient un serment.

En avant, au bout du trottoir, la délégation des députés socialistes formait un petit peloton distinct.

Jacques, suivi de Jenny et de Rabbe, s'avançait parmi les groupes, sans se mêler à aucun. Les yeux au loin, il dit, comme s'il rêvait :

— « Cet homme qui, à l'heure la plus tragique, nous arrive d'Allemagne, chargé peut-être des plus lourdes responsabilités... Cet homme qui vient par la Belgique, et qui a quitté Berlin avant-hier, sans rien savoir encore... Qui, coup sur coup, d'étape en étape, a dû apprendre la mobilisation russe, — et la mobilisation autrichienne, —

et le *Kriegsgefahrzustand*, — et, ce matin, l'assassinat de Jaurès... Et auquel on va annoncer, à sa descente du train, que la France mobilise... Et qui, pour finir, apprendra sans doute, ce soir, que la mobilisation générale est également décrétée dans son pays... C'est pathétique... »

Lorsque la locomotive émergea enfin de la buée, poussant devant elle le nuage de sa vapeur, un frémissement courut sur le quai, et tous, du même mouvement, se portèrent en avant. Mais les employés de la gare veillaient. Il y eut un remous, un barrage improvisé : seule, la délégation des parlementaires fut autorisée à s'approcher du convoi.

Jacques les vit entourer un wagon, sur le marchepied duquel se tenaient deux voyageurs. Il reconnut tout de suite Hermann Müller. L'autre, qu'il ne connaissait pas, était un homme encore jeune, bien bâti, dont le masque volontaire dégageait une impression de droiture et de force.

— « Qui donc accompagne Müller? » demanda-t-il à Rabbe.

— « Henri de Man, un Belge. Un vrai, un pur. Un type qui réfléchit, qui cherche... Tu as dû le voir, mercredi, à Bruxelles?... Il parle l'allemand comme le français; il a dû venir pour servir d'interprète. »

Jenny toucha le bras de Jacques :

— « Voyez... On laisse passer, maintenant. »

Ils se hâtèrent pour rejoindre le groupe officiel. Mais la file des voyageurs bloquait la sortie.

Lorsqu'ils purent franchir les guichets, les parlementaires, qui avaient pour mission de conduire directement le délégué allemand à la réunion privée du Palais-Bourbon avaient disparu.

Dans le hall, un attroupement stationnait devant un placard fraîchement posé. Jacques et Jenny s'approchèrent. Le titre de l'affiche portait, en grosses majuscules :

DISPOSITIONS
CONCERNANT LES ÉTRANGERS

Une voix, derrière eux, s'éleva, goguenarde :

— « Perdent pas de temps, les copains! Faut croire qu'ils avaient tout fait imprimer d'avance! »

Jenny se retourna. L'homme qui parlait était jeune : un ouvrier, en cotte bleue, un mégot aux lèvres; deux godillots tout neufs, en cuir épais, pendaient, à cheval sur son épaule.

— « Toi non plus », remarqua son voisin, en désignant les chaussures cloutées, « tu ne perds pas de temps! »

— « Pour botter les fesses à Guillaume! » jeta l'ouvrier, en s'éloignant. On rit.

Jacques n'avait pas bougé. Ses yeux ne se détachaient plus de l'affiche. Ses doigts crispés serraient le coude de Jenny. De sa main libre, il lui désigna un paragraphe en caractères gras :

Les étrangers, sans distinction de nationalité, pourront quitter le camp retranché de Paris, AVANT LA FIN DU PREMIER JOUR DE LA MOBILISATION. Ils devront, à leur départ, justifier de leur identité au commissariat de la gare.

Dans le cerveau de Jacques, les idées galopaient. « Les étrangers... » Le paquet qu'il avait laissé chez Jenny contenait encore les faux papiers d'identité qui lui avaient été remis pour sa mission à Berlin... Le Français Jacques Thibault, même en exhibant ses certificats de réforme, aurait sans doute quelque peine à passer en Suisse; mais, qui pouvait empêcher l'étudiant genevois Eberlé de rentrer chez lui, dans le délai légal?... *avant la fin du premier jour de la mobilisation*... Dimanche... Demain... « Partir avant demain soir », se dit-il brusquement. « Mais elle? »

Il avait passé le bras autour des épaules de la jeune fille, et il la poussait hors de la foule.

— « Ecoutez », fit-il d'une voix saccadée. « Il faut absolument que je passe chez mon frère. »

Jenny avait consciencieusement lu le paragraphe en caractères gras : *Les étrangers*, etc. Pourquoi, soudain,

Jacques avait-il l'air si troublé? Pourquoi l'entraînait-il si vite? Pourquoi voulait-il aller chez Antoine?

Lui-même n'aurait su le dire. C'était à Antoine qu'avait été sa première pensée, dans la rue Caumartin, tandis que sonnait le tocsin. Et, maintenant, dans le désarroi où le jetait cette affiche, le besoin irraisonné de revoir son frère s'emparait de lui.

Jenny n'osait pas poser de question. Ce quartier des gares du Nord et de l'Est, où elle venait si rarement, était lié pour elle au souvenir de sa fuite devant Jacques, le soir du départ de Daniel; et ce souvenir ravivé l'oppressait.

En une heure, l'aspect de la ville avait déjà changé. Autant de piétons dans les rues, sinon davantage; mais plus de flâneur. Tous se dépêchaient, ne songeant qu'à leurs affaires. Chacun de ces passants semblait s'être découvert des difficultés à résoudre en hâte, des dispositions à prendre, une gérance à céder, des parents, des amis à voir, une réconciliation urgente à tenter, une rupture à consommer. Les yeux à terre, la bouche close, le visage soucieux, ils couraient, envahissant, pour aller plus vite, la chaussée, où les véhicules étaient devenus rares. Très peu de taxis : les chauffeurs avaient presque tous remisé, pour être libres. Plus d'autobus : les voitures de transport en commun étaient, dès ce soir, réquisitionnées.

Jenny peinait à suivre Jacques, et s'appliquait à ne pas le laisser paraître. Il marchait, les traits tendus, la mâchoire en avant, semblable aux autres : il avait l'air d'être pourchassé. Sans qu'elle pût deviner ses pensées, elle le sentait la proie d'un débat intérieur.

En effet : la lecture de l'affiche avait subitement cristallisé en lui des velléités jusqu'alors inconscientes et diffuses. La silhouette de Meynestrel s'était dressée devant ses yeux. Il avait revu la chambre de Bruxelles, le Pilote, debout, dans son pyjama bleu, l'œil hagard... l'âtre plein de cendres... Il était sans nouvelles depuis jeudi. Bien des fois, il s'était demandé : « Que fait-il, lui, là-bas? » Sûrement, il était en pleine action révolutionnaire... *Les étrangers pourront quitter Paris*... A Genève, auprès du Pilote, il retrouverait un milieu actif, resté pur, indépendant! Il songeait à Richardley, à Mithœrg, à cette phalange intacte, isolée là-bas au centre de l'Europe en armes. Filer en Suisse?... La tentation était forte. Cependant, il hésitait. A cause de Jenny? Oui... Mais Jenny n'était pas la véritable cause de son irrésolution. Eprouverait-il donc un scrupule à déserter? Aucun! Au contraire : son premier devoir était de se refuser à défendre, en soldat, tout ce qu'il n'avait cessé de condamner et de combattre... C'était la pensée d'aller se mettre à l'abri, qui lui était intolérable. A l'abri, pendant que les autres...! Non! Il ne vivrait en paix avec lui-même que si son refus constituait un risque, un danger personnel, équivalents à ceux que ses frères mobilisés allaient être condamnés à courir... Alors? Renoncer au refuge du pays neutre, rester en France? Lutter contre la guerre, contre l'armée, dans un pays en état de siège? où toute propagande pacifiste se heurterait à une impitoyable répression? où il serait suspect, surveillé, préventivement coffré peut-être? C'était absurde... Alors? Filer en Suisse!... Mais pour y faire quoi?

— « Etre, n'est rien », articula-t-il violemment. Et, comme Jenny le regardait, interdite : « Etre, penser, croire, ça n'est rien! Ça n'est rien, tant qu'on ne peut pas traduire son existence, sa pensée, sa conviction, *en acte!* »

— « En acte? »

Elle croyait avoir mal entendu. Comment d'ailleurs eût-elle compris ce qu'il voulait dire?

— « Voyez-vous », reprit-il, avec la même brusquerie solitaire, « je me dis que cette guerre va sans doute avoir raison pour longtemps de l'idéal internationaliste! Très longtemps... Des générations, peut-être... Eh bien, s'il y avait un *acte* à accomplir pour sauver cet idéal de cette faillite momentanée, je le ferais, moi! Fût-ce un acte désespéré!... Mais quel acte? » ajouta-t-il, à mi-voix.

Jenny s'arrêta net :

— « Jacques! Vous pensez à partir! »

Il la regardait. Elle précisa :

— « Pour Genève? »

Il fit un geste de demi-aveu.

Deux sentiments opposés — joie et détresse — la déchirèrent : « S'il gagne la Suisse, il est sauvé!... Mais, sans lui, que vais-je devenir? »

— « Si je me décidais à partir », expliqua-t-il, « oui, ce serait pour Genève. D'abord, parce que c'est là-bas qu'on peut encore tenter quelque chose... Et puis, parce que j'ai des faux papiers qui me permettraient de rentrer facilement en Suisse. Vous avez lu l'affiche... »

Elle l'interrompit, d'un vif élan :

— « Partez! Partez demain! »

Il fut stupéfait de la fermeté de sa voix.

— « Demain? »

Elle eut, malgré elle, une lueur d'espoir, car le ton semblait dire : « Non. Bientôt, peut-être. Mais pas demain. »

Il s'était remis à marcher. Elle s'accrochait à lui, les jambes molles.

— « Je partirais demain », murmura-t-il enfin, « si... si vous partiez avec moi. »

Elle frémit de bonheur. Toute son appréhension s'évanouit miraculeusement. Il allait partir, il était sauvé! Et il partirait avec elle, ils ne se sépareraient pas!

Jacques crut qu'elle hésitait.

— « N'êtes-vous pas libre », dit-il, « puisque votre mère est retenue à Vienne?... »

Pour toute réponse, elle se serra davantage contre lui. Les battements de son cœur résonnaient jusque dans ses tempes, l'étourdissaient. Elle lui appartenait corps et âme. Ils ne se quitteraient jamais plus. Elle le protégerait. Elle empêcherait le danger de l'atteindre...

Maintenant, ils parlaient de ce départ comme d'une chose depuis longtemps projetée. Jacques avait oublié l'heure exacte du train de nuit pour la Suisse; mais il trouverait un indicateur chez Antoine. Il fallait aussi s'assurer que Jenny pouvait voyager sans passeport; pour les femmes, les formalités devaient être moins sévères. L'argent des billets? En réunissant leurs ressources, ils avaient largement la somme nécessaire. A Genève,

Jacques se débrouillerait... Néanmoins, tout dépendait encore de l'issue des pourparlers avec le délégué allemand. Qui sait? Si l'on se décidait encore, brusquement, à tenter dans les deux pays un mouvement insurrectionnel?...

Ils arrivèrent aux jardins qui bordent les Tuileries, sans s'être aperçus du chemin. Jenny était en nage, épuisée tout à coup. Timidement, elle lui montra, de loin, un banc, parmi les fleurs. Ils s'assirent. Ils étaient seuls. L'orage qui, depuis midi, pesait sur la ville, semblait retenir au ras du sol le parfum des parterres.

« De Suisse », se disait Jenny, « je pourrai correspondre avec maman... Elle pourra nous rejoindre : pays neutre!... » Elle imaginait déjà sa vie à Genève, entre sa mère retrouvée, et Jacques à l'abri du danger.

Jacques, obsédé, se répétait : « Partir, oui... Mais pour faire quoi? » Il avait beau mettre tout son espoir en Meynestrel, et se persuader que Genève était le dernier foyer révolutionnaire intact, il se rappelait la *Parlote*, et ne pouvait vaincre ses doutes sur l'efficacité du travail révolutionnaire qui lui était réservé là-bas.

Il se leva. Il ne pouvait tenir en place.

— « Venez, maintenant. Vous vous reposerez rue de l'Université. »

Elle eut un haut-le-corps.

Il souriait :

— « Mais oui! Venez. »

— « Moi? Chez votre frère? Avec vous? »

— « Que nous importe maintenant? Mieux vaut qu'Antoine sache. »

Il paraissait si sûr de lui, si résolu, qu'elle abdiqua toute volonté, et, docilement, le suivit.

LXIX

Dans le vestibule, il y avait une cantine d'officier, toute neuve, à laquelle pendait encore l'étiquette du magasin.

— « Monsieur est ici », dit Léon, en ouvrant aux deux jeunes gens la porte du cabinet de consultation.

Jenny, sans hésiter, entra.

La pièce était silencieuse. Jacques aperçut son frère, debout, devant son bureau. Il crut qu'il était seul, et fut désappointé en voyant Studler, puis Roy, émerger des fauteuils où ils étaient enfouis, loin l'un de l'autre : Roy, près de la fenêtre, et Studler, dans l'angle des bibliothèques. Antoine rangeait des papiers; sous le bureau, la corbeille était pleine, et des feuillets déchirés jonchaient le tapis.

Il s'avança vers Jenny et, paternellement, lui prit la main. Il ne paraissait pas autrement surpris; c'était un jour où l'on ne s'étonnait de rien. Il se souvint d'ailleurs que Mme de Fontanin, dans le petit mot qu'elle lui avait écrit, après l'enterrement, pour le remercier de ses visites à la clinique, lui avait annoncé son départ. Il pensa vaguement que Jenny, seule à Paris, venait lui demander conseil; et qu'elle avait dû rencontrer Jacques dans l'escalier.

Les regards des deux frères se croisèrent. Une émotion fraternelle crispa en même temps leurs bouches, dans une sorte de sourire amical, lourd d'arrière-pensées. Malgré tout ce qui les divisait, jamais ils ne s'étaient sentis aussi proches; jamais, pas même devant le lit de mort de leur père, ils ne s'étaient sentis aussi liés par le secret d'un même sang. Ils se serrèrent la main, sans un mot.

Antoine avait fait asseoir la jeune fille, et commençait

à l'interroger sur le voyage de sa mère, lorsque la porte s'ouvrit. Le docteur Thérivier parut, amené par Jousselin.

Il vint droit à Antoine :

— « Ça y est... Et on n'y peut rien... »

Antoine ne répondit pas tout de suite. Son regard était grave, presque calme.

— « Non, on n'y peut rien », dit-il enfin. Puis il sourit, car c'était exactement ce qu'il pensait; et cette pensée, pour lui, était une force.

(Lorsque le petit Manuel Roy était venu lui annoncer la mobilisation, Antoine se trouvait dans le laboratoire de Jousselin. Il n'avait pas bronché. Il avait pris une cigarette, et il l'avait allumée lentement, d'un geste machinal. Depuis trois jours, il se sentait captif, condamné à la passivité, entraîné par l'événement mondial, solidaire de sa patrie, de sa classe : aussi impuissant qu'un caillou pris dans la masse glissante d'un tombereau qu'on décharge. Son avenir, ses projets, l'organisation si longuement préméditée de sa vie, tout était par terre. Devant lui, l'inconnu. L'inconnu, mais aussi l'action. Cette idée, chargée de potentiel, l'avait aussitôt redressé. Il avait le don de ne pas s'insurger longtemps contre l'accompli, contre l'inévitable. Un obstacle, c'est une nouvelle donnée. Tout obstacle pose un nouveau problème. Pas d'obstacle qui, pour peu qu'on le veuille, ne puisse devenir un tremplin, une occasion de rebondir...)

— « Quand pars-tu? » demanda Thérivier.

— « Demain matin. Compiègne... Et toi? »

— « Après-demain, lundi. Châlons... » Il s'adressa à Studler, qui venait vers eux : « Et vous? »

Thérivier avait une telle habitude de la bonne humeur, que, même aujourd'hui, sa voix restait gaie, et que son visage barbu, grassouillet, aux pommettes roses, gardait une expression hilare. Mais le contraste de cette jovialité avec l'anxiété du regard lui faisait un masque désaccordé, pénible à voir.

— « Moi? » fit le Calife, en battant des cils. La question du médecin semblait l'avoir tiré d'un rêve. Il se tourna vers Jacques, comme si c'était à lui qu'il devait des explications : « Moi aussi, je pars ! » lança-t-il, sur un ton rogue. « Dans huit jours seulement. Pour Evreux. »

Jacques évita de le regarder. Il ne le condamnait pas. Il savait que la vie du Calife n'avait été qu'une suite de dévouements, de sacrifices : et que, en acceptant, malgré ses convictions, de servir cette guerre « défensive », cet homme loyal se soumettait, une fois de plus, à ce qu'il croyait être le devoir.

Il chercha Jenny des yeux. Elle était debout près de la cheminée, un peu à l'écart des autres. Elle n'avait pas l'air gêné, mais absent. Il la vit se redresser légèrement, chercher un siège des yeux, faire quelques pas, et s'asseoir. « Comme elle est souple », se dit-il. Il crut la tenir encore dans ses bras. Il se souvint de quelle façon violente, contenue, elle avait frémi sous ses premiers baisers. Un trouble délicieux l'envahit, auquel il ne résista pas. Leurs regards se rencontrèrent; il sourit, et se sentit rougir.

Antoine s'était approché de Jenny, et s'informait de Daniel, lorsque Thérivier les interrompit :

— « Et pour vos services des hôpitaux? Qu'est-ce qu'on a prévu? »

— « On demande aux vieux de revenir. Chez nous, Adrien, Daumas, même le père Deléry, ont accepté... Dis donc, toi », fit-il en pointant brusquement son index vers Thérivier, « tu ne nous as jamais rapporté le dossier que Jousselin t'a prêté l'autre jour! *Végétations et glossoptosisme...* »

Thérivier, souriant, prit la jeune fille à témoin :

— « Il est incorrigible!... C'est bon, je le renverrai à Studler, ton dossier... Partez tranquille, Monsieur le Major! »

De la rue, par l'une des croisées qui était grande ouverte, montait depuis un instant une rumeur : des chants, des piétinements de chevaux. Tous s'avancèrent pour voir. Jacques en profita pour s'approcher de son frère, qui restait seul au milieu de la pièce; mais, à ce moment, Antoine rejoignit les autres, et Jacques le suivit vers la fenêtre.

Un convoi d'artillerie, qui arrivait des Invalides, venait

de rencontrer une colonne de manifestants italiens qui gravissait la rue des Saints-Pères, précédée de quatre tambours et d'un drapeau. Les Italiens, arrêtés, chantaient *la Marseillaise* et acclamaient la troupe. Les tambours battaient. Le bruit devenait assourdissant.

Antoine ferma la croisée, et demeura une minute, pensif, le front au carreau. Jacques était resté à côté de lui. Les autres avaient regagné le centre de la pièce.

— « J'ai reçu ce matin une lettre d'Angleterre », dit Antoine, sans changer de pose.

— « D'Angleterre? »

— « De Gise. »

— « Ah? » fit Jacques. Et son regard glissa jusqu'à Jenny.

— « Une lettre datée de mercredi. Elle me demande ce qu'elle devrait faire en cas de guerre. Je vais lui répondre qu'elle reste là-bas, dans son couvent. C'est ce qu'elle a de mieux à faire, tu ne trouves pas? »

Jacques approuva d'un signe de tête évasif. Il s'assura qu'ils étaient seuls, à l'écart. Il voulait parler de Jenny. Mais comment amorcer cette conversation?

A ce moment, Antoine, brusquement, se tourna vers lui. Ses traits avaient pris une expression anxieuse. Il demanda, très bas :

— « Tu es toujours dé... dé... décidé à...? »

— « Oui. »

Le ton était ferme, sans arrogance.

Antoine restait penché, évitant le regard de son frère. Ses doigts, machinalement, tambourinaient sur la vitre le rythme des tambours lointains. Il s'aperçut qu'il avait bégayé, — ce qui, chez lui, était rare, et toujours le signe d'une perturbation profonde.

Du vestibule, Léon annonça :

— « Le docteur Philip. »

Antoine se redressa. Une émotion différente éclaira son visage.

La silhouette dégingandée de Philip s'encadra dans la porte. Ses yeux clignotants firent le tour du cabinet, et s'arrêtèrent sur Antoine. Il branlait tristement la tête. Il tira un mouchoir des basques flottantes de sa jaquette, et s'épongea le front.

Antoine s'était avancé :

— « Eh bien, ça y est, Patron... »

Philip lui toucha la main, en silence; puis, sans aller plus loin, comme un pantin dont on a lâché les ficelles, il s'affala sur le bout de la chaise longue, houssée de toile blanche, qui était devant lui.

— « Vous partez quand? » demanda-t-il, de sa voix courte et sifflante.

— « Demain matin, Patron. »

Philip, comme s'il suçait une pastille, faisait avec ses lèvres un bruit mouillé.

— « Je viens de l'hôpital », reprit Antoine, pour dire quelque chose. « Tout est déjà organisé. J'ai passé mon service à Bruhel. »

Ils se turent.

Philip, les yeux au sol, remuait bizarrement la tête.

— « Vous savez, mon petit », dit-il enfin, « ...ça peut durer longtemps... — très longtemps. »

— « Beaucoup de techniciens affirment le contraire », hasarda Antoine, sans conviction.

— « Ouais ! » coupa Philip, comme s'il savait de longue date ce qu'il fallait penser des techniciens et de leurs pronostics. « Tous raisonnent sur les bases normales du ravitaillement, du crédit. Mais, si les gouvernements sont assez fous pour jouer leur va-tout et risquer la ruine totale, plutôt que de céder !... Après ce que nous avons vu, depuis huit jours, tout est possible... Non, moi, je crois à une guerre très longue, où toutes les nations s'épuiseront à la fois, sans qu'aucune veuille, ou puisse, s'arrêter sur la pente. »

Après une courte pause, il reprit :

— « Je n'en finirais pas de réfléchir à tout ça... La guerre... Qui aurait cru cette chose possible ?... Il a suffi que la presse brouille obstinément les cartes, pour que, en quelques jours, la notion de l'agresseur se soit progressivement obscurcie pour tous, et que chaque peuple s'imagine qu'il est menacé dans son " honneur "... Une semaine de folles terreurs, d'exagérations, de rodomontades, et voilà tous les peuples d'Europe qui se jettent, comme des énergumènes, les uns sur les autres, avec des cris de haine... Je n'en finis pas de réfléchir... C'est tout à fait le drame d'Œdipe... Œdipe aussi était averti. Mais, au jour fatal, il n'a pas reconnu dans les événements ces choses terribles qui lui étaient annoncées... Nous, de même... Nos prophètes avaient tout prédit; on guettait le danger, et on le guettait bien du côté d'où il est venu, des Balkans, de l'Autriche, du tsarisme, du pangermanisme... On était prévenu... On veillait... Beaucoup de gens sages ont tout mis en œuvre pour empêcher la catastrophe... Et, pourtant, la voilà : on n'a pas pu l'éviter! Pourquoi?... Je tourne et retourne la question... Pourquoi? Peut-être, simplement, parce que, dans tous ces événements redoutés, attendus, s'est glissé un peu d'imprévu, un rien, juste assez pour modifier légèrement leur aspect, et les rendre subitement méconnaissables... juste assez pour que, malgré la vigilance des hommes, le piège du destin puisse jouer!... Et nous voilà pris... »

A l'autre bout de la pièce, où Jousselin, Thérivier, Jacques et Jenny étaient groupés autour de Manuel Roy, un rire juvénile fusa :

— « Eh bien, quoi? » disait Roy à Thérivier. « Vous ne voudriez pas que je me lamente! Ça va nous aérer un peu, nous sortir des *labos!* C'est une expérience passionnante que nous allons vivre! »

— « *Vivre?* » murmura Jousselin.

Jenny, qui regardait Roy, détourna subitement les yeux : le visage exalté du jeune homme lui faisait mal.

Philip avait écouté, de loin. Il se retourna vers Antoine :

— « Les jeunes ne peuvent pas s'imaginer ce que c'est... Ça explique bien des choses... Moi, j'ai vu 70... Les jeunes ne savent pas! »

Il tira de nouveau son mouchoir, s'essuya le visage, les lèvres, la barbiche, et se tamponna longuement le creux des mains.

— « Vous autres, vous partez tous », reprit-il à mi-voix, avec mélancolie. « Et vous pensez sûrement que les vieux ont de la chance de rester. Ce n'est pas vrai. Nous, notre sort est pire encore que le vôtre : parce que, nous, notre vie est bien terminée. »

— « Terminée? »

— « Oui, mon petit. Bel et bien terminée... Juillet 1914 : quelque chose finit, dont nous étions; et quelque chose commence, dont nous, les vieux, nous ne serons pas. »

Antoine le contemplait affectueusement, sans rien trouver à lui répondre.

Philip se tut. Puis, comme si une pensée comique lui chatouillait l'esprit, il fit entendre un ricanement nasillard.

— « J'aurai eu trois sombres dates dans mon existence », commença-t-il, sur ce ton appliqué qu'il prenait en public, à ses cours (et qui faisait dire aux étudiants : « Phi-phi s'écoute parler. ») « La première a révolutionné mon adolescence; la seconde a bouleversé mon âge mûr; la troisième empoisonnera sans doute ma vieillesse... »

Antoine le dévisageait, comme pour l'inciter à poursuivre.

— « La première, c'est quand l'enfant provincial et pieux que j'étais, a découvert, une nuit, en lisant à la file les quatre Evangiles, que c'était un tissu de contradictions... La seconde, c'est quand je me suis convaincu qu'un vilain monsieur, qui s'appelait Esterhazy, avait fait une saloperie, qui s'appelait " le bordereau ", et que, au lieu de le condamner, on s'acharnait à torturer à sa place un monsieur qui n'avait rien fait, mais qui était Juif... »

— « Et la troisième », interrompit Antoine, avec un triste sourire, « c'est aujourd'hui... »

— « Non... La troisième, c'est il y a huit jours, quand les journaux ont donné le texte de l'ultimatum, quand j'ai vu se dessiner la partie de billard... Quand j'ai compris que c'étaient les peuples qui allaient faire les frais du carambolage... »

— « Carambolage? »

Sous les sourcils broussailleux, les yeux de Philip pétillèrent d'une sorte de malice, presque cruelle :

— « Oui : et un sinistre carambolage, Thibault! Une

boule rouge, la Serbie; — heurtée par une boule blanche, l'Autriche; — poussée elle-même par une autre boule blanche, l'Allemagne... Mais qui tient la queue de billard? Qui? La Russie? Ou bien l'Angleterre?... » Il éclata de ce rire rageur qui ressemblait à un hennissement. « Je voudrais bien ne pas mourir sans le savoir. »

Jacques s'approchait du coin où Antoine et Philip étaient assis.

— « Patron », dit Antoine, « je vous ai déjà présenté mon frère, n'est-ce pas? »

Le vieux praticien dirigea vers Jacques son regard incisif.

Le jeune homme s'inclina. Puis, s'adressant à Antoine :

— « Tu n'aurais pas un indicateur des chemins de fer? »

— « Si... » Leurs regards se heurtèrent. Antoine faillit demander : « Pourquoi? » Il dit seulement : « Là-bas... Sous l'annuaire des téléphones. »

— « Et vous, Monsieur, quand partez-vous? » questionna Philip.

Jacques se raidit, hésita, et regarda Antoine, qui bredouilla précipitamment :

— « Mon frère, lui, c'est au... autre chose... »

Il y eut un court silence.

Philip avait-il compris? Se souvenait-il de la conversation qu'il avait eue avec Jacques? Il considérait le jeune homme avec la plus grande attention, et, lorsque Jacques s'éloigna, il le suivit des yeux.

Dès qu'ils furent de nouveau seuls, Antoine se pencha vers Philip :

— « Lui, il se refuse, par principe, à être soldat... »

Philip resta une demi-minute silencieux.

— « Toute mystique est légitime », concéda-t-il, d'une voix lasse.

— « Non », fit Antoine. « A l'heure que nous traversons, le devoir est très simple, très net. On n'a pas le droit de s'y soustraire. »

Philip ne parut pas avoir entendu.

— « ...légitime, et peut-être nécessaire », poursuivit-il, en nasillant. « L'humanité progresserait-elle, sans mystique? Relisez l'histoire, Thibault... A la base de toutes les grandes modifications sociales, il a toujours fallu quelque aspiration religieuse vers l'absurde. L'intelligence ne mène qu'à l'inaction. C'est la foi qui donne à l'homme l'élan qu'il faut pour agir, et l'entêtement qu'il faut pour persévérer. »

Antoine se taisait. En présence de son maître, il retombait automatiquement en tutelle.

Il aperçut, debout devant la cheminée, Jenny penchée près de Jacques sur l'indicateur, et s'étonna une seconde. Sans doute la jeune fille s'informait-elle des trains qui pouvaient encore ramener sa mère d'Autriche?

Philip continuait à penser à haute voix :

— « Qui sait, Thibault? Peut-être que ceux qui pensent comme votre frère sont des précurseurs? Peut-être que cette guerre fatale, en déséquilibrant à fond notre vieux continent, prépare une floraison de pseudo-vérités nouvelles, que nous ne soupçonnons pas?... Ce serait presque bon de pouvoir croire ça... Pourquoi non? Tous les pays d'Europe vont avoir à jeter dans ce brasier la totalité de leurs forces, aussi bien spirituelles que matérielles. C'est un phénomène sans précédent. Les conséquences sont imprévisibles... Qui sait? Tous les éléments de la civilisation vont peut-être se trouver refondus, dans ce brasier! Les hommes ont encore tant d'expériences douloureuses à faire, avant le jour de la sagesse!... le jour où, pour organiser leur vie sur la planète, ils se contenteront, humblement, d'utiliser ce que la science leur aura appris... »

Léon glissa par l'entrebâillement de la porte son profil de jocrisse :

— « *On* demande Monsieur. »

Antoine fronça le sourcil, mais se leva :

— « Vous permettez, Patron? »

Léon attendait, dans le vestibule. Impassible, il présentait le plateau à lettres, sur lequel se détachait une enveloppe bleue.

Antoine la saisit et l'enfouit dans sa poche, sans l'ouvrir.

— « *On* demande s'il y a une réponse », murmura le domestique, les yeux bas.

— « Qui, *on?* »

— « Le chauffeur. »

— « Non! » dit Antoine. Et il pivota sur les talons, car il venait d'entendre s'ouvrir la porte, derrière lui.

Jenny, suivie de Jacques, parut dans le vestibule.

— « Vous vous en allez? »

— « Oui! » fit Jacques, sur le même ton, péremptoire et sec, qu'Antoine venait de prendre pour répondre : « Non! » au domestique. Il regardait fixement son frère; et ce regard énigmatique, chargé de reproche, signifiait, en réalité : « Ainsi, nous sommes venus, un jour comme aujourd'hui, pour te voir, seul, et tu n'as pas trouvé une minute à nous donner! »

Antoine balbutia :

— « Déjà?... Et vous aussi, Mademoiselle? »

« Si elle avait un avis, un service à demander », songea-t-il rapidement, « pourquoi file-t-elle sans s'être expliquée? Et avec lui? »

Il hasarda :

— « Puis-je vous être utile à quelque chose, avant mon départ? »

Elle le remercia d'un sourire évasif et d'une brève inclinaison de tête. Il ne savait que penser.

— « Et toi? » dit-il en s'adressant à Jacques qui se dirigeait délibérément vers l'escalier. « Je ne te reverrai pas? »

Le ton était soudain si fraternel que Jenny leva les yeux, et que Jacques se retourna. Les traits d'Antoine trahissaient tant d'émotion que la rancune de Jacques s'évanouit :

— « Tu pars demain? » demanda-t-il.

— « Oui. »

— « A quelle heure? »

— « Très tôt. Je quitterai l'appartement vers sept heures. »

Jacques regarda Jenny, et dit enfin, d'une voix un peu rauque :

— « Veux-tu que je vienne te prendre? »

Le visage d'Antoine s'illumina :

— « Oui, fais cela! Viens... M'accompagnerais-tu jusqu'à la gare? »

— « Entendu. »

— « Merci, mon vieux. » Il considérait tendrement son cadet. Il répéta : « Merci. »

Ils étaient arrivés tous trois près de la grand-porte. Jacques l'ouvrit, fit passer la jeune fille et franchit à son tour le seuil, sans avoir croisé le regard de son frère. Sur le palier, il murmura :

— « Alors, à demain. »

Puis il tira le battant.

Mais, au même instant, il se ravisa :

— « Descendez sans moi », dit-il à Jenny, « je vous rejoindrai en bas. » Et, précipitamment, il heurta la porte de son poing.

Antoine était encore dans le vestibule. Il revint ouvrir. Jacques entra, seul, et repoussa la porte derrière lui.

— « Je voudrais te dire un mot », fit-il. Ses yeux étaient baissés.

Antoine eut l'intuition que c'était grave.

— « Viens. »

Jacques le suivit, en silence, jusque dans le petit bureau. Là, il s'arrêta, debout contre la porte refermée, et regarda son frère.

— « Il faut que tu saches, Antoine... Nous étions venus, tous les deux, pour te parler... Jenny et moi... »

— « Jenny et toi? » répéta Antoine, surpris.

— « Oui », fit Jacques, avec netteté. Il souriait bizarrement.

— « Jenny *et* toi? » reprit Antoine, au comble de la stupéfaction. « Qu'est-ce que tu veux dire? »

— « C'est une chose qui date de loin », expliqua Jacques, d'une voix brève, hachée, en rougissant malgré lui. « Et maintenant, voilà. Tout s'est décidé. En huit jours. »

— « Décidé. Quoi, décidé?... »

Il recula jusqu'à son divan, et s'assit.

— « Voyons », balbutia-t-il, « ça n'est pas sérieux?... Jenny?... Toi et Jenny? »

— « Mais oui! »

— « Vous vous connaissez à peine... Et puis, en ce moment? Des fiançailles, à la veille de...? Alors, quoi? Tu renoncerais à quitter la France? »

— « Non. Je pars demain soir. Pour la Suisse. » Après un léger temps, il ajouta : « Avec elle. »

— « Avec elle? Mais, voyons, Jacques, tu es fou! Complètement fou! »

Jacques souriait toujours :

— « Mais non, mon vieux... C'est tout simple : nous nous aimons. »

— « Ah, ne dis pas de stupidités! » fit Antoine brutalement.

Jacques eut un mauvais rire. L'attitude de son frère le blessait au vif.

— « Ce sont peut-être des sentiments qui t'étonnent... que tu désapprouves... Tant pis... Tant pis pour toi... Je voulais te mettre au courant. C'est fait. Maintenant, au revoir. »

— « Attends! » s'écria Antoine. « C'est idiot! Je ne peux pas te laisser partir avec de pareilles sottises en tête! »

— « Au revoir. »

— « Non! J'ai à te parler, moi! »

— « A quoi bon? Je commence à croire que nous ne pouvons pas nous comprendre... »

Il avait ébauché un mouvement pour sortir, mais il ne s'en allait pas. Il y eut un silence.

Antoine fit un effort pour se ressaisir :

— « Ecoute, Jacques... Raisonnons... » Jacques sourit ironiquement. « Il y a deux choses à envisager... Ton caractère, d'une part. Et, d'autre part, l'heure que tu as choisie pour... Eh bien, d'abord ton caractère, l'homme que tu es... Laisse-moi te dire la vérité : tu es foncièrement inapte à faire le bonheur d'un autre être... Foncièrement! Donc, même en d'autres circonstances, jamais tu n'aurais pu rendre Jenny heureuse. Et, en aucun cas, tu n'aurais dû... »

Jacques haussa les épaules.

— « Laisse-moi continuer. En aucun cas! Mais, en ce

moment, moins que jamais!... La guerre... Et avec tes idées!... Qu'est-ce que tu vas faire, qu'est-ce que tu vas devenir? C'est l'inconnu. Un inconnu terrible!... Libre à toi de courir tes risques. Mais lier un autre être à ta destinée, en un moment pareil? C'est monstrueux, allons! Tu as totalement perdu la tête! Tu as cédé à un enfantillage qui ne supporte pas une minute l'examen! »

Jacques éclata de rire : un rire assuré, impertinent, presque haineux; un rire un peu dément, et qui s'arrêta court. Il releva brusquement sa mèche, et croisa les bras, avec colère :

— « Alors, voilà! Je viens vers toi, je viens te confier notre bonheur, — et tout ce que tu trouves à dire, c'est ça? » Il haussa encore une fois les épaules, saisit le bouton de la porte, et, se tournant, jeta, par-dessus son épaule : « Je croyais te connaître. Je te connais seulement depuis cinq minutes! Je sais maintenant ce que tu vaux! Tu es un cœur sec! Tu n'as jamais aimé! Tu n'aimeras jamais! Un cœur sec, irrémédiablement sec! » Il toisait son frère de haut, — du haut de son intangible amour. Il grimaça un sourire, et articula, du bout des lèvres : « Sais-tu ce que tu es? avec tous tes diplômes, et tout ton orgueil? Tu es un pauvre type, Antoine! Rien de plus, qu'un pauvre, pauvre type! »

Il eut un petit ricanement étranglé, et disparut en claquant la porte.

Antoine resta une minute immobile, la nuque ployée, les regards rivés au tapis.

— « *Un cœur sec!* » dit-il, à mi-voix.

Sa respiration était courte. Le tumulte de son sang lui faisait éprouver un trouble physique, un de ces malaises comme en cause l'altitude. Il allongea le bras devant lui, la main horizontale et tendue : elle était agitée d'un tremblement qu'il ne pouvait maîtriser. « Mon pouls doit être à cent vingt... », songea-t-il.

Il se redressa lentement, se mit debout, alla jusqu'à la croisée, et poussa les persiennes.

La cour était silencieuse; au-delà, entre deux pans de murs, le feuillage souffreteux d'un marronnier faisait une tache jaune. Mais il ne voyait rien, rien que le visage insolent de Jacques, son sourire suffisant, son regard ivre et buté.

— « *Tu n'as jamais aimé!* » murmura-t-il, en crispant ses poings sur l'appui de fer. « Si c'est ça, l'amour, imbécile, eh bien, non, je n'ai jamais aimé! Et je m'en vante! »

Une fillette parut à l'une des croisées de l'immeuble voisin, et leva les yeux vers lui. Avait-il parlé à haute voix? Il quitta la fenêtre, et revint au milieu de la pièce.

« L'amour! A la campagne, au moins, ils n'ont pas peur d'appeler la chose par son nom : ils disent qu'une bête est *en folie*... Mais, pour nous, ce serait trop simple; et ce serait humiliant! Il faut sublimer! Il faut dire, en roulant des yeux blancs : " Nous nous aimons!... Je l'aime!... L'â-âmour!!! " Le cœur, on le sait, c'est votre monopole à vous autres, les amoureux! Moi, je suis un " cœur sec "! Entendu!... Et, naturellement : " Tu ne peux pas comprendre! " L'éternel refrain. Le besoin vaniteux d'être incompris! Ça les grandit, à leurs propres yeux! Comme les aliénés! Exactement comme les aliénés: pas un fou qui ne se targue d'être incompris! »

Il s'aperçut dans la glace, gesticulant, l'œil rageur. Il enfonça ses mains dans ses poches, et chercha un plus noble prétexte à sa colère :

« C'est l'*absurdité* de ça, qui m'exaspère! Oui : c'est mon bon sens qui s'irrite, et me cause ces élancements... Ce n'est pas la première fois, d'ailleurs, que je le constate : on peut souffrir d'une blessure au bon sens comme d'un panaris, comme d'une rage de dents! »

La pensée de Philip, qui l'attendait dans son cabinet, l'aida à se reprendre. Il secoua les épaules :

« Allons... »

Ses doigts, au fond de sa poche, pétrissaient machinalement un papier. La lettre d'Anne... Il prit l'enveloppe, la déchira en deux et jeta les morceaux dans la corbeille. Ses yeux tombèrent sur le livret militaire, préparé sur le bureau. Et, tout à coup, il eut une défaillance. Demain, la guerre, les risques, — mutilation, mort? *Tu n'as jamais aimé!* Demain, le cycle de la jeunesse se terminait à l'improviste, et peut-être que l'heure d'aimer était à jamais révolue...

Il se pencha brusquement vers la corbeille, ramassa une moitié d'enveloppe, en tira un fragment de billet, qu'il déplia. Ce n'était qu'un cri, violent et doux comme une caresse :

« *... Ce soir. Chez nous. Je t'attendrai... Il faut que je te voie. Promets-moi que tu viendras. Mon Tony. Viens.* »

Il se laissa tomber dans son fauteuil. Passer une dernière nuit contre elle... Etre encore une fois câliné... Pouvoir, encore une fois, s'endormir et oublier tout, dans ses bras... Une nostalgie soudaine, une vague de détresse, violente comme une lame de fond, le submergea. Il mit ses coudes sur la table, et, pendant quelques minutes, sa tête entre les mains, il sanglota comme un enfant.

LXX

Paris était calme, mais tragique. Les nuages qui s'amoncelaient depuis midi formaient une voûte sombre qui plongeait la ville dans une pénombre crépusculaire. Les cafés, les magasins, prématurément éclairés, jetaient des traînées livides à travers les rues noires, où la foule, privée de ses moyens de transport, courait, hâtive et angoissée. Les bouches du métro refoulaient jusque sur le trottoir le flot des voyageurs, contraints, malgré leur impatience, à piétiner une demi-heure sur les marches avant de pouvoir pénétrer à l'intérieur.

Jacques et Jenny, renonçant à attendre, gagnèrent à pied la rive droite.

Les crieurs de journaux étaient postés à tous les coins. On s'arrachait les éditions spéciales. On s'arrêtait, une minute, pour les parcourir d'un œil avide. Chacun, malgré lui, y cherchait obstinément la grande nouvelle : que tout était arrangé; que les dirigeants d'Europe s'étaient subitement ressaisis; qu'ils avaient, d'un commun accord, trouvé une solution amiable; que l'absurde cauchemar était enfin dissipé; qu'on en était quitte pour la peur...

A *l'Humanité*, depuis que la mobilisation était décrétée, le vide, comme ailleurs, s'était fait; chacun semblait avoir été repris par sa vie personnelle. L'entrée, l'escalier, étaient déserts. L'unique garçon, qui allait et venait dans le couloir, prévint Jacques que Stefany n'était pas dans son bureau. La permanence était assurée par Gallot; mais il travaillait au numéro du lendemain; il avait condamné sa porte; et Jacques, que Jenny, exténuée, suivait comme une ombre, n'essaya pas de forcer la consigne.

— « Allons jusqu'au *Progrès* », dit-il.

Au café, dans la salle du bas, personne. Le gérant lui-même était absent; sa femme était seule, à la caisse; elle semblait avoir pleuré, et ne se dérangea pas.

Ils montèrent à l'entresol.

Une seule table était occupée : quelques militants, tous jeunes, et que Jacques ne connaissait pas. Ils se turent une minute, à l'arrivée de ces nouveaux venus; mais ils reprirent vite leur discussion.

Jacques avait soif. Il fit asseoir Jenny, près de l'entrée, et descendit chercher une canette de bière.

— « Et qu'est-ce que tu veux faire d'autre, ballot? attendre les gendarmes? te faire fusiller, comme un imbécile? »

Celui qui parlait était un garçon de vingt-cinq ans, au teint coloré, la casquette sur la nuque. Sa voix était âpre. Il dévisageait tour à tour ses camarades, de son œil noir et dur.

— « Et puis, je vais te dire! » reprit-il, avec nervosité. « Pour nous, pour les types comme nous qui ont suivi ça de près, il y a une chose certaine, et qui prime tout : nous appartenons à un pays qui ne voulait pas la guerre, et qui n'a rien à se reprocher! »

— « C'est exactement ce que disent tous les autres », interrompit le plus âgé de la bande, un homme d'une quarantaine d'années, qui portait l'uniforme des employés du métro.

— « Les Allemands ne peuvent pas dire ça! La paix dépendait d'eux! Dix fois, depuis quinze jours, ils ont eu l'occasion de barrer la route à la guerre! »

— « Nous aussi! Nous aurions pu carrément dire : " merde! " à la Russie! »

— « Ça n'aurait rien empêché! On voit bien, aujourd'hui, que les Allemands avaient salement manigancé leur coup! Alors, tant pis pour eusses! On a beau être pour la paix, on n'est pas des nouilles, après tout! La

France est attaquée, la France doit se défendre! Et la France, c'est toi, c'est moi, c'est nous tous! »

Sauf l'employé du métro, les autres semblaient approuver.

Jacques tourna vers Jenny un regard de détresse. Il se rappelait Studler, implorant : « J'ai besoin, besoin, de croire à la culpabilité de l'Allemagne! »

Sans boire la bière qu'il avait versée, il fit signe à la jeune fille, et se leva. Mais, avant de partir, il s'approcha du groupe :

— « La guerre *défensive!*... La guerre *légitime*, la guerre *juste!*... Vous ne voyez donc pas que c'est l'éternelle duperie! Vous aussi, vous allez vous y laisser prendre? Il n'y a pas trois heures que la mobilisation est décrétée, et voilà déjà où vous en êtes? Sans défense contre toutes ces passions mauvaises que la presse s'applique à exaspérer depuis une semaine? ces passions dont les chefs militaires ne vont que trop avoir l'emploi!... Qui résistera à cette folie, si vous, socialistes, ne résistez pas! »

Il ne s'adressait spécialement à aucun d'eux. Mais il les dévisageait, à tour de rôle, et ses lèvres tremblaient.

Le plus jeune de tous, un plâtrier dont la figure et les cheveux étaient encore poudrés de blanc, dressa vers lui sa face de pierrot :

— « Je pense comme Chataignier », fit-il, d'une voix posée et fraîche. « Je suis mobilisé le premier jour : demain!... Je hais la guerre. Mais je suis Français. Le pays est attaqué. On a besoin de moi, j'irai! J'irai, la mort dans l'âme; mais j'irai! »

— « Moi, je suis comme eux », déclara son voisin. « Moi, je pars mardi, le troisième jour... Moi, je suis de Bar-le-Duc; mes vieux y habitent... J'ai pas du tout envie que mon patelin devienne un territoire allemand! »

« Les neuf dixièmes des Français en sont là! » pensa Jacques : « avides d'innocenter leur pays, et de pouvoir conclure à l'infâme préméditation de l'adversaire, pour justifier les réactions de leurs instincts défensifs. Et même », se disait-il, « dans quelle mesure ces êtres jeunes n'éprouvent-ils pas une trouble satisfaction à faire soudain partie d'une communauté outragée, à respirer cet air capiteux de rancune collective?... » Rien n'avait changé depuis l'époque où le cardinal de Retz osait écrire : *Il n'est rien de si grande conséquence dans les peuples, que de leur faire paroistre, même quand l'on attaque, que l'on ne songe qu'à se défendre.*

— « Réfléchissez! » reprit Jacques, d'une voix sourde. « Si vous abandonnez la résistance, — demain, il sera trop tard!... Pensez à ceci : de l'autre côté des frontières, c'est exactement la même explosion de colères, d'accusations fausses, d'antagonismes butés! Chaque peuple est devenu pareil à ces galopins batailleurs qui se jettent les uns sur les autres, avec des yeux de petits fauves : " C'est lui qui a commencé!... " Est-ce que ça n'est pas absurde? »

— « Alors, quoi? » s'écria le plâtrier. « Nous, les mobilisés, qu'est-ce que tu veux qu'on foute? »

— « Si vous pensez que la violence ne peut pas être la justice, si vous pensez que la vie humaine est sacrée, si vous pensez qu'il n'y a pas deux morales, celle qui condamne le meurtre en temps de paix et celle qui le prescrit en temps de guerre, — refusez la mobilisation! Refusez la guerre! Restez fidèles à vous-mêmes! Restez fidèles à l'Internationale! »

Jenny, qui était demeurée à l'entrée de la salle, se rapprocha brusquement, et vint se placer tout contre lui.

Le plâtrier s'était levé. Il croisa les bras, rageusement :

— « Pour se faire coller au mur? Non, mais dis! tu en as de bonnes!... Au moins, *là-bas*, chacun court sa chance; on peut s'en tirer, avec deux sous de veine! »

— « Mais », s'écria Jacques, « vous sentez bien que c'est lâche d'abdiquer sa volonté, sa responsabilité personnelle, entre les mains de ceux qu'on sait les plus forts! Vous vous dites : " Je désapprouve, mais je n'y peux rien... " Ça vous coûte, mais vous calmez votre conscience à peu de frais, par le sentiment que cette soumission est difficile, et méritoire... Vous ne voyez donc pas que vous êtes les dupes d'un jeu criminel? Avez-vous oublié que les gouvernements ne sont pas installés au pouvoir pour asservir les peuples et les faire massacrer, — mais pour les servir, et les protéger, et les rendre heureux? »

Un noiraud, d'une trentaine d'années, qui n'avait encore rien dit, frappa la table de son poing :

— « Non et non! Tu n'as pas raison. Tu n'as pas raison aujourd'hui!... Dieu sait que je n'ai jamais marché avec le gouvernement. Je suis aussi socialiste que toi! J'ai cinq ans de carte au parti! Eh bien, moi, socialiste, je suis prêt à faire le coup de feu, pour le gouvernement, comme tout le monde! » Jacques voulut l'interrompre. Mais l'autre éleva la voix : « Et ça n'a rien à voir avec les convictions! Les nationalistes, les capitalistes, tous les *gros*, on les retrouvera après! et on leur réglera leur compte, à leur tour, tu peux t'en rapporter à moi! Mais, pour l'instant, s'agit pas de faire des théories! Le premier compte à régler, c'est avec les Pruscos! Ces salauds-là, ils ont voulu la guerre! Ils l'auront! Et, je te le dis : s'il ne tient qu'à moi, il leur en cuira! »

Jacques haussa lentement les épaules. Il n'y avait rien à faire. Saisissant le bras de Jenny, il l'entraîna vers l'escalier.

— « Et vive la Sociale quand même! » cria une voix derrière eux.

Dehors, ils marchèrent quelques minutes, en silence. Des grondements sourds annonçaient l'orage. Le ciel était d'encre.

— « Voyez-vous », dit Jacques, « j'ai cru, j'ai vingt fois répété, que les guerres ne sont pas affaires de sentiments, qu'elles ne sont qu'un heurt fatal de concurrences économiques. Eh bien, en voyant aujourd'hui la frénésie nationaliste s'élever si naturellement, si indistinctement, de toutes les classes de la société, j'en arrive presque à me demander... si les guerres ne seraient pas plutôt le résultat d'un obscur, d'un indomptable conflit de passions, auquel la conflagration des intérêts servirait seulement d'occasion, de prétexte... » Il se tut de nouveau. Puis, suivant au hasard le fil de ses pensées : « Et le plus dérisoire, c'est ce souci qu'ils ont, non seulement de se justifier, mais d'afficher que leur consentement est raisonné, et *libre!*... Oui, libre!... Tous ces malheureux qui, hier encore, combattaient pied à pied cette guerre, et qui s'y trouvent lancés malgré eux, ils tiennent mordicus, aujourd'hui, à paraître agir délibérément!... C'est tragique, d'ailleurs », reprit-il, après une nouvelle pause, « que tant d'hommes avertis, méfiants, puissent devenir tout à coup si crédules, dès qu'on fait vibrer la corde patriotarde... Tragique, — et presque incompréhensible... Peut-être ést-ce simplement à cause de ceci : que l'homme moyen s'identifie naïvement avec sa patrie, avec sa nation, avec l'Etat... L'habitude de dire : " Nous, Français... " " Nous, Allemands... " Et, comme chaque individu désire de bonne foi la paix, il lui est impossible d'admettre que cet Etat, qui est le sien, veuille la guerre. Et, alors, on pourrait presque dire : plus l'individu est attaché à la paix, plus il est porté à innocenter son pays, ceux de son clan; et plus ça devient facile de le convaincre que la menace hostile vient de l'étranger, que son gouvernement n'est pas responsable, qu'il fait partie d'une collectivité victime, et qu'il doit se défendre en la défendant... »

De larges gouttes de pluie l'interrompirent. Ils traversaient à ce moment la place de la Bourse.

— « Courons », dit Jacques, « vous allez être trempée... »

A peine s'ils eurent le temps, pour se mettre à l'abri, de gagner les arcades de la rue des Colonnes. L'orage qui, tout le jour, avait pesé sur la ville, éclatait enfin, avec une violence soudaine et dramatique. Les éclairs se succédaient sans interruption, cinglant les nerfs, et le roulement incessant du tonnerre se répercutait entre les immeubles avec un fracas qui rappelait les orages de montagne. Rue du Quatre-Septembre, un escadron de la garde républicaine passa, au trot : les hommes, courbés sous la rafale, se penchaient sur l'encolure des bêtes fumantes dont les sabots soulevaient des gerbes d'eau; et, comme dans un bon tableau de peintre de batailles, les casques étincelaient sous le ciel plombé.

— « Entrons là », proposa Jacques en indiquant, au fond des arcades, un petit restaurant mal éclairé et déjà envahi. « Nous mangerons quelque chose, en attendant. »

Ils eurent du mal à trouver deux places côte à côte, à une table de marbre où se pressaient d'autres consommateurs.

A peine assise, Jenny sentit sa fatigue l'anéantir. Ses genoux tremblaient; ses épaules, sa nuque, étaient douloureuses; sa tête pesait un poids intolérable. Elle crut qu'elle allait se trouver mal. Si seulement elle avait pu, quelques minutes, fermer les yeux, s'allonger, dormir... Dormir près de lui... Aussitôt, le souvenir de la nuit précédente s'empara d'elle, et ce fut comme un coup de fouet qui lui rendit ses forces. Jacques, à son côté, ne s'était aperçu de rien. Elle le voyait de profil : sa tempe moite, la mèche sombre, aux reflets roux... Elle faillit lui saisir le bras, lui dire : « Rentrons. Qu'importe tout le reste?... Prenez-moi contre vous... Serrez-moi fort! »

Autour d'eux, la conversation était générale. Les yeux brillaient. On se passait la salière, le moutardier, avec des regards fraternels. Les nouvelles les plus folles, les plus contradictoires, s'échangeaient avec une assurance imperturbable, et trouvaient aussitôt crédit. « Un orage pareil, pourvu que ça ne retarde pas l'offensive », gémit une dame entre deux âges, dont le visage couperosé reflétait un héroïsme platonique, mais agressif. — « En 70 », expliqua un gros monsieur décoré de la rosette, qui était en face de Jenny, « les hostilités n'ont commencé que longtemps après la déclaration de guerre : au moins quinze jours. » — « Il paraît qu'on va manquer de sucre », dit quelqu'un. — « Et de sel », ajouta la dame héroïque. Elle s'inclina confidentiellement vers Jenny : « Moi, je n'ai pas attendu pour prendre mes précautions. »

Le monsieur décoré, s'adressant à la cantonade avec une émotion admirative qui faisait trembler sa voix et semblait douée de propriétés contagieuses, contait l'histoire d'un certain colonel d'une garnison de l'Est, qui, recevant l'ordre de faire reculer ses hommes à dix kilomètres de la frontière et croyant que la France cédait déjà devant l'ennemi, avait sorti son revolver, et, plutôt que de survivre au déshonneur, s'était brûlé la cervelle devant son régiment.

Au bout de la table, un ouvrier mangeait en silence.

Son regard méfiant croisa celui de Jacques. Il prit aussitôt la parole :

— « Vous rigolez, vous autres », fit-il sur un ton rageur. « Mais nous, ce soir, à l'atelier, on n'a pas pu obtenir la paie de la semaine ! »

— « Pourquoi ? », dit le monsieur, avec bienveillance.

— « Le patron prétend que son argent est déposé en banque, et que la banque a fermé boutique... Ça a fait un beau chambard, vous pensez ! Mais, n'y a rien eu à faire. " Revenez lundi ", qu'il a dit... »

— « Mais oui, lundi on vous paiera tous », affirma la dame héroïque.

— « Lundi ? D'abord, beaucoup sont mobilisés dès demain. Alors, vous vous rendez compte ? Partir, et laisser la femme sans le sou, avec les gosses ? »

— « Vous inquiétez pas », fit avec autorité le monsieur décoré. « Le gouvernement a prévu ça, comme tout le reste. Il y aura des distributions de subsides dans les mairies. Partez tranquilles ! Vos familles sont sous la protection de l'Etat : elles ne manqueront de rien ! »

— « Vous croyez ? » murmura l'homme, ébranlé. « Pourquoi qu'on le dit pas, alors ? »

Un voisin de Jacques, qui avait eu la chance de pouvoir acheter l'édition spéciale d'un journal du soir, fit allusion à la proclamation que Poincaré adressait « à la Nation française ».

Des mains se tendirent :

— « Montrez ! Montrez ! »

Mais l'autre ne voulait pas se dessaisir de son exemplaire.

— « Lisez ! » commanda le monsieur décoré.

L'homme, un petit vieux à mine chafouine, assujettit son binocle :

— « C'est contresigné par tous les ministres ! » annonça-t-il avec emphase. Puis il commença, sur un ton de fausset : « *Soucieux de sa responsabilité, sentant qu'il manquerait à un devoir s'il laissait les choses en l'état, le gouvernement vient de prendre le décret qu'impose la situation.* » Il prit un temps : « *La mobilisation n'est pas la guerre...* »

— « Vous entendez, Jacques », souffla Jenny, d'une voix qui frémissait d'espoir.

Jacques haussa les épaules :

— « Il s'agit de faire entrer les rats dans la ratière... Mais, quand on les tiendra, on les tiendra bien! »

— « *Dans les circonstances présentes* », continuait l'homme au binocle, « *la mobilisation apparaît au contraire comme le moyen d'assurer la paix dans l'honneur...* »

Le silence s'était fait, même aux tables voisines.

— « Plus haut! » cria quelqu'un, au fond de la salle. Le lecteur se leva pour continuer; sa voix, par instants, se trouait : nul doute que le pauvre homme eût, en ce moment, l'impression que c'était lui qui parlait au peuple. Il répéta, gravement :

« *...la paix dans l'honneur... Le gouvernement compte sur le sang-froid de cette noble nation pour qu'elle ne se laisse pas aller à une émotion injustifiée.* »

— « Bravo! » fit la dame couperosée.

— « Injustifiée! » murmura Jacques.

— « *... Il compte sur le patriotisme de tous les Français, et il sait qu'il n'en est pas un seul qui ne soit prêt à faire son devoir. À cette heure, il n'y a plus de partis. Il y a la France éternelle, la France pacifique et résolue. Il y a la France du Droit et de la Justice, tout entière unie dans le calme, la vigilance et la dignité.* »

La lecture avait été suivie d'un silence qui dura une longue minute. Puis, sur ce thème exaltant, les conversations rebondirent. L'héroïsme de la dame n'était pas un phénomène individuel. Le monsieur décoré était devenu rouge comme sa rosette. Au bout de la table, l'ouvrier sans salaire avait les yeux pleins de larmes. Chacun subissait, avec une note de délectation, l'ivresse collective; chacun se trouvait soulevé sans effort, transporté au-delà de lui-même, grisé de sublime, prêt au renoncement des martyrs.

Jacques se taisait. Il songeait aux proclamations identiques qu'avaient dû signer, là-bas, à la même heure, les autres responsables, le Kaiser, le Tsar; à ces formules magiques, chargées partout du même pouvoir, et qui sans doute déchaînaient partout le même délire absurde...

Il vit que Jenny repoussait devant elle son assiettée de potage à peine touchée. Alors, il lui fit un signe, et se leva.

Dehors, la pluie avait cessé. Les balcons s'égouttaient. Les ruisseaux, élargis et fangeux, se déversaient dans les égouts avec un bruit de déglutition; sur les trottoirs luisants d'eau la foule avait repris sa course désordonnée.

— « Maintenant, à la Chambre », dit Jacques, en entraînant Jenny d'un pas fébrile. « Savoir ce qu'ils fabriquent, là-bas, avec Müller?... »

Si insensé que cela pût paraître, il n'aurait pas pu affirmer qu'il n'espérait plus.

LXXI

Le Palais-Bourbon était discrètement gardé par des municipaux. Néanmoins, derrière les grilles de la cour, stationnaient plusieurs groupes, vers lesquels Jacques, toujours suivi de Jenny, se dirigea.

Dans l'un d'eux, à la lueur des globes électriques, il avait reconnu la haute silhouette de Rabbe.

— « L'entretien n'est pas terminé », lui expliqua le vieux militant. « Ils viennent de sortir. Ils sont partis dîner. La discussion doit reprendre tout à l'heure. Mais pas ici : dans les bureaux de *l'Huma*. »

— « Eh bien? Les premières impressions? »

— « Pas fameuses... Difficile de se renseigner, d'ailleurs. Ils étaient tous congestionnés, à demi morts de soif, — et muets comme des carpes... Le seul dont j'ai pu tirer quelque chose, c'est Siblot... Et il ne nous a pas caché sa déception. N'est-ce pas? » ajouta-t-il, s'adressant à Jumelin, qui s'approchait.

Jenny, silencieuse, examinait les deux hommes. Jumelin ne lui plaisait qu'à demi. Ce long visage étroit, suant et blême, cette mâchoire glabre, trop saillante, la façon sèche qu'il avait de parler en hachant les phrases, sans desserrer suffisamment les dents, ces épaules carrées, l'éclat dur de ses prunelles trop petites et trop noires, causaient à la jeune fille une impression de malaise. Le vieux Rabbe, au contraire, avec son front bosselé, ses yeux clairs et tristes dont le regard se posait toujours sur Jacques avec une douceur paternelle, lui inspirait confiance et sympathie.

— « Ce Müller n'a, paraît-il, aucun mandat précis », dit Jumelin. « Il n'apporte aucune proposition ferme. »

— « Alors, pourquoi serait-il venu? »

— « Uniquement dans un but d'information. »

— « D'information? » s'écria Jacques. « A l'heure où, sans doute, il n'y a même plus le temps d'agir! »

Jumelin secoua les épaules :

— « Agir... Tu es drôle!... Crois-tu qu'il est encore possible de prendre des décisions, quand la situation change d'heure en heure? Tu sais que l'Allemagne, elle aussi, a décrété sa mobilisation générale? Ça s'est fait, à cinq heures, un peu après nous... Et on dit que, ce soir, elle va déclarer officiellement la guerre à la Russie. »

— « Mais », reprit Jacques, impatiemment, « oui ou non, ce Müller est-il venu pour faire l'union des prolétariats allemands et français? pour organiser enfin la grève, dans les deux pays? »

— « La grève? Sûrement pas », répliqua Jumelin. « Il vient, je crois, simplement pour savoir si le Parti français votera ou ne votera pas les crédits militaires que le gouvernement doit demander aux Chambres, dès lundi. Et c'est tout. »

— « Et ce serait déjà quelque chose », dit Rabbe, « si sur ce point précis, les parlementaires socialistes français et allemands adoptaient une politique semblable. »

— « Pas bien sûr », fit Jumelin, énigmatiquement.

Jacques piétinait sur place.

— « Ce qu'on peut dire », reprit Jumelin, d'un air pénétré, « et ce que, paraît-il, les chefs du Parti ne se sont pas fait faute de répéter sur tous les tons à Müller, c'est que la France a tout mis en œuvre pour éviter la guerre... Jusqu'au dernier moment! jusqu'à consentir un recul de ses troupes de couverture!... Nous, socialistes français, nous avons du moins notre conscience pour nous! Et nous avons le droit de considérer l'Allemagne comme l'Etat agresseur! »

Jacques le regardait, abasourdi.

— « Autrement dit », trancha-t-il, « les députés socialistes français s'apprêtent à voter pour les crédits? »

— « En tout cas, ils ne peuvent pas voter contre. »

— « Comment, *ils ne peuvent pas?* »

— « Le plus probable, c'est qu'ils s'abstiendront de prendre part au vote », émit Rabbe.

— « Ah », s'écria Jacques, « si Jaurès était là! »

— « Peuh... Je crois que, devant la situation actuelle, le Patron lui-même n'aurait pas osé voter contre. »

— « Mais », fit Jacques, hors de lui, « cette distinction entre le pays agresseur et le pays attaqué, Jaurès a montré cent fois combien elle est absurde! Ça n'est qu'un prétexte à d'inextricables chicanes! Vous avez tous l'air d'avoir oublié les causes véritables du pétrin où nous sommes : le capitalisme, l'impérialisme des gouvernements! Quelles que soient les apparences que prennent les premiers actes d'hostilité, c'est contre la guerre, — contre toute guerre! — que le socialisme international doit s'insurger! Ou bien alors!... »

Rabbe approuva évasivement :

— « En principe, oui... Et Müller a bien dit quelque chose dans ce goût-là, paraît-il... »

— « Et alors? »

Rabbe eut un grand geste de lassitude :

— « Alors, on en est là. Et on est allé dîner, bras dessus, bras dessous. »

— « Non », répliqua Jumelin. « Tu oublies de dire que Müller a manifesté le désir de téléphoner à Berlin, pour se concerter avec les chefs de son parti. »

— « Ah », fit Jacques, qui ne demandait qu'à reprendre espoir.

Il pivota rageusement sur ses talons, fit quelques pas au hasard, et revint se planter devant les deux hommes :

— « Savez-vous ce que je pense, moi? Ce Müller, eh bien, il venait tout bêtement pour tâter le degré réel d'internationalisme et de pacifisme du Parti français. Et, s'il avait trouvé devant lui de vrais réfractaires, décidés à tout, décidés à la grève générale, pour faire échec au nationalisme du gouvernement, je dis que la paix pouvait encore être sauvée! Oui! Même aujourd'hui, même après le décret de mobilisation! La paix pouvait encore être sauvée par l'union formidable du prolétariat français et du prolétariat allemand! Au lieu de ça, qu'est-ce qu'il a trouvé? Des discoureurs, des ergoteurs, des modérés, toujours prêts, en paroles, à condamner la guerre et le nationalisme, mais qui pensent déjà à voter les crédits militaires, et à donner carte blanche à l'Etat-Major! Jusqu'à la dernière minute, ç'aura été la même absurde et criminelle contradiction : le même conflit équivoque entre cet idéal internationaliste auquel on adhère théoriquement, et tous ces intérêts nationaux, dont, pratiquement, personne, même parmi les chefs socialistes, ne consent à faire le sacrifice! »

Tandis qu'il parlait, Jenny, excédée de fatigue, ne le quittait pas des yeux. La voix de Jacques l'enveloppait, comme une musique connue et caressante. Elle paraissait attentive, mais elle était trop lasse pour écouter. Elle épiait le visage de Jacques, et, dans ce visage, la bouche; et son regard, fixé sur ces lèvres sinueuses dont la ligne s'allongeait, se contractait, comme une chose étonnamment vivante, lui donnait la sensation physique d'un contact. Au souvenir de la nuit passée dans ses bras, elle défaillait d'attente. « Partons », se disait-elle. « Qu'attend-il? Qu'il vienne... Rentrons... Qu'importe tout le reste? »

Cadieux, qui courait de groupe en groupe, semant des nouvelles, s'approcha d'eux :

— « On vient de faire une démarche auprès du ministre de l'Intérieur, pour que Müller puisse téléphoner à Berlin. Mais sans succès : les communications sont coupées. Trop tard! Des deux côtés, état de siège... »

— « C'était peut-être la dernière chance », murmura Jacques, en se penchant vers Jenny.

Cadieux avait entendu; il ricana :

— « Chance de quoi? »

— « D'une action prolétarienne! D'une action internationale! »

Cadieux sourit bizarrement.

— « Internationale? » fit-il. « Mais, mon cher, soyons réalistes : à partir d'aujourd'hui, ce qui est international, ça n'est plus la lutte pour la paix; c'est la guerre! »

N'était-ce qu'une boutade découragée? Il haussa les épaules, et disparut dans la nuit.

— « Il a raison », grommela Jumelin. « Sinistrement

raison. La guerre est là. Ce soir, que nous l'acceptions de bonne grâce ou non, nous sommes, nous socialistes, comme tous les Français, *dans* la guerre... Notre activité internationale, nous la retrouverons, nous la reprendrons, oui : mais plus tard. Ce soir, l'heure du pacifisme est passée. »

— « C'est toi, Jumelin, qui dis ça? » fit Jacques.

— « Oui! Il y a un fait nouveau : la guerre *est*. Pour moi, de ce fait, tout est changé : et notre rôle de socialistes me paraît très clair : nous ne devons pas entraver l'action du gouvernement! »

Jacques le considérait avec stupeur :

— « Alors, tu accepterais d'être mobilisé? »

— « Bien sûr. Mardi prochain, je t'annonce que le citoyen Jumelin sera simple *bibi* de seconde classe au 239e régiment de réserve, à Rouen! »

Jacques baissa les yeux et ne répondit rien.

Rabbe lui mit la main sur l'épaule :

— « Ne te fais pas plus mauvaise tête que tu n'es... Si tu ne penses pas comme lui ce soir, tu penseras comme lui demain... C'est évident : la cause de la France, c'est la cause de la démocratie. Nous, socialistes, nous devons être les premiers à défendre la démocratie contre l'agression des impérialismes voisins! »

— « Alors, toi aussi? »

— « Moi? Si je n'étais pas si vieux, j'irais m'engager... J'essayerai d'ailleurs. On peut peut-être encore utiliser ma vieille carcasse... Tu me regardes? Je n'ai pas changé d'opinion. J'espère fermement vivre assez pour pouvoir reprendre un jour la lutte contre le militarisme. Ça reste ma bête noire!... Mais, pour le moment, pas de sottise : le militarisme n'est plus ce qu'il était hier. Le militarisme, aujourd'hui, c'est le salut de la France; et c'est même davantage : le salut de la démocratie en péril. Alors, je rentre mes griffes. Et je suis tout prêt à faire comme les copains : à prendre un flingot, et à défendre le pays. On verra après! »

Il soutenait crânement le regard de Jacques. Un vague sourire, à la fois confus et fier, hésitait sur ses lèvres, et rendait plus poignante la tristesse de ses yeux.

— « Même Rabbe! » murmura Jacques, en détournant les yeux.

Il étouffait.

Il saisit le bras de Jenny, et s'éloigna avec elle, sans dire adieu.

Devant la grille, un groupe animé obstruait la sortie. Au centre, Pagès, le secrétaire de Gallot, discutait en gesticulant. Parmi les jeunes militants qui l'entouraient, Jacques reconnut des figures de connaissance : Bouvier; Hérard; Fougerolle; Latour, un syndicaliste; Odelle et Chardent, qui étaient rédacteurs à *l'Huma*.

Pagès aperçut Jacques, et lui fit signe.

— « Tu sais la nouvelle? Une dépêche de Pétersbourg : l'Allemagne a déclaré ce soir la guerre à la Russie. »

Bouvier, un orateur de meeting, un homme d'une quarantaine d'années, malingre, au teint gris, se tourna vers Jacques :

— « A quelque chose malheur est bon! Là-bas, au front, il y aura du travail pour nous autres! Dès qu'ils nous auront donné des fusils et des cartouches!... »

Jacques ne répondit pas. Il se méfiait de Bouvier, il n'aimait pas son regard fuyant. (Mourlan lui avait dit, un soir, au sortir d'un meeting où Bouvier avait prononcé un discours très violent : « Ce gars-là, moi, je le tiens à l'œil. Un peu trop de ferveur, pour mon goût... Chaque fois qu'il y a des arrestations, il est toujours cueilli dans les premiers; mais, comme par hasard, il bénéficie toujours d'un non-lieu... »)

— « Le plus rigolo », reprit Bouvier, avec un rire étouffé, « c'est qu'ils croient nous embarquer dans une guerre nationaliste! Ils ne se doutent pas que, avant un mois, ce sera la guerre civile! »

— « Et, avant deux mois, la révolution! » cria Latour.

Jacques demanda froidement :

— « Alors, vous autres aussi, vous vous laissez tous mobiliser? »

— « Dame! L'occasion est trop belle! »

— « Et toi? » dit Jacques, en s'adressant à Pagès.

— « Parbleu! »

Ses traits n'avaient pas leur expression habituelle. Il élevait nerveusement la voix. Il avait l'air d'être un peu ivre.

— « Cette guerre », reprit-il, « ce n'est pas notre faute si on n'a pas pu l'empêcher! Mais, on n'a pas pu. Le fait est là... Au moins, qu'elle soit la fin de cette société moribondc, qui ne s'aperçoit pas qu'elle se suicide elle-même. Il ne tient qu'à nous que le capitalisme ne survive pas au désastre qu'il a voulu! Cette guerre qu'elle serve, au moins, à l'évolution sociale! qu'elle profite à l'humanité! qu'elle soit la dernière! qu'elle soit la guerre libératrice! »

— « Guerre à la guerre! » gronda une voix.

— « On va se battre », s'écria Odelle. « Mais en soldats de la Révolution, pour le désarmement définitif et l'émancipation des peuples! »

Hérard, un postier, qui attirait toujours l'attention parce qu'il ressemblait étonnamment à Briand (dont il avait jusqu'à la voix chaude, frémissante de sonorités sourdes), prononça lentement :

— « Oui... Des milliers et des milliers d'innocents vont être sacrifiés! C'est monstrueux! Mais la seule chose qui puisse faire accepter cette horreur, c'est de penser que nous allons payer pour l'avenir! Ceux qui reviendront de ce baptême de sang seront des hommes régénérés... Devant eux, il n'y aura plus rien, que des ruines. Et, sur ces ruines, ils pourront enfin construire la société nouvelle! »

Jenny, qui était derrière Jacques, vit ses épaules tressaillir. Elle crut qu'il allait intervenir dans le débat. Mais il se retourna vers elle, sans rien dire. Elle fut frappée par l'altération de son visage. Il lui reprit le bras, et s'éloigna du groupe, en la serrant contre lui. Il était heureux qu'elle fût venue : la sensation de sa solitude lui était moins amère. « Non », se disait-il, « non!... Plutôt mourir que d'accepter ce que je désapprouve de toute mon âme! Plutôt mourir que ce reniement! »

— « Vous avez entendu? » dit-il, après une courte pause. « Je ne les reconnais plus. »

A ce moment, Fougerolle qui, durant le colloque à la grille, n'avait pas soufflé mot, les rejoignit :

— « Tu as raison », fit-il, sans préambule, forçant les deux jeunes gens à s'arrêter pour l'entendre. « J'ai même pensé à déserter, moi, pour rester logique avec moi-même. Ainsi, tu vois !... Mais, si je faisais ça, je ne serais jamais sûr de l'avoir fait par conviction, et non par frousse. Parce que, la vérité, c'est que j'ai terriblement peur... Alors, c'est absurde, mais je ferai comme eux : je partirai... »

Il n'attendit pas la réponse de Jacques, et s'éloigna d'un pas ferme.

— « Peut-être qu'il y en a beaucoup d'autres comme lui... », murmura Jacques, rêveur.

Par la rue de Bourgogne, ils longèrent le Palais-Bourbon, pour gagner la Seine.

— « Savez-vous ce qui me frappe ? » reprit-il, après un nouveau silence, « c'est leurs regards, leurs voix, cette sorte d'allégresse involontaire qu'on surprend dans leurs gestes... Au point qu'on se demande : " S'ils apprenaient ce soir que tout s'arrange, qu'on démobilise, est-ce que leur premier mouvement ne serait pas d'être déçus ?... " « Et le plus désespérant », ajouta-t-il aussitôt, « c'est toute cette énergie qu'ils mettent au service de la guerre !... Ce courage, ce mépris de la mort ! Toute une force d'âme *gaspillée*, dont la centième partie aurait suffi à empêcher la guerre, si seulement ils l'avaient mise, à temps, tous ensemble, au service de la paix !... »

Sur le pont de la Concorde, ils croisèrent Stefany, qui marchait seul, tête basse, son nez osseux chevauché de ses grandes lunettes. Il accourait, lui aussi, pour savoir le résultat des négociations.

Jacques lui apprit que l'entretien était interrompu, et devait se poursuivre, un peu plus tard, mais à *l'Humanité*.

— « En ce cas, je rentre au journal », dit Stefany, en rebroussant chemin.

Jacques demeurait sombre. Il fit quelques pas sans

parler; puis, se souvenant de la prophétie de Mourlan, il toucha Stefany au coude :

— « C'est fini, il n'y a plus de socialistes : il n'y a plus que des *socialo-patriotards.* »

— « Pourquoi dis-tu ça? »

— « Je vois qu'ils acceptent tous de partir... Ils croient obéir à leur conscience en sacrifiant leur idéal révolutionnaire au mythe nouveau de la Patrie menacée! Les plus acharnés contre la guerre sont devenus les plus ardents à courir la faire!... Jumelin... Pagès... Tous!... Même le vieux Rabbe, qui est prêt à s'engager, si on veut de lui! »

— « Rabbe? » répéta Stefany, sur un ton interrogatif. Cependant il déclara : « Ça ne me surprend pas... Cadieux part aussi. Et Berthet, et Jourdain. Ils avaient tous leur livret militaire en poche, depuis hier... Gallot lui-même, tout myope qu'il est, a demandé à Guesde d'intervenir au ministère pour qu'on le sorte des riz-pain-sel!... »

— « Le Parti est décapité », conclut Jacques sombrement.

— « Le Parti? Non, peut-être pas. Mais ce qui est décapité, à coup sûr, c'est la résistance contre les forces de guerre. »

Jacques se rapprocha dans un élan fraternel.

— « Tu penses aussi, n'est-ce pas, que, si Jaurès était encore là...? »

— « Naturellement, il serait avec nous! Ou plutôt, le Parti entier serait resté avec lui!... C'est Dunois qui a trouvé la formule juste : *La conscience socialiste ne serait pas divisée.* »

Ils traversèrent en silence la Concorde, déserte de voitures et qui semblait plus vaste, plus éclairée que de coutume. Le visage bilieux de Stefany tressaillait, sillonné de tics.

Soudain, il s'arrêta. La lueur d'un réverbère découpait d'insolites reliefs sur son visage allongé, et faisait, par éclairs, étinceler ses lunettes sur ses orbites emplies d'ombre.

— « Jaurès? » fit-il. (Pour prononcer ce nom, sa voix

chantante de Méridional prit une inflexion si caressante, si désespérée, que Jacques en eut la gorge nouée.) « Sais-tu ce qu'il a dit, devant moi, jeudi dernier, au moment de quitter Bruxelles? Huysmans repartait pour Amsterdam et lui faisait ses adieux. Le Patron l'a regardé, brutalement, dans les yeux, et lui a dit : “ *Ecoutez-moi bien, Huysmans. Si la guerre éclatait, MAINTENEZ L'INTERNATIONALE! Si des amis vous supplient de prendre parti dans le conflit, n'en faites rien : MAINTENEZ L'INTERNATIONALE! Et, si moi, Jaurès, je viens vous demander de prendre fait et cause pour l'un ou l'autre des belligérants, ne m'écoutez pas, Huysmans! MAINTENEZ, COUTE QUE COUTE, L'INTERNATIONALE!* ” »

Jacques, bouleversé, s'écria :

— « Oui ! Même si nous ne devons plus être que dix ! Même si nous ne devons plus être que deux ! Maintenir, coûte que coûte, l'Internationale ! » Sa voix tremblait; Jenny, frissonnante d'émotion, vint se serrer contre lui, mais il ne parut pas s'en apercevoir. Il répéta, encore une fois, comme un serment : « Maintenir l'Internationale ! »

« Mais comment? » se disait-il. Et il lui semblait s'enfoncer seul, dans les ténèbres.

Il était plus de minuit quand Jacques et Jenny quittèrent les bureaux de *l'Humanité*, où, ce soir, beaucoup de militants étaient venus aux nouvelles. Bien qu'il n'eût conservé aucun espoir, Jacques n'avait pas voulu s'en aller sans connaître l'issue des conversations avec le délégué allemand. A plusieurs reprises, tourmenté par le visage défait de la jeune fille, il l'avait suppliée de rentrer se reposer chez elle, en attendant qu'il pût l'y rejoindre; mais, chaque fois, elle avait répondu par le même refus. Enfin, dans le bureau de Stefany où ils s'étaient réfugiés avec une vingtaine d'autres socialistes, Gallot vint annoncer que la séance prenait fin. Müller et de Man étaient pressés par l'heure : il leur restait à peine le temps de gagner la gare du Nord, s'ils voulaient attraper le dernier convoi civil à destination de la Belgique. Jacques et Jenny les virent passer dans le couloir conduits par Morizet. Cachin, muni de son écharpe de député, se proposait de les accompagner au train pour leur faciliter le départ. Encore n'était-on pas certain que Müller pût franchir la frontière belge.

Gallot, harcelé de questions, secouait rageusement sa tête hirsute. On finit par lui arracher des détails. Tout compte fait, cet ultime contact entre les partis socialistes de France et d'Allemagne n'avait abouti à rien. Après six heures de loyale discussion, il avait fallu se contenter d'émettre timidement le vœu que les socialistes de la Chambre et ceux du Reichstag, sans faire obstacle à ce que les crédits de guerre fussent accordés, s'abstiendraient du moins d'un vote favorable; et l'on s'était séparé sur cette conclusion dérisoire : « l'instabilité de la situation ne permet pas de prendre des engagements plus précis ».

La faillite était consommée. Le dogme de la solidarité internationale n'avait été qu'un leurre.

Jacques tourna les yeux vers Jenny, comme s'il cherchait auprès d'elle un dernier secours à sa détresse. Elle était assise, un peu à l'écart, sur un tabouret, les mains abandonnées sur les genoux, le dos appuyé à un rayonnage. La lumière du plafonnier fouillait obliquement son profil, amassait de l'ombre sous les paupières, sous les pommettes. L'effort qu'elle faisait pour tenir les yeux ouverts lui dilatait les prunelles. La prendre dans ses bras, bercer, endormir cette faiblesse... Toute la pitié que Jacques, ce soir, avait du monde, décupla soudain sa compassion pour cet être fragile et las, qui seul maintenant devait compter pour lui.

Il vint à elle, l'aida à se lever, et, en silence, l'entraîna dehors.

Enfin! Elle s'élança devant lui dans l'escalier. Elle ne sentait plus sa fatigue. Et quand ils se trouvèrent sur le trottoir, quand elle sentit la main brûlante de Jacques se glisser autour de sa taille, elle éprouva tout à coup, au milieu de sa joie, au-delà de ce sentiment irrésistible qui la rivait à lui, quelque chose de trouble, d'effrayant, d'absolument neuf, dont la violence fit affluer contre ses tempes une telle montée de sang, qu'elle chancela, et porta la main à son front.

— « Vous n'en pouvez plus », murmura-t-il, consterné. « Que faire? Aucune chance de pouvoir prendre une voiture, ce soir... »

Serrés l'un contre l'autre, épuisés, fiévreux, ils partirent, devant eux, dans la nuit.

Il y avait encore beaucoup de monde dans les rues. De petits paquets d'agents et de gardes républicains veillaient à tous les carrefours.

Devant Notre-Dame-des-Victoires, ils furent surpris de voir ouverte à deux battants la porte de l'église. Ils approchèrent. La nef se creusait comme une grotte miraculeuse, obscure et pourtant illuminée par d'innombrables herses de cierges qui transformaient l'abside en un buisson ardent. Les travées, malgré l'heure tardive, étaient pleines d'ombres silencieuses, en prière; autour des confessionnaux, de jeunes hommes, agenouillés, attendaient leur tour. Curieux et, malgré lui, ému par le désarroi que révélait, à pareille heure, cet élan de piété populaire, Jacques serait volontiers entré là, un moment. Mais Jenny, cabrée, le retint : en elle, inconsciemment, trois siècles de protestantisme se dressaient contre la pompe, — l'idolâtrie, — catholique...

Ils reprirent leur route, sans échanger leurs impressions.

Jenny, de plus en plus lasse, marchait, suspendue au bras de Jacques. A un moment, sans raison, elle saisit la main du jeune homme et y appuya sa joue. Il s'arrêta, bouleversé. Après un coup d'œil autour d'eux, il poussa la jeune fille dans l'encoignure d'une porte et l'étreignit. « Enfin! » songea-t-elle. Ses lèvres s'amollirent; elle ne cherchait plus à lui dérober sa bouche; depuis des heures, elle attendait ce baiser; elle ferma les yeux, et s'abandonna en frissonnant.

Ils traversèrent les Halles, et remontèrent le boulevard Saint-Michel. L'horloge du Palais marquait une heure et quart. Les piétons n'étaient plus aussi nombreux; mais, dans les grandes artères qui menaient aux portes de la ville, des convois suivaient la chaussée : chariots réquisitionnés, files de chevaux tenus à la bride, autos conduites par des soldats, régiments silencieux qui se déplaçaient vers des destinations secrètes. Cette nuit-là, il n'y avait pas de repos en Europe.

Ils avançaient lentement. Jenny boitait. Elle dut avouer qu'un de ses souliers l'avait blessée. Il voulut qu'elle s'appuyât davantage sur lui; il la soutenait, la portait presque. Elle en était mortifiée, et attendrie. A mesure qu'ils approchaient de la maison, une sourde angoisse se mêlait à leur impatience. Ils se sentaient l'un et l'autre à la limite de leur résistance physique et morale; mais, malgré tout, à travers cette fatigue et cette anxiété, brûlait une flamme tenace de joie.

Le premier regard de Jenny, en allumant l'électricité de l'antichambre, fut pour s'assurer, comme chaque fois qu'elle rentrait, que la concierge n'avait pas glissé sous la porte un télégramme de Vienne. Rien. Son cœur se crispa. Il n'y avait plus aucune chance pour qu'elle eût des nouvelles de sa mère avant leur départ.

— « Pourvu que les communications soient restées normales entre la Suisse et l'Autriche », murmura-t-elle. C'était maintenant son unique espoir.

— « Dès notre arrivée à Genève, nous irons au consulat », promit Jacques.

Ils s'attardaient dans le vestibule, debout, hantés l'un et l'autre par le souvenir de la nuit précédente, gênés tout à coup de se retrouver seuls, en pleine lumière, avec ces visages las et ces regards fuyants que troublait le même souvenir.

— « Allons », fit Jacques.

Il ne bougeait pas. Il se baissa machinalement pour ramasser un journal, le plia sans hâte, et le remit sur le guéridon.

— « Je meurs de soif », dit-il, avec une désinvolture un peu forcée. « Et vous? »

— « Moi aussi. »

Dans la cuisine, les restes de leur déjeuner traînaient encore sur la table.

— « Notre dînette », fit Jacques.

Il fit couler l'eau jusqu'à ce qu'elle fût fraîche, et tendit le verre à Jenny, qui s'était assise sur la chaise la plus proche. Elle en but quelques gorgées, et le lui rendit, en détournant les yeux : elle était sûre qu'il mettrait ses lèvres là où elle venait de poser les siennes... Il avala deux verres, coup sur coup, émit une sorte de grognement satisfait, et vint à elle. Il lui saisit le visage entre ses mains, et se pencha... Mais il se contenta de la regarder longuement, de tout près. Puis il dit, avec une grande douceur :

— « Pauvre, pauvre chérie... Il est tard... Vous n'en pouvez plus... Et la nuit prochaine, ce long voyage... Il faut aller faire un grand somme... Dans votre lit », ajouta-t-il.

Elle ploya les épaules, sans répondre. Il l'obligea à se redresser, et la mena, flageolante, jusqu'à l'entrée de sa chambre.

La pièce était obscure, à peine éclairée par la nuit d'été qui entrait par la fenêtre ouverte.

— « Maintenant, il faut dormir, dormir », répéta-t-il, à son oreille.

Elle se raidit. Elle restait sur le seuil, serrée contre lui. Elle murmura, dans un souffle :

— « Là-bas... »

« Là-bas », c'était le divan de la chambre de Daniel... Il respira profondément, et ne répondit pas. Au moment où Jenny avait accepté de l'accompagner en Suisse, il avait pensé : « C'est à Genève qu'elle sera ma femme. » Mais, après les secousses de cette pathétique journée... L'équilibre universel semblait rompu; l'imprévu régnait, l'exceptionnel était devenu la loi; aucun engagement ne tenait plus...

Quelques secondes encore, pleinement conscient, il lutta contre lui-même. Il s'écarta d'elle, et la regarda. Elle levait vers lui ses prunelles limpides. Un même trouble, une même joie grave et pure, les oppressaient tous deux.

— « Oui », dit-il enfin.

LXXII

Le Simplon-Express, qui, d'après l'horaire, devait arriver vers dix-sept heures à Paris, n'atteignit qu'à vingt-trois heures passées la gare de Laroche, où il fut immédiatement garé sur une voie latérale, afin de laisser les grandes lignes aux convois de ravitaillement de l'armée. Presque uniquement composé de vieux wagons de troisième classe, il était bondé de voyageurs, entassés à treize ou quatorze dans des compartiments de dix places. A une heure du matin, après d'interminables manœuvres, le train repartit péniblement vers la capitale. A trois heures, il défilait à l'allure d'un chasseur à pied dans la gare de Melun, pour s'arrêter presque aussitôt sur le pont de la Seine. Une fin de nuit laiteuse blanchissait la courbe du fleuve; la ville se devinait à quelques rangées de lumières qui clignotaient dans la brume. Peu à peu, derrière les collines, l'aube parut; et, sur une route en contrebas, le long de l'eau, on put distinguer un régiment en marche, suivi par une longue file de voitures régimentaires.

Enfin, à quatre heures et demie, après d'innombrables stationnements, de faux départs, d'attentes sous des tunnels, le train, sifflant et stoppant à tous les signaux, traversa lentement la banlieue parisienne, et vint s'arrêter sur une voie sans quai, à trois cents mètres de la gare P.-L.-M.

Mme de Fontanin suivit les voyageurs que les employés faisaient descendre sur le ballast, et chassaient à travers les rails vers le hall d'arrivée. Sa lourde valise lui barrait les jarrets, et la faisait chanceler à chaque pas.

Elle avait quitté Vienne en plein branle-bas de guerre,

dans un des derniers trains d'étrangers qu'on expédiait sur l'Italie. Elle voyageait depuis trois jours; elle avait changé sept fois de wagon, et passé trois nuits sans dormir. Mais elle avait obtenu le retrait des plaintes contre son mari, et que le nom de Fontanin ne figurât pas dans les rapports de l'enquête.

Le hall, rempli de pantalons rouges, ressemblait à un bivouac. Elle dut se faufiler parmi les faisceaux, se heurter à des barrières gardées par des plantons, et rebrousser dix fois chemin avant de pouvoir sortir de la gare. La pensée de son fils, qui ne la quittait guère, l'étreignit davantage au milieu de ces soldats. Elle était sans nouvelles de lui. Elle allait trouver des lettres à la maison. Daniel! Vers quel destin s'avançait-il? Elle le vit, dans son bel uniforme, avec son casque étincelant, à cheval près d'un poteau-frontière, dressé comme un défenseur devant la patrie menacée... Dieu le protégerait! Craindre pour lui eût été manquer de foi.

Dehors, aucun taxi, aucun autobus. Rentrer chez elle à pied n'était pas infaisable : la joie de toucher au but l'empêchait de sentir tout le poids de sa fatigue. Mais que faire de son bagage? A la consigne, plus de cent personnes faisaient queue. Traînant tant bien que mal sa valise, elle traversa la place, et aperçut une brasserie ouverte. Le désordre des tables, l'aspect ensommeillé des garçons, quelques lampes restées allumées bien qu'il commençât à faire grand jour, indiquaient que le café, en dépit des règlements, n'avait pas dû fermer cette nuit. Une jeune femme, à la caisse, apitoyée par le sourire avenant de la voyageuse, consentit à garder la valise en dépôt; et Mme de Fontanin, délestée, partit vers l'Observatoire. Elle touchait enfin au terme de ses tribulations : dans une demi-heure, elle serait auprès de Jenny, chez elle, devant son plateau de thé. Elle ne sentait presque plus son épuisement.

Ce Paris matinal du 2 août était déjà si animé que, en arrivant à sa maison, elle fut étonnée de trouver la grand-porte close. Sa montre était arrêtée. En passant devant la loge, dont les rideaux étaient encore tirés, elle calcula qu'il ne devait pas être plus de cinq heures et demie.

« Jenny dort, et elle a certainement mis la chaîne », pensa-t-elle, en gravissant l'escalier. « Entendra-t-elle seulement le timbre du vestibule? »

A tout hasard, avant de carillonner, elle essaya d'entrer avec sa clef. Le battant s'ouvrit : la serrure n'était même pas fermée à double tour.

Son premier coup d'œil dans le vestibule se heurta à un chapeau d'homme, un feutre noir... Daniel? Non... Elle fut prise de peur. Toutes les portes béaient. Elle fit deux pas jusqu'à l'entrée du couloir. Là-bas, au fond, la cuisine était allumée... Rêvait-elle? Elle ne se sentait pas très lucide. Elle appuya un instant son épaule au mur. Aucun bruit. L'appartement semblait vide. Pourtant, ce chapeau, cette ampoule allumée... L'idée d'un cambriolage lui traversa l'esprit... Machinalement, elle avançait dans le couloir, vers la cuisine, quand tout à coup, devant la chambre de Daniel dont la porte était ouverte, elle s'arrêta, l'œil fixe : sur le divan, parmi les coussins en désordre, deux corps enlacés...

Une seconde, l'idée d'un meurtre se substitua à l'idée du vol. Une seconde à peine : car elle avait aussitôt reconnu les deux visages renversés : Jenny dormait dans les bras de Jacques endormi!

Elle recula brusquement dans l'ombre du couloir. Elle pressait la main contre sa poitrine, comme si les battements de son cœur allaient signaler sa présence. Son unique pensée était de fuir. Fuir, pour ne pas avoir vu! Fuir pour éviter l'atroce humiliation : la leur, la sienne...

Vite, à pas de loup, elle regagna le vestibule. Là, elle dut faire halte, prête à défaillir. Et peut-être se serait-elle demandé si elle n'avait pas été victime d'une hallucination, quand elle aperçut de nouveau le feutre de Jacques, insolemment posé au milieu de la table. Alors elle se roidit, ouvrit avec précaution la porte du palier, la referma sans bruit, et, accrochée à la rampe, lourdement, marche à marche, elle descendit les étages.

Et maintenant? Lui faudrait-il, pour qu'on lui ouvrît la grand-porte, frapper à la loge, se faire reconnaître, expliquer son retour, et ce départ subit?... Par chance, la concierge, qu'elle avait sans doute éveillée en arrivant, s'était levée, et s'habillait; il y avait de la lumière derrière les rideaux, et la porte de l'avenue était ouverte. La pauvre femme put se glisser dehors sans être remarquée.

Où aller? Où trouver un refuge?

Elle traversa la chaussée et entra dans les jardins. Ils étaient déserts. Elle gagna le banc le plus proche et s'y laissa tomber.

Autour d'elle, le silence, la fraîcheur. Au loin, un bruit sourd, continu : le roulement des convois et des camions, qui ne cessaient de passer boulevard Saint-Michel.

Mme de Fontanin n'essayait pas de comprendre. Elle ne se demandait même pas ce qui avait pu se passer en son absence, comment les choses en étaient arrivées là. Elle ne parvenait pas à réfléchir. Mais elle continuait à *voir*. L'image restée devant ses yeux avait le relief indiscutable de la réalité : le divan en désordre, le pied nu de Jenny tendu sous le jour de la fenêtre, les bras de Jacques refermés sur le buste de la jeune fille, et leur pose abandonnée, et, sur leurs lèvres rapprochées dans le sommeil, cette expression de molle, de douloureuse extase... « Qu'ils étaient beaux », songeait-elle, malgré sa honte, malgré son effroi. A son indignation, à son instinctive révolte, se mêlait déjà cet autre sentiment, si fort enraciné en elle : le respect d'autrui; le respect de la destinée, de la responsabilité d'autrui.

Jacques eut-il, à travers son sommeil, l'intuition que quelque chose avait bougé dans l'appartement? Ses paupières battirent; il ouvrit les yeux. En une seconde, il reprit conscience de tout. Son regard, avant de se poser sur le visage endormi, glissa sur un pied nu, sur la rondeur d'un sein, sur la courbe d'une épaule. Quelle tristesse, dans le pli de cette bouche! Quelle impression figée de souffrance, sur ces traits inanimés! De souffrance, et pourtant de repos... Le masque mortuaire d'une enfant dont l'agonie a été cruelle...

Il retenait son souffle, et ne pouvait détacher les yeux de cette bouche crispée. La pitié, le remords, un sentiment d'effroi, dominaient sa tendresse. Une fatalité s'appesantissait sur eux. Fatalité? Non : ce qui était arrivé, il l'avait voulu, il était seul à l'avoir voulu. De tout temps, il s'était jeté sur Jenny comme sur une proie. A Maisons-Laffitte, c'était lui qui s'était imposé à elle, qui s'était fait aimer, — pour fuir aussitôt, l'abandonner à son désespoir. Et, cet été, voilà que, de nouveau, il avait fondu sur elle, — sur elle qui commençait à se reprendre, à oublier... L'irréparable était accompli. Huit jours plus tôt, elle pouvait encore vivre sans lui. Aujourd'hui, non. Elle était sienne; il l'entraînait dans son sillage. Vers quel redoutable inconnu?... Sans lui, maintenant, elle ne pouvait plus trouver de saveur à la vie. Et, avec lui, serait-elle heureuse? Non. Il le savait bien. Antoine n'avait que trop raison! Il n'était pas de ceux qui apportent aux autres le bonheur.

Antoine... Instinctivement ses yeux cherchèrent la pendule. C'était ce matin qu'il avait promis d'accompagner son frère à la gare. Six heures moins vingt. Dans cinq minutes, il faudrait se lever.

Par la fenêtre ouverte entrait un roulement saccadé et sourd. Il dressa la tête. Des régiments, des convois, des trains d'artillerie, parcouraient la ville. La guerre était là guettant leur réveil. *Le premier jour de la mobilisation est le dimanche 2 août*... La guerre, ce matin, commençait pour tous!

Il restait là, dressé sur un coude, l'oreille tendue, l'œil fixe, le front moite. Par instants, le bruit semblait s'évanouir. Un émouvant silence succédait au martèlement de fer; un silence que traversait parfois un pépiement d'oiseaux, ou bien, comme un soupir, le discret murmure du vent sur les cimes de l'avenue. Puis la sinistre rumeur renaissait au loin. De nouvelles troupes montaient le boulevard; leur pas cadencé s'approchait, s'amplifiait, étouffant le silence, couvrant le chant des moineaux, écrasant tout sous son pilonnement.

Au risque d'éveiller Jenny, il la souleva doucement et la prit dans ses bras. Le rapprochement de leurs chairs la fit se contracter brusquement, dans son sommeil. Elle murmura : « Non... non... » Puis ses paupières se soulevèrent, et elle lui sourit : un sourire tendre et craintif, tandis que, au fond des prunelles noyées, la lueur apeurée s'éteignait avec lenteur. Une minute, ils demeurèrent étroitement joints, sans bouger. Dans l'immobilité brûlante de ce contact, leurs corps frémissaient des souvenirs de la nuit. Mais ce n'était pas les mêmes souvenirs... Et lorsque Jacques resserra son étreinte, Jenny, paralysée dans sa tendresse par la crainte de souffrir encore, chercha d'instinct à se dérober. Vaincue enfin par sa faiblesse, par son amour, par l'exaltation du sacrifice autant que par son propre désir, elle céda... Abandon résolu, — où s'exprimait juste assez de passion et même de joie pour que Jacques pût s'y méprendre, et ne pas soupçonner ce qu'un tel consentement dissimulait de peur, de renoncement, de volonté.

Appuyée au dossier du banc, les mains jointes sur sa jupe, Mme de Fontanin regardait devant elle, sans force pour penser à rien.

Le temps passait. Le jardin, brillant de soleil matinal, avec ses chants d'oiseaux, ses verdures, ses fleurs, ses statues blanches dont les ombres s'allongeaient sur les gazons, l'enveloppait de solitude. Les hommes, les femmes qui, à pas rapides, traversaient en biais l'avenue, passaient loin d'elle, sans un coup d'œil pour cette femme en deuil, échouée sur un banc. Les arbres lui cachaient les fenêtres de son appartement, mais elle apercevait, par-dessus les massifs, la porte de sa maison.

Brusquement, elle baissa la tête et rabattit son voile : Jacques, puis Jenny, venaient d'apparaître sur le seuil... Ils ne pouvaient guère la voir ni la reconnaître à cette distance, à moins qu'ils ne fussent venus vers elle. Lorsqu'elle se décida à relever les yeux, ils s'éloignaient rapidement vers le Luxembourg.

Elle respira. Le sang battait dans ses veines. Elle suivit le couple des yeux, avec égarement, jusqu'à ce qu'il eût disparu. Quelques instants encore, elle demeura assise, sans courage. Puis elle se leva, et, d'un pas presque ferme, — malgré tout, cette interminable attente l'avait un peu délassée — elle se dirigea vers sa maison.

LXXIII

— « Repose-toi », avait dit Jacques à Jenny. « Moi, je vais conduire Antoine au train. J'irai ensuite faire mes adieux à Mourlan; je passerai à la C. G. T., à *l'Huma*. Et puis, à la fin de la matinée, je reviendrai ici te prendre. »

Mais Jenny ne l'entendait pas ainsi. Elle était bien décidée à ne pas rester seule, ce matin, dans l'appartement.

— « Et ton bagage à faire? Et ces rangements dont tu parlais hier? Tu ne seras jamais prête à partir ce soir », dit-il, pour la taquiner.

Elle souriait, d'un sourire tout à fait nouveau, timide et voluptueux, qui embuait son regard.

— « J'ai mon idée... Je vais aller revoir notre petit square de la rue La Fayette. Vous... tu m'y trouveras, si tu veux, en sortant de la gare du Nord. Ou plus tard. »

Ils convinrent qu'elle l'accompagnerait, à pied, à travers le Luxembourg, jusqu'à la rue de l'Université; puis qu'elle irait patiemment l'attendre devant l'église Saint-Vincent-de-Paul. Et elle courut s'habiller.

Antoine avait quitté Anne à trois heures du matin.

Il n'avait pas pu résister, la veille, au besoin nostalgique de la revoir : suprême et amère joie, qu'il s'était accordée, sans illusions, comme une faveur de condamné. Mais l'atroce désespoir d'Anne au moment de son départ et le regret qu'il éprouvait d'avoir cédé à la tentation, l'avaient laissé frissonnant et abattu. Rentré chez lui, il avait passé le reste de la nuit debout, à ranger des tiroirs, à brûler des papiers, à mettre sous enveloppe les petites sommes d'argent qu'il destinait à diverses personnes, à M. Chasle, aux bonnes, à Mlle de Waize, et même aux deux orphelins de la rue de Verneuil, le petit clerc débrouillard, Robert Bonnard, et son frère. (Il avait continué à s'occuper d'eux, de loin en loin, et ne voulait pas les laisser sans ressources dans ces premières semaines de désorganisation générale.) Puis il avait écrit une assez longue lettre à Gise pour lui recommander de ne pas quitter l'Angleterre; et une autre à Jacques, adressée à Genève, — car il s'était persuadé que son frère, après la scène de la veille, ne viendrait pas lui dire adieu. En quelques mots fraternels, il s'excusait de l'avoir blessé, et le suppliait de lui donner des nouvelles.

Après quoi, il avait gagné son cabinet de toilette pour endosser son uniforme de réserviste. Et, aussitôt équipé, il s'était senti très calme; comme si le pas décisif se fût trouvé franchi.

En mettant ses jambières, il passa mentalement en revue tout ce qu'il avait projeté de faire avant son départ. Rien n'était oublié. Cette certitude acheva de l'apaiser. Il réfléchit soudain que bien des choses allaient lui faire défaut pour accomplir efficacement sa besogne de médecin militaire. Sans hésiter, il vida rapidement la cantine qu'il avait cependant préparée avec beaucoup d'application, et remplaça la majeure partie du linge, des objets personnels, des livres même qu'il avait eu la faiblesse d'emporter, par tout ce qu'il put trouver, dans ses placards, de bandes, de compresses, de pinces, de seringues, d'anesthésiques et de désinfectants.

Les deux bonnes étaient levées depuis longtemps et rôdaient dans les couloirs. (Léon avait déjà quitté Paris; avant de rejoindre son régiment, il avait voulu aller au pays revoir ses « vieux ».)

Adrienne vint annoncer que le déjeuner était servi dans la salle à manger. Elle avait les yeux rouges. Elle supplia Antoine de glisser dans son bagage un poulet rôti qu'elle apportait, tout empaqueté.

Antoine se levait de table, lorsqu'on sonna.

Il pâlit légèrement; son visage s'éclaira d'un tendre sourire. Jacques?...

En effet, c'était lui. Il s'arrêta sur le seuil. Antoine s'avança, gauchement. L'émotion leur nouait la gorge. Ils se serrèrent la main, en silence, comme si rien ne s'était passé la veille.

— « Je craignais d'être en retard », balbutia enfin Jacques. « Tout est prêt? Tu allais partir? »

— « Oui... Sept heures... Il va être temps. »

Il s'efforçait d'affermir sa voix. D'un mouvement désinvolte, il saisit son képi, et s'en coiffa. Sa tête avait-elle grossi depuis la dernière période militaire? Ou bien portait-il les cheveux plus longs que naguère? Le képi restait ridiculement juché sur le haut du crâne. Il se vit dans le miroir du vestibule; ses sourcils se froncèrent. Tandis qu'il bouclait maladroitement son ceinturon, son regard errait autour de lui; il semblait prendre congé de son logis, de sa vie civile, de lui-même; mais ses yeux revenaient sans cesse vers l'image désobligeante que lui renvoyait la glace.

A ce moment, les deux bonnes, debout, côte à côte et les bras ballants, éclatèrent en sanglots. Agacé, il leur sourit cependant, et vint leur serrer la main :

— « Allons, allons... »

Son ton martial ne sonnait pas très juste. Il s'en aperçut et, pour brusquer le départ, il se tourna vers Jacques :

— « Aide-moi à descendre ça, veux-tu? »

Ils saisirent chacun une poignée de la cantine et gagnèrent le palier. En passant la porte, l'angle de la cantine heurta le battant, et fit une longue estafilade sur le vernis neuf. Antoine considéra le dégât, fit machinalement une grimace, aussitôt corrigée par un geste d'indifférence; et ce fut peut-être à cette seconde-là qu'il sentit le plus intensément la coupure entre son passé et l'avenir.

Ils descendirent les deux étages sans échanger un mot. Antoine marchait lourdement dans ses brodequins cloutés; son dolman boutonné, son col raide, l'étouffaient. En bas, essoufflé, il murmura :

— « C'est bête. Je n'ai pas pensé qu'il y avait l'ascenseur. »

Il avait prévu qu'il ne trouverait pas de taxi, et, — bien que le chauffeur, Victor, fût mobilisé, dès ce matin, pour la réquisition des poids lourds, à Puteaux, — il avait décidé de prendre sa voiture, et d'emmener un vieux mécano du garage voisin, capable de ramener l'auto.

Sous la porte cochère, dans l'ombre de la voûte, la concierge, en camisole blanche, surveillait le départ. Elle larmoya :

— « Monsieur Antoine! »

Il lui cria allégrement :

— « A bientôt! »

Puis il fit monter le mécano dans le fond, installa Jacques à côté de lui, et prit le volant.

Il commençait déjà à y avoir beaucoup de monde dans les rues. Par suite de la désorganisation des services de voirie, les boîtes à ordures, non vidées, encombraient le devant des portes.

Aux quais, l'auto dut s'arrêter longtemps pour laisser le passage à une file de camions et d'automobiles déséquipés, conduits par des soldats. Sur le pont Royal, nouvel arrêt : au milieu de la chaussée, des piétons, le nez en l'air, agitaient joyeusement leurs chapeaux. Jacques se pencha : dans le ciel léger, six aéroplanes, volant bas, en triangle, se dirigeaient vers le nord-est. On voyait distinctement les cocardes tricolores sur les plans inférieurs.

Rue de Rivoli, entre deux haies de curieux, un régiment d'infanterie coloniale, en tenue de campagne, défilait au pas cadencé, sans musique, dans un silence saisissant. Au passage des chefs de bataillon montés, la foule se découvrait.

Avenue de l'Opéra, les balcons étaient pavoisés de drapeaux. L'auto longea une section de voitures de la Croix-Rouge; puis un détachement de soldats, en bourgerons de corvée, avec des pelles et des pioches.

Place de l'Opéra, il fallut stopper de nouveau. Un train d'artillerie, suivi d'une dizaine de voitures blindées, montait vers la Bastille. Sur le toit de l'Opéra, des équipes d'ouvriers installaient des projecteurs destinés à surveiller la venue nocturne des « taubes » sur Paris.

Tout le long des boulevards, malgré le service d'ordre, des curieux se massaient devant les magasins allemands ou autrichiens qui avaient été pillés, dans la nuit. Autour de la *Cristallerie de Bohême*, le sol était jonché de tessons et de verre pulvérisé. La *Brasserie Viennoise* semblait avoir subi un siège : par la devanture éventrée, l'on apercevait les glaces brisées, les tables et les banquettes démolies.

Jacques, muet, enregistrait ces premiers témoignages du fanatisme patriotique. Il observait passionnément la rue, le visage des gens. Il aurait volontiers rompu le silence; mais il n'avait rien à dire à son frère. D'ailleurs, la présence du mécano, au fond de la voiture, pouvait être une excuse... Il songeait, avec une précipitation fiévreuse, à cent choses diverses : à Jenny, à la nuit dernière, à leur prochain départ pour Genève... Et ensuite? C'était toujours là que sa pensée venait buter... Meynestrel, la *Parlote*... Non, sous aucun prétexte, il n'accepterait de reprendre cette vie d'attente, de conspiration illusoire, de vaines palabres... Alors, quoi? Militer, agir, risquer, — le pourrait-il, là-bas?...

Soudain, il tressaillit. Antoine, qui conduisait à petite allure, — il fallait corner sans cesse, les piétons étant aussi nombreux sur la chaussée que sur les trottoirs, — Antoine, profitant d'un court arrêt, avait quitté d'une main le volant, et, sans rien dire, sans même tourner la tête, il avait doucement posé cette main sur le genou de Jacques. Mais, avant que celui-ci eût pu répondre à ce geste affectueux, Antoine avait déjà repris le volant, et la voiture était repartie.

La rue de Maubeuge était noire de mobilisés, accompagnés par leurs femmes, par leurs parents; ils montaient, en rangs pressés, vers la gare.

— « Comme ils se dépêchent », murmura Jacques, stupéfait.

— « Et il y a de grandes chances », gouailla Antoine, avec un rire forcé, « pour que tous ces pauvres bougres attendent une demi-journée, ou plus, parqués sur un quai de gare, avant de pouvoir monter dans un train! »

« Ils veulent arriver à l'heure », songeait Jacques. « Impatients de commencer la guerre par un acte de discipline! Faut-il qu'ils aient peu conscience qu'ils sont le nombre! qu'ils seraient les maîtres, s'ils voulaient!... »

Une palissade de bois, improvisée pendant la nuit, entourait la gare d'une clôture infranchissable, protégée par la troupe. L'encombrement était tel qu'il ne pouvait être question d'approcher en auto. Antoine stoppa. Jacques l'aida à traverser la chaussée avec sa cantine. L'étroite entrée était gardée par une section de fantassins, baïonnette au canon. Les mobilisés seuls avaient accès dans l'enceinte.

Un adjudant examinait les livrets. Il leva les yeux sur le galon d'Antoine, salua, et désigna aussitôt un soldat pour porter le bagage du « major ».

Antoine se retourna vers son frère. Chacun d'eux lut dans le regard de l'autre la même interrogation : « Te reverrai-je? » Des larmes, en même temps, leur montèrent aux paupières. Tout leur passé, toute cette histoire familiale, insignifiante et unique, qu'ils possédaient en commun et qu'ils étaient seuls au monde à posséder, leur revint, par brusques images, à l'esprit. Du même geste, ils écartèrent les bras et s'étreignirent gauchement. Le feutre de Jacques heurta la visière d'Antoine. Il y avait des années, des années, qu'ils ne s'étaient embrassés : depuis cette petite enfance qu'ils venaient tous deux de revivre, dans un éclair.

Mais l'homme de corvée s'était emparé de la cantine, et l'emportait déjà sur son épaule. Précipitamment Antoine se dégagea. Il n'avait plus qu'une pensée : suivre l'homme, ne pas perdre de vue son bagage, la seule chose, en ce monde nouveau, qui fût encore à lui. Il ne regardait plus son frère. A tâtons, il tendit la main, saisit celle de Jacques, la serra farouchement; puis, titubant un peu, il s'enfonça à son tour dans la cohue.

Aveuglé par ses larmes, bousculé par les arrivants, Jacques s'écarta de quelques pas et s'adossa à la palissade.

Un à un, sans arrêt, des mobilisés entraient dans l'enclos. Ils se ressemblaient. Ils étaient tous jeunes. Ils avaient tous mis de vieux vêtements sacrifiés, de grosses chaussures, une casquette. Ils portaient en bandoulière les mêmes sacoches gonflées, les mêmes musettes neuves d'où émergeaient un pain, un goulot de bouteille. Et la plupart avaient sur le visage la même expression concentrée et passive, une sorte de désespoir et de peur, matés. Jacques les voyait traverser la chaussée en biais, leur livret à la main, déjà seuls. A mi-chemin, certains se retournaient vers le trottoir qu'ils venaient de quitter : un geste de la main, parfois un bref sourire crâneur, à celui ou à celle dont ils sentaient le regard éperdu fixé sur eux; puis, la mâchoire serrée, ils fonçaient à leur tour dans la souricière.

— « Restez pas là! Circulez! »

Le soldat d'active qui montait la faction, arme à l'épaule, le long de la palissade, était un gars râblé qui redressait les reins sous sa tenue de campagne; sa patte courte s'écrasait sur la crosse; il avait un soupçon de moustache, des yeux puérils qui se dérobaient, des traits durcis par l'importance de sa consigne.

Jacques obéit et s'engagea sur la chaussée.

Devant lui passa une limousine cossue, dont le pare-brise portait une bande de calicot : *Transport gratuit à la disposition des mobilisés*. Le chauffeur était en livrée. Dedans, s'entassait une demi-douzaine de jeunes hommes à musettes, qui gueulaient, à tue-tête, comme des recrues : « *C'est l'Alsace et la Lorrai-ne, — C'est l'Al-sace qu'il nous faut!* »

Sur le trottoir où Jacques aborda, un couple allait se séparer. L'homme et la femme se regardaient une dernière fois. Autour de la mère, l'enfant, un petit gars de quatre ans, s'amusait : agrippé à la jupe, il sautillait sur un pied, en chantonnant. L'homme se pencha, empoigna le bambin, l'éleva et l'embrassa; si rudement, que le gamin se débattit, furieux. L'homme reposa l'enfant à terre. La femme ne bougeait pas, ne disait rien : debout, en tablier de ménage, les cheveux défaits, les joues souillées d'avoir pleuré, elle dévisageait son homme avec des yeux fous. Alors, comme s'il eût craint qu'elle se jetât sur lui et qu'il ne pût plus s'arracher d'elle, au lieu de la prendre dans ses bras, il recula, sans la quitter des yeux; puis, se retournant soudain, il s'élança vers la gare. Et elle, au lieu de le rappeler, au lieu de le suivre du regard, elle fit un brusque demi-tour, et se sauva. Le gosse, qu'elle traînait derrière elle, butait, manquait de tomber; elle finit par le soulever du bout du bras et le hisser sur son épaule, sans s'arrêter, pour fuir plus vite, pour arriver plus tôt, sans doute, dans son logis vide, où, seule, et la porte close, elle pourrait sangloter tout son saoul.

Jacques, le cœur chaviré, se détourna. Et il se mit à errer de droite et de gauche, sans but, s'éloignant puis se rapprochant de la place. Malgré lui, il revenait toujours à ce lieu pathétique, où tant d'êtres suppliciés venaient, ce matin, comme à un rendez-vous fatal, rompre leurs amarres humaines. Dans ces yeux de douleur et de courage, il quêtait un regard qui répondît au sien; un regard, un seul, où il pût lire, sous la détresse, un reflet de cette sourde fureur qui lui faisait serrer les poings dans ses poches, et trembler de colère impuissante! Mais non! Partout, sur tous ces visages diversement contractés, le même découragement, la même souffrance stérile! Parfois, une lueur d'héroïsme aveugle; mais, partout, la même soumission au sacrifice, la même trahison inconsciente ou timide, la même abdication! Et il lui semblait que, en ce moment, tout ce qui restait de liberté dans le monde n'avait plus de refuge qu'en lui.

Cette pensée le gonfla soudain de puissance et d'orgueil. Sa foi restait intacte; elle le soulevait au-dessus du troupeau. Fût-il le plus méconnu, le plus abandonné, il se sentait plus fort, à lui tout seul, dans sa rébellion, que tout ce peuple contaminé par le mensonge, et résigné à subir! Il était dans le juste et le vrai. Il avait pour lui la raison, les forces obscures de l'avenir. La défaite momentanée de l'idéal pacifiste ne pouvait en altérer la grandeur, ni en compromettre le triomphe. Aucune force au monde ne pouvait empêcher l'erreur d'aujourd'hui d'être une erreur, une erreur monstrueuse, — fût-elle acceptée, avec noblesse, avec stoïcisme, par des millions de victimes! « Aucune force au monde ne peut empêcher une idée juste d'être juste! » se répétait-il, ivre de désespoir et de confiance. « Un jour viendra, en dépit des bâillons, en dépit des reculs, où éclatera la vérité! »

Mais, cette vérité, comment la servir dans la tourmente? Il se voulait libre, il allait fuir : mais qu'allait-il faire de sa liberté?

Sa tiédeur révolutionnaire au cours de ces dernières journées lui apparut comme une défaillance. Il fut tenté d'en rejeter la responsabilité sur son amour. Il songea brusquement à Jenny, et s'étonna de l'avoir, depuis une heure, si facilement, si totalement, oubliée. Il lui en voulut presque d'exister, de l'attendre, de l'arracher à son enivrante solitude. « Si elle mourait subitement... », songea-t-il. Et, pendant une seconde, livré aux égarements de son imagination, il savoura un mélange amer de chagrin et d'indépendance reconquise...

Cependant, il se hâtait vers le square Saint-Vincent-de-Paul. Et il souriait déjà d'impatience amoureuse, n'attachant même pas assez d'importance à son fol reniement d'une seconde, pour en éprouver du remords.

L'auto d'Antoine n'avait pas quitté depuis dix minutes la rue de l'Université, qu'un ancien fiacre à galerie, terne et poussiéreux comme une chaise à porteurs de musée, s'arrêtait devant la porte cochère.

La jeune fille qui en descendit jeta un regard hésitant sur les palissades, sur la façade repeinte; puis elle paya le vieux cocher, prit les deux valises qui étaient sur le siège, et s'engagea rapidement sous la voûte.

La concierge, en camisole, parut à la porte de la loge.

— « Ah, mon Dieu! Mademoiselle Gise! »

Elle ouvrait des yeux si effarés que Gise comprit qu'un malheur l'attendait.

— « Mais, ma pauvre demoiselle, il n'y a plus personne! M. Antoine vient juste de partir! »

— « Partir? »

— « Rejoindre son régiment! »

Gise ne répondit rien. Son regard caressant, son regard

d'animal fidèle, s'obscurcit. Elle laissa choir ses valises à ses pieds. Sur sa petite figure de métisse, dont le teint était devenu cendreux, la stupeur semblait s'inscrire tout naturellement, trouver des plis tout prêts. (De cette plage anglaise où elle prenait ses vacances avec les pensionnaires de son couvent, elle avait très superficiellement suivi ce qui se passait en Europe. Le veille seulement, lorsque les journaux avaient annoncé l'imminence de la mobilisation française, elle avait pris peur, et, n'écoutant aucun avis, sans même revenir à Londres, elle avait gagné Douvres et sauté dans le premier bateau.)

— « Ces messieurs sont tous mobilisés, comme de juste », expliquait la concierge. « Léon nous a quittés hier soir. Victor aussi. Je n'ai plus là-haut qu'Adrienne et Clotilde. »

Le visage de Gise s'éclaira. Adrienne et Clotilde!... Loué soit Dieu! Tout n'était pas perdu. Ces deux bonnes, qui l'avaient élevée, c'était sa famille, en somme : ce qui lui restait de famille... Elle se redressa avec courage, et, précédée de la concierge qui s'était emparée des valises, elle se dirigea vers l'ascenseur.

— « On a donc tout changé? » murmura-t-elle.

Cet escalier blanc, cette rampe... Des images, des souvenirs, se succédaient dans son cerveau embrumé par l'insomnie; et elle se sentait plus dépaysée dans ce décor transformé où elle cherchait en vain des points de repère, qu'elle ne l'eût été dans un immeuble tout à fait inconnu.

Une demi-heure plus tard, en peignoir de cretonne à fleurs, les pieds dans des pantoufles, elle était installée, avec les deux bonnes, dans la vaste salle à manger d'Antoine, devant le chocolat fumant et les rôties beurrées de son enfance. Accoudée à la table, elle remuait sa cuillère dans sa tasse, et cédait puérilement au bien-être de la minute présente. Son esprit n'avait jamais été particulièrement vif; et son existence en Angleterre, dans cette annexe conventuelle où toute activité se trouvait limitée par la règle, n'avait pas développé en elle le goût des initiatives.

Quand elle s'abandonnait ainsi, les épaules rondes,

les seins lourds, les traits détendus, elle perdait subitement tout le charme de sa jeunesse. Ce n'était plus « Nigrette », la sauvageonne, mais une quelconque esclave de couleur, au corps appesanti, aux lèvres épaisses, au large regard inexpressif, courbée sous l'acceptation fataliste des races serves.

L'arrivée de Gise offrait au désarroi des deux sœurs une diversion providentielle. Assises de chaque côté de la jeune fille, elles bavardaient à qui mieux mieux, pleurant et souriant tour à tour. Elles lui donnaient d'abondantes nouvelles de sa tante, Mlle de Waize, à laquelle, par acquit de conscience, elles continuaient à porter des bananes et des berlingots, tous les quinze jours, le dimanche, à l'*Asile de l'Age mûr*. Clotilde ne cachait pas que la vieille demoiselle « battait la breloque »; qu'elle ne s'intéressait plus à rien, si ce n'était aux menus incidents de l'hospice; qu'elle accueillait parfois les deux visiteuses sans aménité, comme des étrangères importunes dont les intentions étaient suspectes; et qu'elle les congédiait généralement bien avant l'heure de la clôture du parloir, pour ne pas manquer sa partie de bésigue.

Gise écoutait, les paupières gonflées de larmes. Elle soupira :

— « J'irai la voir avant de repartir. »

— « Repartir? »

Les deux bonnes se récrièrent. Elles étaient bien résolues à dissuader Gise de retourner en Angleterre. M. Antoine leur avait laissé de l'argent pour plusieurs mois. Adrienne imaginait déjà et décrivait avec complaisance ce que serait leur vie à trois. Elle étourdit la jeune fille de ses projets. Elle avait découpé dans un journal du matin un *Appel aux femmes de France qui veulent contribuer à la défense de la Patrie*. Les occasions de se dévouer, d'être utiles, ne manquaient pas! Garderies pour les enfants des mobilisés, agences de distribution de lait pour les nourrissons, préparation d'objets de pansements, manutentions pour la confection des uniformes, etc. Chacun se devait à la défense nationale! L'embarras, c'était de choisir.

Gise souriait, tentée. Rien ne la pressait de repartir. En France, elle pouvait, en effet, se rendre utile...

Ni la concierge ni les deux bonnes n'avaient songé à prononcer le nom de Jacques. Gise croyait Jacques en Suisse, et n'avait pas eu l'idée de poser des questions. Elle apprit seulement le surlendemain, au hasard d'un bavardage de Clotilde, qu'il se trouvait à Paris le jour de son arrivée. Mais, si elle avait été avertie plus tôt, l'eût-elle retrouvé? Personne n'avait son adresse. Et, même, eût-elle cherché à le revoir?

LXXIV

Dans l'escalier de *l'Etendard*, avant même d'avoir atteint le palier, en apercevant une boîte à lait sur le paillasson de Mourlan, Jacques s'écria, dépité :

— « Il n'est pas là ! »

En effet, au coup de sonnette, personne ne répondit. A tout hasard, Jacques frappa trois coups espacés.

— « Qui est-ce ? »

— « Thibault. »

La porte s'ouvrit. Mourlan avait le torse nu, la barbe et les cheveux tout mousseux de savon.

— « Excuse ! » fit-il, en apercevant Jenny. « Le gamin aurait dû prévenir qu'il amenait une dame. » Il repoussa la porte, du pied. « Entrez... Asseyez-vous. »

Il y avait près de l'entrée une chaise de paille, que Jenny prit aussitôt.

Les fenêtres étaient closes. L'air sentait le cartonnage, la colle, le salpêtre, la poussière. Des paquets de journaux, ficelés, s'entassaient, partout, sur la table, sur un banc de jardin, dans un baquet disloqué. Par terre, dans un coin, près d'un plat de sciure, traînait un vieux compteur à gaz dont la tuyauterie, sectionnée et aplatie, venait en avant comme un moignon.

Mourlan était retourné dans la cuisine.

— « Je viens de rentrer. J'étais fait comme un voleur », cria-t-il, de loin, en s'ébrouant sous le robinet. Il reparut bientôt, vêtu d'une chemise propre, et achevant de se bouchonner la tête à grands coups de serviette. « J'ai passé la nuit dehors, comme un imbécile... comme un froussard... Tu comprends, la mobilisation, pour moi, ça voulait dire : perquisitions, arrestations... Pour les perquisitions, on pouvait venir : il n'y a plus rien, j'avais pris mes précautions. Pour l'arrestation, ma foi, je préférais attendre un peu... Oh, ça n'est pas tellement que je craignais d'être mis à l'ombre », expliqua-t-il, en enveloppant Jenny d'un coup d'œil goguenard : « J'ai jamais été si tranquille que pendant mes mois de taule... Sans la prison, je crois bien que je n'aurais jamais eu le temps de penser à mes bouquins, ni de les écrire... Mais enfin, je ne tenais pas à être de la première fournée !... Hier, les *poulets* avaient fureté un peu partout : chez Pulter, chez Guelpa... Même à *l'Eglantine*. Leur police est bien faite. Seulement, ils n'ont rien trouvé. Sauf le manifeste de Pierre Martin, *Appel au bon sens*, tu sais ? — qu'ils ont chipé, juste au moment où les camarades sortaient le stock de l'imprimerie. Quant à Claisse, Robert Claisse, celui de *la Vie ouvrière*, — un jeune, qui a été réformé, qui n'a jamais été soldat, — il paraît qu'il a été dénoncé, qu'on l'accuse d'avoir écrit un tract antimilitariste, et qu'il est sous les verrous, pour attendre le premier conseil de réforme, qui l'enverra en première ligne... J'ai appris ça hier soir. Avis aux amateurs !... Bref, moi, je me suis dit que c'était bête de se faire pincer : j'ai pris le large... »

— « Et alors ? »

— « J'ai cru que je trouverais refuge chez les copains. Ouiche ! Chez Siron, ç'aurait pas été meilleur qu'ici. J'ai donc été chez Guyot : personne. Chez Cottier : personne. Chez Lasseigne, chez Molini, chez Vallon, personne. Ils avaient tous décampé, les frères, — comme moi ! Alors, j'ai erré toute la nuit, au petit bonheur, seul. Ce matin, à Vincennes, j'ai acheté les journaux; et j'ai compris que je n'étais qu'une vieille bête. Et je suis rentré. Voilà. » Il tourna vers Jacques ses yeux broussailleux : « Tu as lu les journaux, gamin ? »

— « Non. »

— « Non ? »

Le regard de Mourlan glissa sur Jenny, et revint vers le jeune homme. Il semblait établir un rapport entre la présence de Jenny et le fait que Jacques, le lendemain de la mobilisation, à dix heures du matin, ne s'était pas encore enquis des nouvelles. Il prit une liasse de journaux dans la poche de sa blouse noire, qui pendait à un clou; du bout des doigts, comme s'il ramassait une ordure, il en tira un du tas, et laissa choir les autres sur le carrelage.

— « Tiens, mon petit ami, amuse-toi, si tu as le cœur à rire. Moi, j'ai beau avoir l'habitude d'encaisser, j'ai reçu ça comme un coup dans l'estomac! *Le Bonnet Rouge!* Le journal de Merle et d'Almereyda! devenu, du jour au lendemain, le porte-parole du gouvernement Poincaré! On aura tout vu! Regarde! »

Tandis que Mourlan décrochait sa blouse, et l'enfilait rageusement, Jacques lut, à mi-voix :

— « ... *Nous sommes formellement autorisés à déclarer que le gouvernement ne fera pas usage du* CARNET B... *Le gouvernement fait confiance à la population française, et, en particulier, à la classe ouvrière. Tout le monde sait qu'il a tenté — et qu'il tente encore — l'impossible, pour sauvegarder la paix. Les déclarations très nettes des révolutionnaires les plus résolus...* »

— « *Des révolutionnaires les plus résolus!...* Canailles! » grommela Mourlan.

— « ...*sont de nature à rassurer pleinement le gouvernement... Tous les Français sauront faire leur devoir... C'est ce qu'a voulu marquer le gouvernement, en renonçant à user du* CARNET B. »

— « Hein? Qu'est-ce que tu en penses, gamin? J'ai lu ça deux fois, avant de bien comprendre ce que ça voulait dire. Faut pourtant se rendre à l'évidence... Ça veut dire : le prolétariat français accepte si allégrement *leur* guerre, et l'opposition ouvrière est si peu dangereuse, que le gouvernement renonce aux arrestations préventives... Tu comprends? C'est comme s'il s'adressait à tous les révolutionnaires, et qu'il leur pinçait gentiment l'oreille : " *Allez, mauvaises têtes, on vous pardonne vos rouspétances! Allez faire votre devoir de soldats!* " Le gouvernement, bon prince, déchire, en rigolant, ses listes noires, et laisse courir les suspects... Parce que, aujourd'hui, les suspects, *ça n'est plus rien*, tu comprends? »

Il riait; et ce rire insolite, sonore, grinçant, qui faisait grimacer son masque de vieux Christ, avait quelque chose d'effrayant.

— « Les suspects, il n'y en a pas! *Il n'y en a plus!* Tu y es? Et tu imagines quelles assurances formelles il a fallu que les chefs des partis révolutionnaires donnent au ministère, pour que le gouvernement soit aussi sûr de lui! pour qu'il puisse, sans aucun risque, dès le premier jour de la guerre, se permettre un pareil geste de générosité! Crois-tu qu'ils nous ont proprement *donnés* au gouvernement, les salauds!... Hein! Cette fois, ça y est, c'est bien fini! L'Etat-Major tient le bon bout! La parole n'est plus à ceux qui vont faire la guerre : elle est à ceux qui la font faire! »

Il s'éloigna de quelques pas, les mains croisées dans le dos sous sa blouse flottante.

— « Et pourtant, nom de Dieu! » fit-il soudain, en pivotant sur ses talons, « je ne peux pas y croire! Je ne peux pas croire que ce soit vraiment fini! »

Jacques tressaillit.

— « Moi non plus », murmura-t-il sourdement. « Je ne peux pas croire qu'il n'y ait plus rien à faire! Même maintenant! »

— « Même maintenant! », reprit Mourlan, comme un écho. « Et, à plus forte raison, dans quelques jours, dans quelques semaines, quand tout ce pauvre bétail aura goûté du casse-pipes!... Ah, si Kropotkine était là... Ou un autre, n'importe lequel, qui dirait ce qu'il faut dire, et qui saurait se faire entendre! Les camarades ont tous accepté cette guerre, parce qu'on leur a menti, parce qu'on a exploité, une fois de plus, leur crédulité... Mais il suffirait peut-être d'un rien, d'une brusque reprise de conscience, pour que tout change, d'un seul coup! »

Jacques s'était levé, comme cinglé par une lanière de fouet.

— « Quoi?... D'un rien? Quel rien? » Il marchait vers Mourlan : « Qu'est-ce que vous croyez qu'on peut faire, vous? »

Sa voix avait un timbre si étrange que Jenny tourna la tête vers lui, et resta une seconde sans souffle, les lèvres entrouvertes, saisie de peur.

Mourlan, interloqué, regardait Jacques, qui balbutia :

— « Qu'est-ce que vous pensez? Dites-le! »

Mourlan haussa les épaules, avec un léger embarras :

— « Ce que je pense, gamin? Des sottises, sans doute... Je parle... Je dis ce qui me passe par la tête... C'est tellement absurde, tout ça! Je ne peux pas m'empêcher d'espérer quand même, d'espérer encore, d'espérer contre tout!... Les peuples, — le nôtre, aussi bien que celui d'en face — ont été si manifestement trompés! Qui sait? Il suffirait... »

Jacques regardait fixement le vieil homme.

— « Il suffirait? »

— « Il suffirait... Je ne sais pas, moi... Si, brusquement, entre les deux armées, un éclair de conscience déchirait cette épaisseur de mensonge! Si tous ces malheureux, dans un sursaut de lucidité, pouvaient s'apercevoir, brusquement, des deux côtés de la ligne de feu, qu'on les a pareillement foutus dedans, tu ne crois pas qu'ils se lèveraient tous, dans un même élan d'indignation, de révolte? et qu'ils se retourneraient, tous ensemble, contre ceux qui les ont menés là?... »

Jacques battait des paupières, comme aveuglé soudain par une éblouissante clarté. Puis il baissa les yeux, revint vers Jenny sans paraître la voir, et s'assit.

Il y eut un instant de gêne, un silence. Quelque chose semblait s'être passé, que tous trois avaient vaguement perçu, et qu'ils ne comprenaient pas bien.

— « Et c'est l'unanimité, dans tout le pays! » reprit Mourlan, après une pause. « En province, tous les conseils municipaux socialistes ont voté des ordres du jour pour célébrer la Patrie menacée, exhorter à la défense nationale, mettre l'Allemagne au ban des nations civilisées! Tiens! » fit-il, en ramassant la poignée de journaux qu'il avait jetés par terre. « Voilà le manifeste de la C. G. T. : *Aux prolétaires de France*. Sais-tu ce qu'elle trouve à dire, la C. G. T.? *Les événements nous ont submergés... Le prolétariat n'a pas assez unanimement compris tout ce qu'il fallait d'effort continu pour préserver l'humanité des horreurs de la guerre...* Autrement dit : " Rien à tenter, mes gars; résignez-vous à vous faire casser la gueule! " ... Et voilà le texte que le Syndicat des Cheminots... — les Cheminots, gamin! Nos Cheminots! Crois-tu! — fait afficher aujourd'hui sur tous les murs de Paris : *Camarades! Devant le danger commun s'effacent les vieilles rancunes. Socialistes, syndicalistes, révolutionnaires, vous déjouerez les bas calculs de Guillaume, et vous serez les premiers à répondre à l'appel, lorsque retentira la voix de la République!*... Attends, attends... C'est pas fini, tu n'as pas vu le plus beau! Déguste ça maintenant : *Lettre ouverte à M. le ministre de la Guerre*... Signé? Devine! Signé : Gustave Hervé!... Ecoute : *Comme la France me semble avoir fait l'impossible pour écarter la catastrophe, je vous prie de m'incorporer, par faveur spéciale, dans le premier régiment d'infanterie qui partira pour la frontière!* Et voilà! Oui, mon petit! Voilà comment on retourne sa veste! Notre Gustave Hervé, directeur de *la Guerre sociale!* Notre Gustave Hervé, qui proclamait qu'aucune patrie n'a jamais mérité qu'on verse pour elle une goutte de sang ouvrier!... Après ça, tu vois que le gouvernement peut être bien tranquille, et remettre au tiroir son *Carnet B!* il les aura tous eus, l'un après l'autre, nos grands bergers de la révolution! »

Quelqu'un frappa plusieurs coups à la porte.

— « Qui est-ce? » demanda Mourlan, avant d'ouvrir.

— « Siron. »

Le nouveau venu était un homme d'une cinquantaine d'années : une face aplatie, coupée d'une moustache grise; un front dégarni, tout en largeur; un nez aux narines écrasées; des yeux très séparés, au regard ironique. Un masque d'énergie calme, avec un rien de morgue.

Jacques le connaissait de vue. Il était le seul qu'on rencontrât souvent avec Mourlan.

Syndicaliste, ancien militant plusieurs fois condamné pour son action révolutionnaire, Siron vivait depuis quelques années à l'écart du mouvement. Il écrivait des brochures, et collaborait à *l'Etendard*, aux heures de loisir que lui laissait son travail d'ouvrier spécialisé. Comme Mourlan, il faisait partie de ces francs-tireurs, à l'intelligence toujours en éveil, à la foi intacte, orgueilleux, passablement désabusés, sévères à la sottise, dévoués à la cause plus qu'aux camarades, respectés par tous, mais critiqués pour leur réserve, et un peu jalousés aussi pour leur valeur personnelle.

— « Assieds-toi », dit Mourlan, — bien que la seule chaise libre fût occupée par Jenny. « Tu les as lus, leurs journaux? »

Siron esquissa un geste de l'épaule qui semblait indiquer en même temps son mépris pour la presse, et qu'il ne venait pas pour commenter les événements.

— « Il y aura, ce soir, réunion au *Jean-Bart* », dit-il, en regardant le typo. « J'ai dit que je te préviendrais. Faut que tu y viennes. »

— « J'y tiens guère », grogna Mourlan. « On sait d'avance tout ce... »

— « S'agit pas de ça », coupa Siron. « J'irai, moi : j'ai des choses à leur dire. Et j'ai besoin qu'on soit deux. »

— « C'est différent », acquiesça Mourlan. « Quelles choses? »

L'autre ne répondit pas sur-le-champ. Il regarda Jacques, puis Jenny, alla jusqu'à la fenêtre, l'entrouvrit et revint vers Mourlan :

— « Des choses. Des choses qu'il faut faire, et auxquelles personne n'a l'air de penser. Nous sommes dans un foutu pétrin, c'est entendu; pas une raison, tout de même, pour se croiser les bras et leur laisser carte blanche! »

— « Explique. »

— « Eh bien, si les chefs socialistes et syndicalistes jugent bon de se rallier et de collaborer avec le gouvernement, faudrait, au moins, en échange de cette collaboration, qu'ils exigent des garanties pour ceux qu'ils représentent. Ça n'est pas ton idée? La guerre, en fait, crée une situation révolutionnaire. Qu'on en profite! Jaurès n'y aurait pas manqué! Il aurait su arracher à l'Etat des concessions pour le prolétariat... Ça sera toujours ça de pris! La guerre va imposer, à tous, des restrictions, des sacrifices. Bien le moins qu'on réclame, pour les travailleurs, une part de contrôle sur les mesures qu'on va prendre! Il est encore temps de poser des conditions. Le gouvernement, pour l'heure, a besoin de nous. Alors, donnant, donnant... C'est pas ton idée? »

— « Des conditions? Exemple? »

— « Exemple? Faut les obliger à réquisitionner toutes les usines de guerre, pour empêcher les patrons de faire d'énormes bénéfices sur le dos du peuple qu'on envoie se faire tuer; et, ces usines, il faut en confier la gestion aux syndicats... »

— « Pas bête », grommela Mourlan.

— « Faudrait aussi faire obstacle à la hausse des prix. Voilà déjà que ça commence partout. Je ne vois qu'un moyen, moi : forcer le gouvernement à faire main basse sur tous les produits de première nécessité; à constituer des stocks d'Etat, en écartant les intermédiaires, les spéculateurs; à organiser la répartition... »

— « Mais c'est une entreprise du tonnerre de Dieu, qu'il faudrait mettre sur pied... »

— « Les cadres, le personnel, sont tout trouvés : suffit d'utiliser les coopératives de consommation qui fonctionnent déjà... Ça n'est pas ton idée? Tout ça est à voir. Mais, puisqu'on a proclamé l'état de siège dans toute la France, et même en Algérie, qu'on s'en serve au moins pour protéger les petits contre les voraces! »

Il allait et venait, à travers la pièce qu'emplissait sa voix posée. Il ne s'adressait qu'à Mourlan, jetant de temps à autre un coup d'œil distrait vers les jeunes gens. La sueur perlait sur son beau front lisse.

Jacques se taisait. Bien qu'il eût un visage exceptionnellement attentif, et une flamme dans le regard, il n'écoutait pas. Perdu dans les méandres de sa propre pensée, il était à cent lieues de Siron, de la réquisition des usines, de l'état de siège, des stocks d'Etat... *Si, brusquement, entre les deux armées, un éclair de conscience déchirait cette épaisseur de mensonge!...* avait dit Mourlan...

Il profita d'une interruption du vieux typographe, pour faire signe à Jenny, et se lever.

— « Vous partez? », dit Mourlan. « Tu viendras aussi, ce soir, au *Jean-Bart?* »

Jacques parut sortir d'un rêve :

— « Moi? » fit-il. « Non. Ce soir, c'est le dernier délai pour les étrangers qui se débinent. Nous filons tous les deux en Suisse... J'étais venu vous dire adieu. »

Mourlan regarda Jenny, puis Jacques :

— « Ah? Tu t'es décidé?... En Suisse? Oui... Tu as raison... » Il avait soudain l'air très ému, bien qu'il fût persuadé que cela ne se voyait pas. « Eh bien », reprit-il d'un ton bourru, « allez! Et tâchez de nous faire du bon travail là-bas! Bonne chance, mes petits! »

Jacques se sentait dans un état d'effervescence et de confusion intérieure qui lui faisait impérieusement souhaiter un peu de solitude.

— « Maintenant, Jenny, il faut être raisonnable et m'écouter », murmura-t-il, dès qu'ils furent dans la rue. Il avait pris le bras de Jenny, et, penché vers elle, parlait avec une douce autorité : « Tu auras mille choses fatigantes à faire encore avant ce soir. Tu es fatiguée. Il faut rentrer chez toi. Ne dis pas non. Il faut que tu te reposes... Dix heures et quart. Je vais te reconduire... J'irai seul à *l'Huma*. Et puis, j'ai à me renseigner sur les formalités de ton départ. En deux heures, tout sera fait... Tu veux bien? »

— « Oui », dit-elle.

C'était vrai qu'elle était dans un état très pitoyable : épuisée, fiévreuse, profondément meurtrie dans sa chair. Elle avait attendu, longtemps, assise dans le petit square, sur ce banc dur qui lui brisait les reins, à l'endroit même où Jacques lui avait dit : « Aucun être n'a jamais été aimé comme vous l'êtes par moi! » Plongée dans une douloureuse torpeur, elle s'était rappelé tous les détails de cette soirée, si proche, si éloignée déjà, et tous les jours qui avaient suivi, — jusqu'au brutal miracle de cette nuit... Et, lorsque, après deux heures d'attente, elle avait enfin vu Jacques surgir au haut des marches, avec son visage tourmenté, combatif, son regard absent, elle avait compris qu'ils n'étaient pas à l'unisson, et elle en avait éprouvé un violent chagrin. Sans rien oser lui dire de sa longue rêverie, elle avait écouté le récit du départ d'Antoine; elle s'était laissé emmener, à pied, jusque chez Mourlan. Mais elle n'en pouvait plus. L'accompagner ailleurs, elle n'en aurait pas eu le courage... Elle aspirait à rentrer chez elle, à s'allonger parmi les coussins, à reposer son corps endolori.

Les tramways étaient très espacés, mais, par chance, le service fonctionnait encore. De la Bastille, ils purent gagner, sans avoir à marcher, le haut du boulevard Saint-Michel. Jacques la soutint jusqu'à l'avenue de l'Observatoire, et ils se séparèrent devant la porte.

— « Je te laisse... Je reviendrai, entre une heure et deux. » Il sourit : « Nous ferons notre dernière dînette parisienne... »

Mais il n'avait pas franchi vingt mètres, qu'il entendit, derrière lui, une voix oppressée, méconnaissable :

— « Jacques ! »

En deux bonds, il eut rejoint Jenny.

— « Maman est là ! »

Elle le regardait avec égarement.

— « C'est la concierge qui m'a arrêtée... Maman est revenue, ce matin... »

Ils se dévisageaient, le cerveau vidé brusquement de toute idée. La première pensée de Jenny fut pour le désordre qu'ils avaient laissé là-haut, le lit de Daniel défait, les objets de toilette de Jacques dans la salle de bains...

Puis, en un clin d'œil, sa décision prit forme. Elle lui saisit le bras :

— « Viens ! »

Son visage était clos, indéchiffrable. Elle répéta, comme si c'était tout simple :

— « Viens. Monte avec moi. »

— « Jenny ! »

— « Viens ! » répéta-t-elle presque durement.

Elle paraissait tellement résolue, et il se sentait l'esprit si nébuleux, la volonté si abolie, qu'il la suivit, sans autre résistance.

Elle grimpa les étages, devant lui, très vite; elle avait oublié sa fatigue; elle semblait impatiente maintenant d'en finir.

Mais, sur le palier, elle s'arrêta avant d'introduire la clef. Elle chancelait. Ils entendirent, dans le silence, leurs deux respirations essoufflées. Elle ne prononça pas un mot. Elle se raidit, ouvrit la porte, saisit Jacques au poignet, l'étreignit avec force, et l'entraîna derrière elle dans l'appartement.

LXXV

Mme de Fontanin avait passé la matinée chez elle, dans un état de trouble que, même aux pires heures de sa vie conjugale, elle n'avait jamais connu.

La porte de la chambre de Daniel, par bonheur, était close; et la pauvre femme aurait pu se persuader qu'elle avait été le jouet d'un cauchemar, si le désir de se préparer une tasse de thé ne l'avait conduite dans la cuisine : en apercevant les deux couverts, elle avait instinctivement fermé les yeux, fait demi-tour, et elle était revenue se réfugier dans sa chambre.

Aux minutes d'abattement, succédaient des instants d'une fébrilité somnambulique. Lorsqu'elle eut quitté ses vêtements de voyage, revêtu une vieille robe d'intérieur, rangé la pièce, accompli avec application toutes sortes de gestes inutiles, elle voulut se contraindre à l'immobilité, et s'installa dans sa bergère, près de la fenêtre aux persiennes ensoleillées. Il fallait à tout prix qu'elle retrouvât la possession d'elle-même. Pour l'y aider, sa petite bible, restée dans sa valise, lui manquait. Elle alla chercher, sur une étagère, l'ancienne bible de son père : un gros volume noir, lourd, dont le pasteur de Fontanin avait empli les marges de signes et de références. Elle l'ouvrit au hasard, et s'efforça de lire. Mais son esprit rétif, fuyant le texte, s'abandonnait malgré elle à un défilé incohérent d'images et d'idées, où la pensée de Daniel se mêlait aux souvenirs des hommes d'affaires de Vienne, des tribulations de son voyage, des gares remplies de troupes; associations confuses, que finissait toujours par dominer cette vision du lit où Jenny et Jacques dormaient enlacés. Le bruit des convois qui passaient sur les boulevards voisins ébranlait les murs, se répercutait dans sa tête, enveloppait sa rêverie d'un accompagnement sinistre. Pour la première fois de son existence, une impression de peur, de panique, pesait sur elle, sans qu'elle pût réagir : la sensation qu'elle était prise, entraînée dans un tourbillon; que des désordres terrifiants saccageaient l'Europe, son foyer; que l'Esprit du Mal triomphait dans le monde.

Elle entendit soudain remuer dans la direction de l'antichambre; puis, aussitôt, elle perçut des pas dans le couloir. Ses traits se figèrent. Elle n'avait pas la force de se lever; elle redressa seulement le buste. La porte s'ouvrit, et Jenny, singulièrement pâle sous son voile de deuil, entra, l'œil fixe, la figure ravagée.

La vue de sa mère, si calmement installée à sa place habituelle, dans sa robe à ramages, la bible sur ses genoux, surprit la jeune fille, et la bouleversa : c'était tout son passé, qui, après des années d'absence, lui sautait au visage. Sans réfléchir, sans s'occuper de Jacques qui, derrière elle, hésitait à la suivre, elle courut vers sa mère, l'entoura de ses bras, et, pour se rapprocher davantage, se laissant glisser sur le tapis, elle appuya son front contre la robe.

— « Maman... »

La tendresse, la pitié, délivrèrent instantanément Mme de Fontanin de son angoisse; son cœur se gonfla d'indulgence; et, du même coup, le secret qu'elle avait surpris lui apparut sous un jour différent; non plus comme un scandale : comme une faiblesse. Elle se penchait déjà vers l'enfant retrouvée, elle allait la prendre dans ses bras, recevoir ses aveux, mesurer avec elle le désastre, comprendre, secourir, guider, — mais, brusquement, sa respiration s'arrêta : une ombre avait bougé sur le mur du couloir... Jenny n'était pas seule! Jacques était là! Il allait paraître!... Sa main, posée sur la nuque de Jenny, se crispa. Elle ne détachait plus son regard de cette porte ouverte. Quelques secondes passèrent. Le voile de crêpe répandait sa senteur amère et forte... Enfin la silhouette de Jacques se dressa dans l'encadrement. De nouveau, la vision du lit, des deux visages pâmés, vacilla devant les yeux de Mme de Fontanin.

D'une voix étranglée, pleine de reproche et d'effroi, elle balbutia :

— « Mes enfants... Mes pauvres enfants... »

Jacques avait franchi le seuil. Il se tenait debout devant elle; il la regardait, à la fois timide et sourcilleux. Alors elle prononça, distinctement :

— « Bonjour, Jacques. »

Jenny releva rapidement la tête. Certes, elle ne riait pas : mais le rictus qui déformait ses traits répandait sur son visage comme un reflet de joie diabolique; et une lueur absolument nouvelle, une lueur effrontée, qui éveillait l'idée d'un instinct mis à nu, faisait scintiller ses prunelles bleues. Elle tendit le bras vers Jacques, lui happa le poignet, l'attira violemment, et, se tournant vers sa mère, elle dit, sur un ton qu'elle voulait affectueux, mais où sonnait le triomphe, et aussi une nuance de défi, presque de menace :

— « Je l'ai retrouvé, maman! Et pour toujours! »

Mme de Fontanin, une seconde, les considéra l'un puis l'autre. Elle fit un effort pour sourire, et n'y parvint pas. Un faible soupir s'échappa de ses lèvres.

Jenny la regardait. Dans ce soupir, dans ce visage maternel, tremblant d'alarme, mais de douceur aussi, et où elle aurait déjà pu lire comme un gage d'acceptation, sa sensibilité ombrageuse ne voulut voir qu'une tristesse désapprobatrice. Elle en fut mortifiée, atteinte jusqu'au fond de sa tendresse filiale. Elle s'écarta de sa mère, et se leva d'un geste prompt qui la dressa, debout, contre Jacques. Son attitude cabrée, le feu de son regard, exprimaient un orgueil démesuré, aveugle, insolemment agressif.

Jacques, au contraire, contemplait Mme de Fontanin avec une insistance affectueuse, et, s'il eût parlé, c'eût été pour dire, sans doute : « Je vous comprends... Mais, nous aussi, il faut nous comprendre... »

Mme de Fontanin enveloppa le couple d'un coup d'œil embarrassé; elle baissa les yeux : de nouveau, l'image du lit s'imposait à elle...

Il y eut un silence.

Puis, par habitude, elle eut un geste de courtoisie vers Jacques :

— « Ne restez pas debout, mes enfants... Asseyez-vous... »

Jacques approcha une chaise pour Jenny, et, sur un signe de Mme de Fontanin, vint s'asseoir à sa gauche.

Ces quelques mots simples semblaient avoir apporté une détente. Dès qu'ils furent installés, en cercle, comme pour une visite, la température parut s'abaisser, se rapprocher de la normale. Jacques, d'un ton presque naturel, put rompre le silence pour demander des détails sur le voyage de retour.

— « Tu n'as donc pas reçu ma dernière lettre? » demanda Mme de Fontanin à Jenny.

— « Rien. Aucune lettre. Je n'ai rien reçu de toi. Rien. Sauf cette carte. La première. Ecrite en gare de Vienne, lundi. » Elle parlait par saccades, les dents serrées.

— « Lundi? » répéta Mme de Fontanin. L'effort qu'elle tenta pour reconstituer la succession des jours fit battre ses paupières. « Je vous ai pourtant écrit, chaque soir, deux lettres : une pour toi, et une pour Daniel. »

La pensée de son fils lui serra, une fois de plus, le cœur.

— « Aucune ne m'est arrivée », déclara Jenny, d'un ton cassant.

— « Et Daniel, il ne t'a pas donné de ses nouvelles? »

— « Si. Une fois. »

— « Où est-il? »

— « Il a quitté Lunéville. Depuis, rien. »

Un silence, que Jacques, gêné, rompit de nouveau :

— « Et... quand êtes-vous partie de Vienne, Madame? »

Mme de Fontanin eut quelque peine à se souvenir :

— « Jeudi », finit-elle par dire. « Oui : jeudi matin... Mais nous ne sommes arrivés à Udine que dans la nuit. Et nous ne sommes repartis qu'à midi pour Milan. »

— « Est-ce que, jeudi matin, on annonçait déjà, en Autriche, le bombardement et l'occupation de Belgrade? »

Mme de Fontanin regarda le jeune homme avec confusion.

— « Je ne sais pas », avoua-t-elle. Pendant son séjour

à Vienne, elle n'avait songé qu'à défendre la mémoire de son mari, et ne s'était guère tenue au courant des événements.

« Jenny ne m'a même pas demandé si j'avais réussi à arranger nos affaires », se dit-elle. Et, regardant sa fille, elle se posa soudain cette question poignante : « N'est-elle pas un peu déçue que j'aie pu revenir? »

Jacques, pour dire quelque chose, continuait à s'informer de l'état d'esprit à Vienne, des manifestations; et Mme de Fontanin faisait de son mieux pour lui répondre, s'accrochant comme lui à ces sujets impersonnels, qui reculaient d'autant la redoutable explication; — car, tous trois, à ce moment-là, pensaient encore qu'une « explication » était imminente, inévitable.

Jacques se tournait sans cesse vers Jenny, comme pour l'entraîner dans la conversation. En vain. La jeune fille ne faisait même plus mine d'écouter. La raideur du port de tête, la crispation de son visage amaigri, ses yeux fuyants et durs, une façon qu'elle avait, ce matin, de tenir le menton levé, en serrant les lèvres, tout indiquait non seulement la volonté de rester à l'écart, mais une tension secrète, étrangère, hostile. Piquée sur sa chaise dont le dossier ne lui soutenait pas les reins, le corps douloureux, les nerfs à vif, elle promenait à travers la chambre un regard indifférent, qui, par instants, s'arrêtait sur sa mère comme sur une figurante, posée dans un décor à peine réel : Mme de Fontanin, avec sa bible, dans ce vieux fauteuil de velours vert éternellement tourné de biais pour mieux recevoir le jour de la fenêtre, lui semblait assise là depuis l'origine des temps; souvenir d'autrefois, symbole (attendrissant peut-être, irritant surtout) d'un passé révolu qui, de minute en minute, se détachait doucement d'elle; d'un passé qui lui semblait s'enfoncer dans la brume, comme s'éloigne du passager en partance le groupe des parents venus lui dire adieu. Elle voguait déjà vers d'autres rivages; et, le cœur battant fort, semblable au navire qui appareille, elle sentait frémir en elle les pulsations d'une nouvelle vie. Si Jacques, à cet instant, lui avait saisi le bras, et lui avait dit : « Venez, quittez tout cela pour toujours », elle serait partie, sans même un regard en arrière.

Dans le silence, la petite pendule qui était sur la table de chevet, près d'une photographie de Jérôme et de Daniel, sonna longuement.

Jacques y porta les yeux, et, tenté soudain de fuir, il se pencha vers Jenny :

— « Onze heures... Il va falloir que je parte. »

Ils échangèrent un bref coup d'œil. Jenny approuva, d'un signe de tête, et aussitôt, avant lui, elle se leva.

Mme de Fontanin les observait. L'idée qui lui vint fut particulièrement pénible : sa Jenny, si droite, si franche... Elle ne la reconnaissait plus! Elle lui trouvait un air fuyant, un air « mauvaise conscience » ... Oui : en dépit de leur apparence assurée, elle leur trouvait, en ce moment, — à tous les deux d'ailleurs — un air hypocrite. Ils se regardaient, avec une solennité vaniteuse, un peu ridicule, à la façon de deux augures, de deux initiés. Mme de Fontanin pensa : « de deux complices... » Et c'était bien cela : il y avait, entre eux, l'enivrante complicité de leur amour; de cet amour qu'ils voulaient absolu, mystérieux, sans précédent, unique, — unique surtout; et tel que personne, hormis eux, n'en pouvait pénétrer le caractère exceptionnel!

Jacques, enhardi par l'assentiment de Jenny, s'approcha de Mme de Fontanin pour prendre congé.

Elle était toute déconcertée par ce départ trop rapide. Allaient-ils vraiment la laisser seule, sans que rien de plus eût été dit? N'avait-elle pas mérité plus de confiance?... Elle essayait de se raisonner, d'accepter encore cela, ce manque d'égards qui la blessait. Peut-être eût-ce été à elle de forcer les confidences? Maintenant, il était trop tard. Elle n'en avait pas le courage. Et puis, elle se sentait énervée par sa fatigue, par la secousse morale qu'elle avait reçue : à la merci d'un mouvement d'humeur, d'injustice. Sans doute valait-il mieux que cette première rencontre se terminât sans explication... Cependant, elle ne pouvait s'empêcher d'en vouloir à Jenny; mais, pour l'instant, elle lui en voulait moins de sa passion coupable, que de cette attitude insurgée, qui était incompréhensible, injustifiée, inacceptable! A Jacques, elle ne reprochait rien. Au contraire, il lui avait plu, au cours de cette visite : elle avait senti, sous sa déférence intimidée, une tacite compréhension; elle devinait en lui une conscience pure, une vie intérieure sans bassesse. Et puis, c'était l'ami de Daniel. Elle était prête, si tel était le dessein de Dieu, à l'aimer comme un fils.

Elle lui en voulait si peu, que, au moment de serrer sa main, elle fut sur le point de l'attirer vers elle, comme elle faisait pour Daniel, et de lui dire : « Non, laissez-moi vous embrasser, mon enfant. » Par malheur, à ce moment, elle leva les yeux vers Jenny. La jeune fille était debout, tournée vers eux, et son regard perçant, chargé d'animosité en puissance, était fixé sur sa mère; et ce regard semblait dire : « Oui, je te surveille, j'observe ce que tu vas faire, je veux voir si tu vas trouver enfin le geste maternel que j'attends de toi, depuis que j'ai fait entrer Jacques ici ! » Alors, l'irritation qui couvait dans le cœur de Mme de Fontanin fut la plus forte : elle eut un sursaut de fierté. Ce que, d'elle-même, elle s'apprêtait à faire, elle ne le ferait pas sous l'injonction d'une muette menace !

Renonçant à cette accolade qu'elle se préparait déjà à donner, elle se contenta de tendre sa main au jeune homme; et il fut seul à percevoir le tremblement de cette main, l'émotion, l'acquiescement caché, la tendresse, que la pauvre femme mettait dans cette banale étreinte.

Tout cela n'avait duré qu'une seconde. Mais, tandis que Jacques s'éloignait, accompagné par Jenny, Mme de Fontanin eut l'atroce intuition que, pendant cette seconde, tout le bonheur futur de ses relations avec Jenny s'était joué, s'était compromis, et que, entre sa fille et elle, un lien irréparable s'était rompu. Elle eut peur :

— « Jenny... Tu sors aussi ? »

— « Non », jeta la jeune fille, sans se retourner.

Dans le couloir, Jenny saisit le bras de Jacques, et, rapidement, en silence, elle entraîna le jeune homme jusqu'au vestibule.

Là, ils se séparèrent. Et, dans leurs regards qui se croisèrent, se lisait la même perplexité.

— « Tu pars quand même avec moi? » murmura Jacques.

Elle eut un vif haut-le-corps :

— « Voyons! » Elle semblait offensée, autant que s'il eût douté d'elle.

— « Comment vas-tu lui dire?... » demanda-t-il, après une courte pause.

Elle se tenait debout devant lui, un bras levé, la main accrochée au montant de l'armoire de chêne.

— « Oh », fit-elle, avec un mouvement impétueux de la tête, « maintenant tout m'est égal! »

Il la dévisagea, surpris. Son regard glissa jusqu'à cette main crispée sur le bois sombre, si blanche avec ses petits muscles frémissants; et il y appuya ses lèvres.

Elle dit brusquement :

— « L'emmènerais-tu? »

— « Qui? Ta mère? » Il hésita un quart de seconde. « Oui, si tu crois... Bien sûr... Pourquoi? Tu penses qu'elle désirera partir avec nous? »

— « Je ne sais pas », reprit-elle avec précipitation. « Non, je ne crois pas... Mais, enfin, c'est pour tout prévoir... » Elle se tut et sourit faiblement. « Merci! » dit-elle. « Où te retrouverai-je? »

— « Tu ne veux donc pas que je revienne te prendre ici? »

— « Non. »

— « Mais, ton bagage? »

— « Il ne sera pas lourd. »

— « Tu pourras le porter, seule, jusqu'au tram? »

— « Oui. »

— « Et mes papiers? Le paquet que j'ai déposé dans ta chambre l'autre jour... »

— « Je le mettrai dans mes affaires. »

— « Eh bien, alors, viens me rejoindre à la gare de Lyon... A quelle heure? »

Elle réfléchit :

— « A deux heures; deux heures et demie, au plus tard. »

— « Je t'attendrai à la buvette, veux-tu? Nous pourrons y laisser ta valise jusqu'à l'heure de notre train. »

Elle s'approcha, lui prit le visage entre ses deux paumes. « Mon amour », songea-t-elle. Lentement, elle plongea dans les yeux de Jacques son regard passionné, jusqu'à ce que leurs bouches se fussent jointes.

Cette fois encore, elle se dégagea la première :

— « Va », dit-elle. Dans sa voix, comme sur ses traits, une extrême nervosité se mêlait à la lassitude. « Moi je retourne près de maman. Je vais lui parler, lui dire tout. »

LXXVI

A peine évadé de l'appartement, ressaisi par ce trouble qui, au sortir de *l'Etendard*, lui avait donné si grand désir d'être seul, Jacques se demanda d'abord, une seconde, quelle était cette chose urgente qu'il avait à faire; et, soudain, les paroles de Mourlan retentirent de nouveau en lui : *Il suffirait peut-être d'un rien... Si, brusquement, entre les deux armées, un éclair de conscience...*

Ce fut comme un éblouissement. *Entre les deux armées...* Cette idée s'imposait à lui avec une telle violence, avec une netteté si concrète, qu'il s'arrêta, au milieu de l'escalier, la main sur la rampe, la tête étourdie, le cœur battant de témérité et d'espoir... Un projet qui, depuis quelques heures, cheminait dans son inconscient, jaillit enfin à la lumière et s'empara de tout son être. Ce n'était pas un rêve vague, une tentation de velléitaire : ce qui prenait subitement forme en lui, c'était un plan précis, le plan d'un geste déterminé, personnel; une de ces idées fixes comme en sécrètent, dans l'ombre, les cerveaux anarchistes. Il savait maintenant pourquoi il gagnait la Suisse, et ce qu'il allait préparer là-bas! Il savait par quel acte matériel, par quel acte solitaire et décisif, il pouvait enfin, après tant de jours d'inaction, d'anxiété stérile, lutter pour sa foi, et faire obstacle à la guerre! Un acte qui, sans doute, impliquait un sacrifice total. Cela, il l'avait compris d'emblée; et il l'avait accepté, sans forfanterie, sans même avoir le sentiment de sa bravoure : uniquement mû par la certitude mystique que cette action, pour laquelle il était prêt à donner sa vie, était aujourd'hui le seul et suprême moyen de réveiller la conscience des masses, de changer brutalement le cours des choses, et de mettre en échec les forces coalisées contre les peuples, contre la Fraternité et la Justice.

Il avait complètement oublié le retour de Mme de Fontanin, l'étrange visite qu'il venait de faire; il avait même oublié Jenny.

Elle, au contraire... Avant de rejoindre la chambre de sa mère, elle s'était glissée sur le balcon, pour voir Jacques quitter la maison; et elle s'inquiétait déjà qu'il tardât tant. Elle l'aperçut enfin qui sortait de la porte cochère, et, sans souci des passants, des convois qui embarrassaient la chaussée, s'élançait comme un possédé vers le boulevard Saint-Michel. Elle le suivit des yeux jusqu'à ce qu'il eût disparu. Mais il ne se retourna pas.

Restée seule, Mme de Fontanin avait appuyé sa tête au dossier de la bergère, et elle était demeurée quelques minutes comme pétrifiée. Elle ne parvenait pas à formuler une pensée claire; mais son impression se concrétisait dans cette phrase vague, qu'elle se répétait avec accablement : « Rien de bon ne peut sortir de là... » Elle continuait à voir, côte à côte, Jacques et Jenny, dressés devant elle, semblables à deux fûts d'une même souche. Puis, par une involontaire association, elle revit l'austère salon de son père, et, dans l'embrasure d'une fenêtre, jeune et conquérant, cambré dans une jaquette claire gansée de noir, un Jérôme fiancé, qui lui souriait. Avec quelle assurance ils s'élançaient alors, eux aussi, vers l'avenir! Comme ils faisaient bien front, tous deux, contre la famille! Auprès de lui, comme elle se sentait invincible!... Elle retrouvait d'emblée son exaltation de jadis, ses illusions, sa certitude d'être heureuse, sa conviction qu'ils étaient les premiers à connaître pareils transports. Et, loin d'éprouver à cette évocation dérisoire un sentiment de rancune ou seulement de mélancolie, elle en était radieusement illuminée, autant que si ces promesses de bonheur eussent été tenues par la vie.

Elle tressaillit en entendant sa fille revenir. Ce pas résolu, la façon dont Jenny referma la porte, son visage tendu, son regard absent, fanatique, comme brûlé et brûlant à la fois, lui firent peur.

Pensant trouver dans la tendresse le seul exorcisme efficace, elle balbutia craintivement :

— « Embrasse-moi, ma chérie... »

Jenny rougit légèrement : elle avait encore à la bouche le goût des lèvres de Jacques. Elle fit semblant de n'avoir pas entendu, occupée qu'elle était à retirer son chapeau, son voile, et à les porter sur le lit. Puis, cédant à sa fatigue, elle avisa la chaise longue, au fond de la chambre, et s'y allongea.

De là-bas, élevant la voix avec une précipitation un peu gauche, elle s'écria :

— « Je suis tellement heureuse, maman ! »

Mme de Fontanin porta vivement les yeux du côté de sa fille. Dans cette affirmation où sonnait une pointe de défi, son cœur maternel avait cru discerner l'indice d'une détresse. C'en fut assez pour la convaincre qu'il lui restait un devoir, un dernier devoir, à remplir, — quels qu'en fussent les risques. Obéissant à une injonction qu'elle attribuait à l'Esprit, elle se redressa avec une soudaine autorité.

— « Jenny », dit-elle, « as-tu seulement prié ? vraiment prié ?... Et peux-tu dire : *L'Eternel est avec moi ?* »

Dès les premiers mots, Jenny s'était cabrée. Entre elle et sa mère, la question de la foi était un douloureux abîme, dont elle était seule à connaître la profondeur.

Mme de Fontanin poursuivait :

— « Jenny... Jenny, mon enfant... Dépouille ton orgueil... Prions ensemble, invoquons le secours de Celui qui sait tout... Regarde, avec Lui, dans le secret de ton âme... Jenny ! Est-ce que tu ne sens pas, au fond de toi, quelque chose qui... résiste ? » Sa voix se mit à trembler : « ...quelque chose... Quelqu'un... qui t'avertit que peut-être tu te trompes ? que peut-être *tu te mens à toi-même ?* »

Le mutisme de Jenny fit croire à sa mère qu'elle se recueillait pour prier. Mais, après un assez long silence, la jeune fille soupira :

— « Tu ne peux pas comprendre ! »

Le ton était âpre, découragé, hostile.

— « Mais si, ma chérie... Mais si ! »

— « Non ! » fit Jenny; et dans son regard borné se lisait une obstination impatiente. Elle savourait avec une délectation morbide l'ivresse de se sentir incomprise, et de se croire persécutée. Elle fut sur le point de déclarer : « Tu n'as aucune idée de ce qu'est un amour comme le nôtre ! »; mais ce mot : « amour », elle ne pouvait pas le prononcer à haute voix. Elle eut un sourire grimaçant : « J'ai bien vu, tout à l'heure, que tu ne comprenais pas... Absolument pas ! »

— « Que veux-tu dire, Jenny? Tu trouves que je ne vous ai pas fait bon accueil? »

— « Non. »

— « Non? »

— « Non ! » trancha Jenny, les yeux au plafond. Et, sur un ton sourd, plein de griefs, elle précisa, en redressant le buste : « Si tu nous avais compris, tu aurais trouvé un mot pour le dire ! un mot pour nous montrer que tu partageais notre bonheur ! »

Mme de Fontanin avait détourné les yeux. Elle dit enfin :

— « Tu es injuste, Jenny... Comment peux-tu me faire ce reproche? J'arrive ici, ce matin, ignorant tout... Tu m'avais tenue à l'écart, tu m'avais tout caché... »

Jenny l'interrompit par un haussement d'épaules : un geste qui ne lui était pas naturel, que sa mère ne lui avait peut-être jamais vu faire : un geste de Jacques. D'un air têtu, mystérieux, satisfait, elle articula :

— « Je ne t'ai rien caché!... Tu vois : tu accuses déjà sans savoir. Il y a deux semaines, moi-même j'étais bien loin de me douter... »

— « Mais il n'y a pas deux semaines que je t'ai quittée : il y a aujourd'hui huit jours... Quand je suis partie, tu ne te doutais pas?... »

— « Non ! »

(Elle mentait, puisque sa mère était encore à Paris le soir de sa rencontre avec Jacques, à la gare du Nord. La tête renversée, elle dissimulait son visage; mais sa voix l'avait trahie d'une façon si flagrante, qu'elles rougirent toutes les deux.)

— « Il y a deux semaines », reprit Jenny, et sa confusion se traduisit par un petit rire forcé, « si tu m'avais parlé de Jacques, je t'aurais répondu que je le détestais! que je ne consentirais jamais à le revoir! »

Mme de Fontanin, posant ses mains sur les bras de la bergère, se pencha avec vivacité :

— « Et c'est en quelques jours, alors?... sans avoir pris le temps de réfléchir... » (Elle faillit dire : « de m'en parler... ») Elle ajouta seulement : « de... consulter Daniel...? »

— « Daniel ? » répéta Jenny, affectant la surprise. « Pourquoi Daniel? » Poussée par une sorte d'exaspération qu'elle-même n'aurait su justifier (où éclataient peut-être, à son insu, des années de tendre contrainte et de petits agacements silencieux), elle fit entendre de nouveau son rire arrogant. Puis, cédant à l'incompréhensible tentation de blesser sa mère au point le plus vulnérable : « Comme si Daniel pouvait savoir, pouvait comprendre! Qu'est-ce qu'il m'aurait dit, Daniel? Les choses stupides que tout le monde peut dire! Les choses " raisonnables "! »

— « Jenny... », gémit Mme de Fontanin.

Mais Jenny ne se retenait plus :

— « Les choses que tu penses, sans doute, toi aussi? Dis-les donc à la fin!... Quoi? Qu'il y a la guerre?... Ou quoi? Que nous ne nous connaissons pas assez, Jacques et moi? Que je ne serai pas heureuse? »

— « Jenny! », dit encore Mme de Fontanin.

Elle dévisageait sa fille avec stupeur. Cette Jenny, aux sourcils froncés, au masque raidi, à la voix mordante, ne ressemblait à aucune des Jenny qu'elle avait pu voir auprès d'elle, depuis vingt ans; cette Jenny-là était la proie d'instincts récemment déchaînés... « Irresponsable », songea-t-elle, avec une impression de désespoir, mais aussi d'indulgence, presque de réconfort.

La désapprobation, et même la souffrance de sa mère, loin de toucher Jenny, l'aiguillonnaient :

— « Et si ça m'est égal, à moi, d'être malheureuse *avec lui?* Ça ne regarde pas Daniel! Ça ne regarde que moi! Je ne demande pas de conseils! Peu m'importe ce que les autres pensent! Je n'ai plus à consulter personne, personne, maintenant que je l'ai, *lui!* »

Mme de Fontanin reçut ce nouveau coup, et pâlit. Ce qui la poignait le plus, c'était de sentir combien l'offense était consciente, volontaire. L'Esprit du Mal, l'Esprit des Ténèbres, s'était installé au cœur de son enfant! Elle jeta vers Dieu un appel atterré. Elle commençait à ne plus pouvoir se défendre contre la contagion de cette ambiance envenimée ni refouler la colère qui la gagnait. Elle réussit cependant, un moment encore, à garder un ton de fermeté prudente :

— « Tu as toujours eu ta complète indépendance morale, Jenny. Tu le sais bien : depuis que tu as l'âge d'entendre la voix de ta conscicnce, je ne t'ai imposé aucune volonté ni même aucun conseil pressant. Aujourd'hui encore, tu peux te croire libre d'agir sans prendre mon avis. Mais, moi, j'ai le devoir... »

— « Je t'en prie, maman! »

— « ...j'ai le devoir de te parler, fût-ce en vain... le devoir de te prémunir contre toi-même... Jenny... Mon enfant... Je fais appel au meilleur de toi-même... Est-il possible que tu aies perdu toute notion du bien et du mal? Ouvre les yeux, reprends-toi! Tu es victime d'un inconcevable égarement... Tu en es à ce point où tu t'abandonnes à ta passion, non seulement sans remords, mais comme si cet abandon était une manifestation de... de force... de courage... de noblesse... » Elle s'essoufflait. Elle eut la sensation cuisante qu'elle était au-dessous de sa tâche; trop fatiguée... qu'elle faisait fausse route, qu'elle ne disait pas ce qu'elle devait dire ni avec l'accent qu'il eût fallu... Elle se serait arrêtée peut-être, si, à ce moment, la vue de Jenny étendue n'avait brusquement fait resurgir devant ses yeux la vision du couple enlacé sur le divan de Daniel.

— « Tu devrais avoir honte! » balbutia-t-elle.

— « Je t'en prie, maman! » répéta Jenny, avec une dureté chargée de menace.

— « Honte! » reprit la pauvre femme qui, cette fois, ne se maîtrisait plus. « Toi, Jenny? Ma petite fille, mon enfant!... Tu as profité de ce que tu étais seule pour céder à tous les entraînements!... » Elle regretta soudain la voie où son indignation l'entraînait, et, coupant court, changea de direction : « Est-ce en quelques jours qu'on prend une décision aussi grave, aussi lourde de conséquences? Une décision qui engage toute une vie? Et non seulement ta vie à toi, mais la nôtre... Celle de ton frère, — la mienne... Car, enfin, c'est tout notre avenir commun qui est en jeu! Y as-tu même pensé? Non! Tu étais... Tu as... »

— « Assez, maman! Assez! Assez! »

— « Tu as perdu la tête! Tu as agi comme une enfant! » lança Mme de Fontanin, à bout de course. Et la phrase qu'elle se répétait sans cesse lui jaillit enfin des lèvres : « Rien de bon ne peut sortir de là! »

Jenny sentit monter en elle une violence froide, qui la souleva comme une lame de fond, et, brusquement, la mit debout. Ah, comme elle jugeait sa mère, aujourd'hui! Incompréhension, sécheresse, égoïsme!

— « Veux-tu que je te dise? » articula-t-elle, en s'avançant vers Mme de Fontanin. « Si quelqu'un de nous ne voit pas clair en lui, c'est toi! Oui! Tu penses à ton avenir, pas au mien! Il y a une chose que je découvre, maintenant : c'est que tu ne m'as jamais aimée que pour toi, pour toi seule! C'est la jalousie qui te dresse contre nous! Tu es jalouse! Jalouse! Tu ne songes qu'à une chose : pouvoir me garder égoïstement près de toi!... Eh bien, n'y compte pas! Trop tard! Je regrette d'avoir à te faire cette peine. Mais, autant que tu l'apprennes le plus tôt possible : Jacques part, ce soir, pour la Suisse. Et moi... — je m'en vais avec lui! »

— « Ce soir? Pour la Suisse? » murmura Mme de Fontanin, d'une voix à peine perceptible.

— « Ce n'est pas un coup de tête : nous étions décidés, avant ton retour. C'est le dernier train qui... »

— « Toi? Ce soir? »

— « Oui, tout à l'heure! »

— « Non! N'y compte pas, Jenny! Ça, non! »

— « Il n'y a rien à dire, rien à faire, maman », répliqua Jenny, d'une voix cinglante. « Personne, maintenant, ne nous fera changer d'avis! »

— « Je m'y oppose! Tu entends? »

Pour toute réponse, la jeune fille haussa les épaules.

— « Tu m'entends, Jenny? Je te *défends* de partir! »

— « C'est inutile d'insister, maman... Je te répète... D'ailleurs, au lieu de me désapprouver, tu devrais... si seulement tu avais un peu de cœur... »

— « Si j'avais un peu de cœur?... » balbutia Mme de Fontanin. Elle oubliait tout le reste, pour ne retenir que ces mots affreux...

— « Oui! si tu avais vraiment souci de mon bonheur », cria Jenny, perdant tout contrôle d'elle-même; « si tu m'aimais pour moi, eh bien, aujourd'hui, tu... »

Cette fois, Mme de Fontanin n'eut pas la résistance d'en supporter davantage. Elle prit son front entre ses mains, et enfonça ses doigts dans ses oreilles pour échapper à cette voix qui la transperçait. « Ce n'est pas la Créature qui décide, c'est l'Éternel », pensa-t-elle, en fermant les yeux. « Mon Dieu, que Ta volonté soit faite! »

Elle entendit un bruit sourd, et releva craintivement la tête. Jenny avait quitté la chambre, en claquant la porte. Son chapeau, son voile, n'étaient plus sur le lit.

« Il faut prier... prier », se disait Mme de Fontanin.

Elle ne parvenait pas à écarter la vision de Jenny, telle qu'elle l'avait vue là, hors d'elle, insolemment dressée...

— « Mon Dieu », supplia-t-elle, « aide-moi, donne-moi la force!... Rien n'est irréparable... Nous ne devons jamais désespérer de Tes créatures... » Lentement, deux fois de suite, elle se récita la parole sainte : *Il ne faut pas regarder aux choses visibles, mais aux invisibles. Car les visibles ne sont que pour un temps; mais les invisibles sont éternelles.*

Enfin, au premier moment d'hébétude succéda, au contraire, une activité d'esprit inattendue. Brisée, les épaules rondes, les mains jointes, elle restait enfoncée dans sa bergère, immobile. Mais son cerveau travaillait avec lucidité. Elle s'efforçait patiemment à un premier examen de conscience. Ainsi qu'elle faisait toujours aux heures d'épreuves, elle s'appliquait à analyser sa douleur, à en circonscrire les contours, à en faire, pour ainsi dire, une chose définie qui se puisse détacher, qui se puisse offrir à Dieu. *Tout ce qui n'est pas offert est perdu...*

Le départ de Jenny pour la Suisse n'était pas ce qui la bouleversait le plus. Elle ne parvenait d'ailleurs pas tout à fait à y croire. Ce dont, à tort ou à raison, elle souffrait surtout, c'était d'avoir été trompée. La blessure, la vraie, la profonde blessure, était là. Elle avait cru, naïvement, que sa tendresse compréhensive, la liberté qu'elle avait laissée à Jenny, même au temps où celle-ci n'était encore qu'une enfant, avaient créé, entre elle et sa fille, une telle habitude de confiance réciproque, que Jenny ne pourrait jamais prendre aucune résolution grave sans l'avertir, sans quêter son assentiment. Or, à l'heure la plus décisive de sa vie, Jenny s'était cachée d'elle; profitant même de son absence, elle avait agi avec la dissimulation d'une jeune fille élevée dans la plus rigide dépendance, et qui, par un geste de révolte, se libère enfin d'une tutelle étroite, incompréhensible, impatiemment subie. Naturellement, malgré la douloureuse scène qui venait d'avoir lieu, Mme de Fontanin ne doutait pas de l'affection de sa fille; pas plus qu'elle ne sentait diminuée son affection maternelle. Non : c'était *dans sa confiance* qu'elle se sentait atteinte. Une confiance comme celle qu'elle avait mise en Jenny reste à jamais mutilée quand elle a été aussi brutalement trahie. Autant de tendresse qu'autrefois, oui. La même confiance? Non, jamais plus.

Cette pensée la désespéra. Elle reprit sa bible, et l'ouvrit au hasard. Elle fixait, sans trop de peine, son attention sur le texte. Le calme revenait, peu à peu. Un calme étrange, inattendu, presque inquiétant. Et, soudain, s'examinant avec plus d'attention, elle crut entrevoir le redoutable secret de ce calme : un sentiment venait, à son insu, de naître en elle, et s'y développait déjà, doucement, sûrement... Un sentiment qu'elle connaissait pour l'avoir déjà éprouvé, à l'époque la plus cruelle de son existence, lorsque, sans force pour souffrir plus longtemps en vain, elle avait décidé de séparer sa vie de celle de Jérôme. Un sentiment? Une réaction instinctive, plutôt. Quelque chose comme une défense organique.

« Un remède », songea-t-elle, « que, dans sa sagesse, la Nature tire de nous-mêmes, pour nous rendre supportables certaines douleurs... » Elle posa son livre, et chercha à préciser le caractère de ce qu'elle ressentait, à lui donner un nom... Résignation? Détachement?... Peut-être n'y avait-il pas de terme pour désigner ce mélange de deux sentiments aussi contradictoires : la tendresse et l'indifférence? *Indifférence!* Le mot brutal la fit frémir. L'idée qu'une affection maternelle comme celle qui, pendant tant d'années, lui avait gonflé le cœur, pût, un jour, sous la pression des événements, se tempérer d'indifférence, — bien que, à cette minute, cette pensée ne fût pas sans douceur —, c'était, pour l'avenir, une épreuve de plus. Elle ferma les yeux. Elle se refusait à réfléchir plus avant. « Que Ta volonté soit faite », murmura-t-elle, une fois encore.

Mais elle chavirait sous le chagrin. Elle pencha de nouveau son front dans ses mains, et pleura.

LXXVII

Jenny était farouchement décidée à s'enfuir; et un instinct l'avertissait que, pour accomplir sans défaillance ce geste dont tout l'avenir dépendait, il ne fallait, à aucun prix, revoir sa mère... Ni même prendre le temps de réfléchir!

Elle avait couru d'un trait dans sa chambre; fébrilement, elle avait empilé dans une mallette le linge, les quelques vêtements noirs, qu'elle possédait, puis, les dents serrées, les joues en feu, elle avait remis son chapeau, son voile, et, sans même un coup d'œil vers la glace, elle avait quitté l'appartement comme si elle était poursuivie.

« Maintenant, je suis seule, et libre », se dit-elle, avec une sorte d'ivresse mêlée d'effroi, en descendant précipitamment l'escalier. « Maintenant, je n'ai vraiment plus que *lui!* »

Dehors, elle eut une minute de vertige. Où aller? Jacques ne l'attendait pas avant deux heures à la buvette; et il n'était guère plus de midi. Peu importait : le plus simple, à cause de son bagage, c'était de gagner dès maintenant la gare de Lyon, par le tramway du boulevard Saint-Michel et celui du boulevard Saint-Germain.

Elle eut la chance de n'avoir pas à attendre, et de trouver une place sur la plate-forme.

« Ne pas réfléchir », se disait-elle. « Ne pas réfléchir. »

Elle y parvint sans trop de peine, parce que, dans la voiture bondée, la conversation était bruyante, générale, comme après un accident : « Et les mariages, Madame! Dans les mairies, ce matin, aux guichets de l'état civil, ils ne savent plus où donner de la tête, tant il y a de mobilisés qui se marient avant de partir! » — « Mais les formalités... » — « On a tout simplifié. A la guerre comme à la guerre, c'est le cas de le dire... Pourvu que vous ayez deux actes de naissance et un livret militaire, vous pouvez régulariser en cinq secs n'importe quelle vieille liaison... » — « Moi, vous savez, je trouve ça bien : moral, et puis tout... » — « Oh, le moral, ça n'est pas ce qui manque! En France, quand il faut, on est toujours à la hauteur. » — « Moi, j'habite près des fortifs. Eh bien, depuis qu'il fait jour, les bureaux de recrutement de la ceinture sont assiégés. On s'engage en masse! » — « Non », rectifia un médecin major en uniforme. « On ne peut pas encore contracter d'engagements. Mais on vient se renseigner, s'inscrire peut-être... »

Le tramway de la Bastille, lui aussi, était comble : des voyageurs, debout, s'entassaient entre les banquettes. Néanmoins, Jenny put s'asseoir, grâce à la prévenance d'une matrone qui, la voyant embarrassée de son bagage, lui offrit la place de sa fillette.

Bercée par le ronron du tram et le bruit des voix, elle écoutait volontairement, afin d'échapper à ses propres pensées, les propos qui s'échangeaient au-dessus de sa tête.

Devant la rue Saint-Jacques, le tramway dut s'arrêter pour laisser défiler un régiment d'artillerie légère, qui montait vers la Sorbonne.

— « Toute la garnison a déjà quitté Paris, en douce, à ce qu'il paraît... » — « On sent qu'on est commandé. Tout ça marche... militairement. » — « Oui! A la façon dont ça commence, on voit que ça ne va pas traîner! » — « Moi, j'étais en vacances dans les Vosges, à Ribeauvillé... Eh bien, vous savez, quand on a vu nos braves soldats de l'Est, nos petits chasseurs à pied, surtout, — on est tranquille! » — « N'empêche qu'on a fait les couillons, en reculant de dix kilomètres... » — « Laissez donc! Quand *ils* auront vingt millions de baïonnettes russes dans le dos, et nous par-devant!... » — « Le patron de mon hôtel m'a dit qu'un voyageur qui venait du Luxembourg avait vu un aviateur français piquer droit sur un zeppelin, — et le crever, comme une bulle de savon! » — « Faut se méfier des fausses nouvelles », dit le receveur.

« Ainsi, tout à l'heure, un client disait qu'il y avait eu, cette nuit, une victoire décisive, en Alsace. » — « Non : ça c'est trop, bien sûr !... Mais on m'a dit que des patrouilles d'Alboches ont été vues autour de Nancy... » — « Nancy ! Pensez-vous ! » — « Vous n'avez pas entendu dire, vous autres, qu'on avait fait sauter les ponts de Soissons ? » — « Nous, ou *eux ?* » — « Nous, bien sûr ! A Soissons ! » — « Ç'aurait pu être un espion... » — « Faut avoir l'œil sur les espions ! Paraît qu'ils pullulent ! La police peut pas y suffire. Faudrait que chacun exerce une surveillance dans son quartier, dans sa maison. » — « Moi, mon frère est employé à la gare d'Orléans. Eh bien, sa femme nous a dit qu'elle avait vu son voisin de palier cacher un drapeau allemand sous son lit. » — « Moi », émit sentencieusement un monsieur à lorgnon, « j'admets qu'un Allemand puisse crier : " Vive l'Allemagne ! " A condition, bien entendu, que ça n'ait pas le caractère d'une provocation... Que voulez-vous ? Ils sont de là-bas, c'est pas leur faute... »

Place Maubert, nouvel arrêt. Un rassemblement obstruait la chaussée. Jenny aperçut, à l'entrée de la rue Monge, une bande d'énergumènes, armés d'un madrier, et qui défonçaient à grand fracas la devanture d'un magasin, sur lequel elle lut : *Laiterie Maggi.*

Dans la voiture, les gens se passionnaient :

— « Hardi, les gars ! » — « Maggi, c'est un Prusco... », dit le monsieur à lorgnon. « Un colonel de uhlans, même !... *L'Action Française* l'a dénoncé depuis longtemps ! Il n'attendait que la mobilisation pour faire son coup ! » — « Paraît que ce matin, rien qu'à Belleville, il a empoisonné plus de cent gosses, avec son lait ! »

Jenny voyait le va-et-vient du bélier; elle entendait ses coups sourds contre le rideau de fer. Enfin la tôle céda. A l'intérieur, des carreaux volèrent en miettes. La foule, amassée devant la boutique, exultait : « A bas l'Allemagne ! Mort aux traîtres ! » Au coin de la place, un peloton d'agents cyclistes avait mis pied à terre; ils surveillaient la scène de loin, sans intervenir. Après tout, la France était attaquée; le peuple se faisait justice lui-même : il n'y avait qu'à laisser faire.

Enfin, le tramway atteignit la gare de Lyon.

La cour était pleine de monde. Jenny, traînant son bagage, fonça dans la foule, et gagna la buvette, où elle s'installa.

Par la baie largement ouverte, un jour cruel entrait à flots dans la salle. Tapie dans un angle du fond, elle serrait l'une contre l'autre ses mains moites; et, bien qu'il fût beaucoup trop tôt pour qu'elle pût espérer voir arriver Jacques, elle ne quittait pas la porte du regard. La chaleur était étouffante. L'inconfort de cette banquette de cuir, après les secousses du tramway, rendait tous ses membres douloureux. L'éclat de la lumière l'aveuglait. Des gens ne cessaient d'entrer, de sortir, à contre-jour; d'autres passaient sur le trottoir, marchant vite, poussant eux-mêmes leurs chariots de bagages. Elle s'interrompit pour saisir sa mallette qu'elle avait posée près d'elle, et la glissa sous la table; puis elle la remit sur la banquette et recommença à guetter. Ses gestes incohérents trahissaient sa fébrilité. Pendant le trajet, elle avait réussi à s'étourdir; maintenant, elle était sans recours contre elle-même; et l'obligation de rester là, une heure peut-être, seule, livrée à cette effervescence intérieure, l'emplissait d'une intolérable angoisse. Elle s'ingéniait à faire travailler son esprit sur des riens, à multiplier de petites pensées inoffensives; mais elle sentait voleter autour de son cerveau, comme un rapace dont les cercles vont se rapprochant, l'idée terrible qu'elle avait jusque-là pu tenir à distance... Pour se défendre, elle s'appliqua, un instant, à examiner les objets disposés devant elle, à compter les croissants de la corbeille, les morceaux de sucre de la soucoupe. Puis elle ramena son regard vers la porte, et suivit les allées et venues des gens. Une femme en cheveux, grisonnante, franchit le seuil; elle avisa, près de l'entrée, la première table libre, s'accouda lourdement, sa tête entre ses paumes. Et, aussitôt, Jenny se sentit happée par le souvenir qu'elle écartait, qui n'attendait qu'une occasion pour fondre sur elle... Sa mère lui apparut, telle qu'elle l'avait laissée, au fond de sa bergère, les mains pressées sur les tempes. Que faisait-elle maintenant? Penserait-elle à déjeuner? Jenny l'imagina dans la cuisine en désordre, devant les assiettes sales, les deux couverts... Et ce fut elle, cette fois, qui, fermant les yeux, pencha son front entre ses mains.

Quelques minutes passèrent sans qu'elle fît un mouvement. ... *Tu es jalouse!... Si tu avais un peu de cœur...* Elle se répétait ses propres paroles; elle ne parvenait plus à comprendre comment elle avait pu les prononcer; ni comment, après l'avoir fait, elle avait pu partir!

Lorsqu'elle souleva enfin la tête, ses traits étaient calmes, durs, et, sur ses joues, la pression des doigts laissait des traces sensibles. « A quoi bon réfléchir », se dit-elle; « c'est ça que je dois faire, et rien d'autre. » Elle demeura, un moment encore, les prunelles fixes, sans voir, écrasée sous le poids de sa résolution. Elle n'hésitait plus que sur un point : ce geste, cet impérieux devoir, attendrait-elle l'arrivée de Jacques, avant de l'accomplir? Pourquoi? Pour le consulter? Gardait-elle donc le lâche espoir qu'il la dissuaderait? Non : sa décision était irrévocable. Alors, le plus urgent, n'était-ce pas d'abréger le martyre maternel?

Elle redressa le buste, et appela le garçon :

— « D'où peut-on envoyer un pneumatique? »

— « La poste? Elle doit être ouverte, un jour pareil! Tenez, vous la voyez d'ici : le réverbère bleu... »

— « Gardez mon bagage. Je reviens. »

Elle partit en courant.

En effet, le bureau était ouvert; des civils, des militaires, assiégeaient les guichets. Elle se fit donner un petit bleu, et, tout d'un trait, elle écrivit :

« Maman chérie, j'étais folle, je ne me pardonnerai jamais la peine que je t'ai faite. Mais toi, je te supplie de comprendre, d'oublier. Je reste. Je renonce à accompagner ce soir Jacques en Suisse. Je ne veux pas te laisser seule. Lui, c'est le dernier délai, il faut bien qu'il parte. Je le rejoindrai plus tard. Avec toi, j'espère. N'est-ce pas?

Tu ne refuseras pas de partir avec moi, pour que je le retrouve?

« J'aurais dû rentrer tout de suite, courir t'embrasser. Mais, ces dernières heures avant son départ, ce serait trop dur de ne pas les passer toutes avec lui. Ce soir, je reviendrai près de toi, et je t'expliquerai tout, maman chérie, pour que tu me pardonnes.

« J. »

Elle ferma le billet sans le relire. Ses mains tremblaient, et tout son corps; une sueur glacée lui collait son linge à la peau. Avant de jeter le pneu dans la boîte, elle s'assura qu'il serait distribué l'heure suivante. Puis, lentement, elle retraversa la place, et revint s'asseoir dans l'angle de la buvette.

Etait-elle un peu apaisée par ce qu'elle venait de faire? Elle se le demanda, sans pouvoir se répondre. Elle était anéantie par son sacrifice; anéantie, comme après une perte de sang. Si désespérée, qu'elle redoutait maintenant l'arrivée de Jacques : loin de lui, elle se sentait plus forte pour tenir sa promesse. Elle essaya de se raisonner : « Dans quelques jours... Une semaine... Deux, au plus... » Deux semaines sans lui! Son effroi devant cette séparation n'était vraiment comparable qu'à la peur de la mort.

Quand enfin, dans l'encadrement de la baie, elle vit se découper la silhouette de Jacques, elle se dressa debout et se tint droite, pâle, sans force, les regards tendus vers lui. Il l'aperçut; et, dès le premier coup d'œil, il comprit qu'il s'était passé des choses graves.

D'un geste tragique, elle refusa toute question :

— « Pas ici... Sortons. »

Il lui prit la mallette des mains, et la suivit dehors.

Elle fit quelques pas, sur le trottoir, au milieu de la foule, puis s'arrêta brusquement; et, levant vers lui un regard déchirant, elle dit, très bas, très vite :

— « Je ne peux pas partir ce soir avec toi... »

Les lèvres de Jacques s'entrouvrirent, mais il ne répondit rien. Il se baissa pour poser la mallette à terre; et lorsqu'il se redressa, il avait eu le temps, presque à son insu, de se composer un visage. Son expression atterrée et incrédule ne reflétait rien de la première pensée, fulgurante, qui lui était venue malgré lui : « Ma mission... Me voici libre !... »

Des voyageurs, des soldats, les bousculaient. Il fit reculer Jenny jusqu'à un renfoncement du mur, entre deux piliers.

Elle reprit d'une voix saccadée :

— « Je ne peux pas partir... Je ne peux pas quitter maman... Pas aujourd'hui... Si tu savais... J'ai été abominable avec elle... »

Elle regardait le sol, n'osant pas croiser son regard. Lui, l'observait; et, les lèvres tremblantes, les yeux pleins de ténèbres, il se penchait, comme pour l'aider à parler.

— « Tu comprends ? » murmura-t-elle. « Je ne peux plus partir, après ça... »

— « Je comprends, je comprends... », fit-il, entre ses dents.

— « Il faut que je reste avec elle... Au moins quelques jours... Je te rejoindrai là-bas... Bientôt... Le plus tôt possible. »

— « Oui », dit-il, avec force. « Le plus tôt possible ! » Mais, en lui-même, il pensa : « Non. Jamais... C'est fini. »

Ils demeurèrent pendant quelques secondes sans se regarder, paralysés, silencieux. Elle avait eu l'intention de lui confesser ce qui s'était passé entre sa mère et elle. Mais elle ne se souvenait même plus de l'enchaînement des détails. Et puis, à quoi bon ? Elle se sentait irrémédiablement solitaire au centre de ce drame personnel, incommunicable, où Jacques n'avait aucune part, et auquel il resterait toujours étranger.

Lui aussi, à cette minute, il se sentait irrémédiablement distinct d'elle. Distinct de tous les autres : l'héroïsme dont il s'enivrait depuis deux heures l'isolait, le rendait imperméable à toute émotion normale. Comme une montre arrêtée par une secousse, son esprit restait immobilisé sur les premières paroles — libératrices — prononcées par Jenny : « Je ne peux pas partir avec toi. » La souffrance, la déception, qu'affichait son attitude, n'étaient pas feintes; mais elles étaient superficielles. Les dernières entraves se rompaient. Il allait partir, et partir seul! Tout était simplifié...

Elle le dévisageait, avec la pensée que, demain, elle ne le verrait plus, frappée par la puissance qui émanait de ce visage, mais trop bouleversée pour discerner quelle sorte de transformation venait de s'opérer en lui, quel masque neuf, affranchi, lui avait déjà modelé sa résolution. D'un regard noyé de tendresse, elle caressait cette grande bouche expressive, cette mâchoire, ces épaules... ce thorax sonore et dur, sur lequel elle avait dormi... Et la douleur de ne pas pouvoir passer la nuit prochaine contre lui, dans sa chaleur, s'empara d'elle avec une si poignante acuité, qu'elle oublia tout le reste :

— « Mon amour... »

A la lueur qui s'alluma dans les prunelles de Jacques, elle comprit quelle imprudence elle avait commise en laissant éclater sa tendresse... Le souvenir que cette lueur éveillait en elle la fit frissonner de crainte. Elle aurait souhaité dormir dans ses bras, — mais rien d'autre...

Il plongeait son trouble regard dans celui de Jenny. Il balbutia, sans presque mouvoir les lèvres :

— « Avant que je parte... Notre dernier après-midi... Tu veux bien? »

Elle n'osait lui refuser cette dernière joie. Elle rougit, et détourna son visage, avec un doux et misérable sourire.

Les yeux de Jacques, se détachant d'elle, errèrent quelques secondes par-delà la place ensoleillée, sur les façades où flamboyaient des enseignes d'or : *Hôtels des Voyageurs... Central-Palace... Hôtel du Départ...*

— « Viens », fit-il, en lui saisissant le bras.

LXXVIII

Saffrio prit un air soupçonneux :

— « Qui te l'a dit? »

— « Le concierge de la rue de Carouge », répondit Jacques. « Je débarque du train : je n'ai encore vu personne. »

— « *Si, si*... Il habite chez moi, depuis qu'on est revenu de Bruxelles », avoua l'Italien. « Il se cache... Je voyais bien : ça lui faisait mal, rentrer chez lui sans Alfreda. J'ai dit : " Viens chez moi, Pilote. " Il est venu. Il est là-haut. Il vit comme dans la prison. Il couche toute la journée sur le lit, avec les journaux. Il se lamente de ses *reumatizmes*... Mais c'est *oune pretesto* », ajouta-t-il, en clignant de l'œil. « C'est pour pas sortir, pas causer... Il n'a pas voulu voir personne, même Richardley! Ah, il est changé, tu sais! La garce, elle lui a cassé les genoux! Jamais j'aurais cru... » Il eut un geste de désespoir : « C'est un homme fini. »

Jacques ne répondit pas. Les paroles de Saffrio lui arrivaient comme à travers un brouillard : il ne parvenait pas à sortir de l'état somnambulique dans lequel il avait vécu pendant cet interminable voyage de dix-huit heures entre Paris et Genève. De plus, il souffrait d'une inflammation des gencives, qui déjà, ces dernières semaines, l'avait plusieurs fois empêché de dormir, et qui s'était aggravée, cette nuit, dans le courant d'air du wagon.

Saffrio poursuivait :

— « Tu as mangé? Tu as bu? Tu ne veux pas rien? Fais-toi une cigarette : c'est du bon, il vient d'Aosta! »

— « Je voudrais *le* voir. »

— « Attends un petit *pou*... Je monterai, je lui dirai

que tu es revenu. Peut-être qu'il voudra oui, peut-être non... Toi aussi, tu es changé ! » reprit-il en fixant sur Jacques son regard caressant. « *Si, si!* Tu n'écoutes pas, tu penses la guerre... Tout le monde est changé... Raconte ce que tu as vu là-bas. Ils t'ont laissé venir ?... Ce qui est le plus terrible, tu sais, voilà : c'est la folie de tous, devenus soldats ! Leurs chansons, leur *furia!*... Les trains de mobilisés, qui brillent des yeux, et qui crient : " A Berlin ! " Et les autres : " *Nach Paris!* " »

— « Moi, ceux que j'ai vus partir ne chantaient pas », dit Jacques, sombrement. Puis, d'une voix fiévreuse, et comme s'il s'éveillait soudain : « Ce qui est terrible, Saffrio, ce n'est pas ça... C'est l'Internationale... Elle n'a rien fait. Elle a trahi... Jaurès mort, tous ont lâché ! Tous, même les meilleurs ! Renaudel, l'ami de Jaurès ! Guesde ! Sembat ! Vaillant ! Oui, Vaillant, un type pourtant ! Le seul qui ait osé dire à la Chambre : *plutôt l'insurrection que la guerre!* Tous ! Même les dirigeants de la C. G. T. !... Et ça, c'est plus incompréhensible que tout ! Ils n'étaient pourtant pas contaminés par le parlementarisme, ceux-là ! et les décisions des congrès confédéraux étaient pourtant formelles : " Déclaration de guerre : grève générale immédiate !... " La veille de la mobilisation, le prolétariat hésitait encore. On aurait pu ! Mais ils n'ont même pas essayé ! *Le territoire sacré! La Patrie! L'union nationale!... La défense du socialisme contre le militarisme prussien!* Voilà ce qu'ils ont trouvé à dire ! Et, à ceux qui demandaient : " Qu'est-ce qu'on va faire ? " ils n'ont su répondre que ça : " Obéissez au fascicule de mobilisation !" »

Saffrio avait les yeux pleins de larmes.

— « Même ici, tout est renversé », fit-il, après un silence. « Les camarades, maintenant, parlent bas... Tu verras ! Tout le monde est changé... On a peur... Le gouvernement fédéral, il est neutre, aujourd'hui; il nous laisse. Mais demain ? Et alors, s'il faut partir, où aller ?... Tout le monde a peur. La police surveille tout... Au *Local*, plus personne... Richardley, la nuit, fait des réunions chez lui, ou chez Boissonis... On apporte les journaux. Ceux qui savent, ils traduisent pour les autres. Après, on discute, on s'énerve... Pour rien ! Qu'est-ce qu'on peut?... Richardley, seul, fait du travail. Il a confiance. Il dit que l'*Internazionale*, elle ne peut pas mourir, elle ressuscitera, plus forte! Il dit que l'Italie doit parler, maintenant. Il veut l'union des socialistes suisses avec les socialistes italiens, pour commencer à relever l'honneur... Parce que », reprit-il, en relevant fièrement le front, « en Italie, tu sais, tout le prolétariat est fidèle! L'Italie, c'est la vraie patrie pour la Révolution! Tous les chefs de groupes, Malatesta, et Borghi, et Mussolini, tous, ils luttent plus fort que jamais! Pas seulement pour empêcher le gouvernement de partir, lui aussi, dans la guerre : mais pour amener bientôt la paix, par l'union avec tous les socialistes d'Europe : ceux d'Allemagne, ceux de Russie! »

« Oui... », se dit Jacques. « Ils n'ont pas pensé qu'il y a des moyens plus rapides d'amener la paix!... »

— « En France aussi, vous trouveriez quelques îlots qui tiennent encore », murmura-t-il, d'un ton détaché, comme si ces questions ne le concernaient plus. « Vous devriez garder le contact avec la Fédération des métaux, par exemple. Il y a là des hommes. Tu as entendu parler de Merrheim?... Il y a aussi Monatte, et le groupe de *la Vie ouvrière*. Ceux-là n'ont pas flanché... Et vous en trouveriez d'autres : Martov... Mourlan, avec les types de *l'Etendard*...

— « En Allemagne, il y a Liebknecht... Richardley s'occupe déjà avec lui. »

— « A Vienne, aussi... Hosmer... Par Mithœrg, vous devriez pouvoir... »

— « Mithœrg? » coupa l'Italien. Il s'était levé. Ses lèvres tremblaient. « Mithœrg? Tu ne sais donc pas?... il est parti! »

— « Parti? »

— « Pour l'Autriche! »

— « Mithœrg? »

Saffrio baissa les paupières. Sur son beau masque romain, se lisait une douleur nue, animale.

— « Le jour où Mithœrg est revenu de Bruxelles, il a dit : " Je retourne là-bas. " Nous tous, nous avons dit : " Tu es fou, voyons! Tu es déjà condamné pour déserteur! " Mais, lui, il disait : " Justement. Un déserteur, ça n'est pas un lâche. Un déserteur, il revient quand il y a la guerre. Je dois aller! " Moi, je lui ai dit : " Pour faire quoi, Mithœrg? Pas pour devenir soldat? " Je n'avais pas compris!... Alors, il a dit : " Non, pas pour devenir soldat. Pour être un exemple. Pour qu'ils me fusillent, devant tous!... " Et, voilà. Le soir, il est parti... »

La phrase se perdit dans un sanglot.

— « Mithœrg? » balbutia Jacques, le regard perdu. Après une pause de quelques instants, il se tourna vers l'Italien : « Maintenant, va *lui* dire que je suis là, veux-tu? »

Resté seul, il répéta, à mi-voix : « Mithœrg... » Mithœrg avait fait quelque chose; Mithœrg avait fait tout ce qu'il pouvait faire... Tout ce qu'il pouvait pour se prouver qu'il restait fidèle à lui-même!... Et il avait choisi un *acte exemplaire*, auquel il avait sacrifié sa vie...

Quand Saffrio redescendit, il fut stupéfait de surprendre sur le visage de Jacques comme le reflet d'un sourire qui tardait à s'effacer.

— « Tu as bonne chance, Thibault! Il veut bien... Monte! »

Jacques s'engagea, derrière l'Italien, dans l'escalier en spirale qui partait de la droguerie. Au dernier étage, Saffrio s'effaça, et, désignant au fond du grenier un réduit cloisonné de planches :

— « Il est là... Va seul, c'est meilleur. »

Meynestrel tourna la tête vers la porte qui s'ouvrait. Il était allongé sur son lit, le visage luisant; ses cheveux noirs, collés par la sueur, faisaient paraître le crâne plus petit, le front plus bombé. Il tenait un journal au bout du bras pendant. Au-dessus de lui, une tabatière s'ouvrait sur un carré de ciel embrasé. L'air était étouffant. Des journaux dépliés traînaient sur le carrelage, jonché de cigarettes à demi fumées.

Meynestrel n'avait pas répondu au sourire de Jacques, dont l'élan s'était arrêté net, à mi-chemin du lit. Mais, d'un mouvement vif, qui n'était pas celui d'un rhumatisant, — (« c'est *oune pretesto* », songea Jacques), — il s'était mis debout. Il portait une combinaison d'aviateur en toile bleue déteinte dans laquelle il était nu; le col ouvert laissait voir un thorax velu et décharné. Il était mal tenu, presque sale : ses cheveux, trop longs, relevaient du bout, formant sur la nuque un retroussis plumeux, pareil au croupion des canards.

— « Pourquoi es-tu revenu? »

— « Qu'est-ce que je pouvais faire là-bas? »

Meynestrel s'était adossé à la commode; les bras croisés, il regardait Jacques, en triturant sa barbe. Un nouveau tic faisait sans cesse cligner l'œil gauche.

Jacques, totalement démonté par cet accueil, poursuivait au hasard :

— « Là-bas, vous n'imaginez pas ce que c'est, Pilote... Toute réunion est interdite : plus de meetings... La censure : pas un journal qui veuille, qui puisse, publier un article d'opposition... A la terrasse d'un café, j'ai vu écharper un type qui n'avait pas assez vite salué le drapeau... Que faire? Des tracts dans les casernes? Pour être coffré le premier jour? Quoi? Sabotage? Pas mon genre, vous savez bien... D'ailleurs, faire sauter un dépôt d'obus, un train de munitions, quand il y a des centaines de dépôts, des milliers de trains... Non. Pour le moment, rien à faire là-bas! Rien! »

Meynestrel haussa les épaules. Un sourire sans vie effleura ses lèvres.

— « Ici, non plus! »

— « Ça dépend! » répliqua Jacques, en détournant les yeux.

Meynestrel ne parut pas avoir entendu. Il se retourna vers la commode, trempa sa main dans la cuvette et se mouilla le front. S'avisant alors que Jacques, faute de siège libre, était resté debout, il débarrassa l'escabeau, encombré de paperasses. Le regard voilé qu'il promenait autour de lui était celui d'un obsédé. Il revint vers le lit, s'assit au bord du matelas, les bras ballants, et soupira.

Puis, soudain :

— « Elle me manque, tu sais... »

L'accent, net, quasi indifférent, ne marquait rien qu'une constatation.

— « Ils n'auraient pas dû faire ça », murmura Jacques, après une hésitation.

Cette fois encore, Meynestrel n'eut pas l'air d'entendre. Mais il se releva, poussa du pied un journal, marcha jusqu'à la porte, et, pendant quelques minutes, tirant la jambe comme un insecte blessé, il arpenta la chambre dans sa longueur, avec un mélange de fébrilité et de nonchalance.

« A ce point changé? » pensa Jacques. Il doutait encore. Il observait d'autant plus librement Meynestrel, que celui-ci paraissait avoir oublié sa présence. Le visage, maigri, avait perdu son expression de force concentrée, de lucidité toujours en éveil. Les yeux restaient mobiles, mais sans éclat; et le regard s'était étrangement adouci, au point de refléter par moments une sorte de sérénité, de paix. « Non », se dit aussitôt Jacques, « pas de sérénité : de lassitude... De cette paix négative qu'apporte la lassitude. »

— « Ils n'auraient pas *dû?* » répéta enfin Meynestrel, sur un ton vaguement interrogatif. Il esquissa un haussement d'épaules, sans interrompre ses allées et venues. Puis, brusquement, il s'arrêta devant Jacques : « S'il y a une notion que je n'ai plus, aujourd'hui, *après tout ça*, — c'est bien celle de la responsabilité! »

« Tout ça... » Jacques eut l'impression que Meynestrel ne songeait pas seulement à ce qui lui était arrivé, pas seulement à Alfreda, à Paterson, mais à l'Europe, à ses dirigeants, à ses diplomates, aux officiels du parti; et peut-être à lui-même, à son poste déserté.

Le Pilote fit encore une fois le trajet d'un mur à l'autre, revint s'étendre sur son lit, et murmura :

— « Au fond, qui est responsable? responsable de ses actes, de soi-même? Connais-tu quelqu'un de responsable? Moi, je n'en ai jamais rencontré. »

Un long silence suivit; un silence opaque, oppressant, qui faisait corps avec la chaleur, avec la lumière implacable.

Meynestrel gisait, immobile, les yeux clos. Couché, il semblait très grand. Sa main, aux ongles jaunis par le tabac, aux doigts à demi fermés comme s'ils se crispaient sur une balle invisible, reposait, renversée, au bord du matelas. La manche découvrait le poignet. Jacques regardait fixement cette main, qui ressemblait à une serre, ce poignet, qui jamais ne lui était apparu aussi frêle, aussi féminin. « La garce lui a cassé les genoux... » Non. Saffrio n'avait pas exagéré!... Mais constater n'expliquait rien. Une fois de plus, Jacques se heurtait au mystère du Pilote. Renoncer, au moment où tout permettait d'espérer que son heure allait enfin venir? Un homme de cette trempe...

« De cette trempe? » se demanda Jacques.

Tout à coup, sans avoir bougé, Meynestrel articula :

— « Mithœrg, lui, est allé au-devant de sa mort. »

Jacques tressaillit.

« Chacun la sienne », songea-t-il.

Quelques secondes passèrent. Il murmura :

— « Ça ne doit pas être tellement difficile, quand on peut faire de sa mort un acte... Un acte conscient. Un acte dernier. Un acte *utile.* »

La main de Meynestrel eut un léger frémissement; sa face osseuse, aux paupières baissées, semblait pétrifiée.

Jacques redressa le buste. D'un geste impatient, il releva la mèche qui lui barrait le front :

— « Moi », dit-il, « voilà ce que je veux. »

Sa voix avait pris soudain une telle vibration, que Meynestrel ouvrit les yeux et tourna la tête. Le regard de Jacques était fixé sur la lucarne; ses traits mâles, éclairés à plein, reflétaient une résolution intense.

— « A l'arrière, pas de lutte possible! Pour le moment, du moins. Contre les gouvernements, contre l'état de siège et la censure, contre la presse, contre le délire patriotique, rien, rien à faire!... Mais à l'avant, c'est autre chose! Sur l'homme qu'on mène au feu, oui, on peut agir! C'est lui qu'il faut atteindre! » Meynestrel esquissa un mouvement que Jacques prit pour un geste de doute, et qui n'était qu'un tic nerveux. « Laissez-moi dire!... Oh, je sais. Aujourd'hui, la fleur au fusil, la *Marseillaise*, la *Wacht am Rhein*... Oui. Mais demain?... Demain, cet homme-là, qui est parti en chantant, il ne sera plus qu'un pauvre type face à face avec la réalité! Face à face avec la guerre ! Un type à jeun, les pieds en sang, exténué, terrifié par les premiers bombardements, les premiers assauts, les premiers blessés, les premiers morts... C'est à celui-là qu'on peut parler ! C'est à lui qu'il faut crier : " Imbécile ! On t'a exploité, une fois de plus ! On a exploité ton patriotisme, ta générosité, ton courage ! Tout le monde t'a trompé ! Même ceux qui avaient ta confiance, même ceux que tu avais choisis pour te défendre ! Mais, maintenant, tu dois enfin comprendre ce qu'on te voulait ! Révolte-toi ! Refuse de leur donner ta peau ! Refuse de tuer ! Tends la main à tes frères d'en face, à ceux qu'on a trompés, qu'on a exploités, comme toi ! Jetez vos flingots ! Révoltez-vous ! " » L'émotion l'étranglait. Il souffla, dix secondes, et reprit : « Le tout, c'est de pouvoir l'atteindre, celui-là !... Vous allez me dire : " Comment ? " »

Meynestrel s'était soulevé sur un coude. Il considérait Jacques avec une attention qu'un peu d'ironie, flottant dans le regard, ne parvenait pas à dissimuler. Et il avait en effet l'air de dire : « Oui, comment ? »

— « En avion ! » cria Jacques, sans attendre la question. Et, d'une voix ralentie, plus basse : « C'est *en avion* qu'on peut l'atteindre !... Il faut aller au-dessus des lignes. Il faut survoler les troupes françaises et les troupes allemandes... Il faut répandre sur elles des milliers et des milliers de manifestes... — de manifestes, en deux langues !... Le commandement français, le commandement allemand, ils peuvent empêcher des tracts d'entrer dans les cantonnements. Ils ne peuvent rien, — rien ! — contre une nuée de papiers-pelures qui tombent du ciel sur des kilomètres de front, et qui s'éparpillent sur les villages, sur les bivouacs, sur toutes les agglomérations de soldats !... Cette nuée, elle pénétrera partout ! Ces papiers, ils seront lus, en France, en Allemagne !... Ils seront compris !... Ils circuleront de main en main, jusqu'aux formations de réserve, jusqu'aux populations civiles !... Ils rappelleront à chaque ouvrier, à chaque paysan, français et allemand, ce qu'il est, ce qu'il se doit à lui-même ! et ce qu'est le mobilisé d'en face ! et que c'est un crime absurde, monstrueux, de vouloir qu'ils s'entr'égorgent ! »

Meynestrel ouvrit la bouche pour parler. Mais il se tut, et s'allongea de nouveau, les yeux au plafond.

— « Ah, Pilote, imaginez l'effet de ces manifestes! Quel appel à la révolte!... L'effet? Il peut être foudroyant! Que seulement, sur un seul point des lignes, les troupes ennemies fraternisent, et la contagion gagnera aussitôt comme une traînée de poudre! Refus d'obéissance... Démoralisation des chefs... Le jour même de mon vol, le commandement français, le commandement allemand, seront paralysés... Toute action sera devenue impossible sur le secteur que j'aurai survolé!... Et quel exemple! Quelle force de propagande! Cet avion magique... Ce messager de paix... La victoire que l'Internationale n'a pas su gagner avant les mobilisations, on peut encore la gagner aujourd'hui! Nous avons raté l'union des prolétaires, nous avons raté la grève générale : mais nous pouvons réussir la fraternisation des combattants! »

Les lèvres du Pilote grimacèrent un rapide sourire. Jacques fit un pas vers lui. Il souriait, lui aussi, avec l'assurance d'une inébranlable certitude. Sans se départir de son calme, sans élever la voix, il reprit :

— « Rien, dans tout ça, qui ne soit parfaitement réalisable. Mais j'ai besoin qu'on m'aide. J'ai besoin de vous, Pilote. Vous seul, par vos anciennes relations, pouvez me procurer un appareil. Et vous pouvez aussi, en quelques jours, me faire apprendre le pilotage : suffisamment pour voler, pendant quelques heures, dans une direction donnée. Les champs de bataille sont à portée de vol. Du nord de la Suisse, ce n'est rien d'atteindre les troupes françaises et allemandes massées en Alsace... Non, non : j'ai tout pesé. Les difficultés et les risques... Les difficultés, si vous le voulez, si vous m'aidez, elles peuvent être vaincues. Quant *au* risque, — car il n'y en a qu'*un*, — ça me regarde! » Il rougit brusquement, et se tut.

Meynestrel s'assura d'un coup d'œil que Jacques avait achevé ce qu'il voulait dire. Puis il se dressa lentement et s'assit au bord du lit. Il évitait de regarder Jacques. Il resta quelques secondes incliné, les pieds ballants, frottant doucement ses genoux avec ses paumes. Puis, sans changer de pose, il dit :

— « Alors, toi, déserteur français, tu crois pouvoir faire ton apprentissage, comme ça, en Suisse, sans que ça paraisse suspect? Et tu crois que, en quelques jours, tu sauras décoller tout seul, et lire ta carte, et repérer le terrain, et tenir le vol, tout seul, pendant des heures? » Sa voix était unie, à peine narquoise, et son masque impénétrable. Il souleva une de ses mains jusqu'à la hauteur de son menton, et, pendant un instant, avec une attention distraite, examina, l'un après l'autre, ses ongles sales : « Maintenant », fit-il, presque sèchement, « veux-tu? Laisse-moi... »

Jacques, déconcerté, restait planté au milieu de la mansarde. Avant d'obéir, il cherchait à croiser le regard du Pilote, se demandant s'il avait bien compris, s'il fallait vraiment partir, et sans un mot d'approbation, sans un conseil, sans un sourire encourageant.

— « Au revoir », prononça distinctement Meynestrel, sans relever les yeux.

— « Au revoir », murmura Jacques en se dirigeant vers la porte.

Au moment de franchir le seuil, il eut un mouvement de révolte, et fit brusquement volte-face. Les yeux du Pilote étaient fixés sur lui; ils avaient retrouvé leur feu; le regard était fixe, comme étonné, mais toujours indéchiffrable.

— « Reviens me voir demain », dit alors Meynestrel, très vite. (La voix, aussi, avait retrouvé son timbre ancien, sa fermeté, son élocution rapide.) « Demain, à la fin de la matinée. A onze heures... Et cache-toi. Tu entends? Ne te montre pas. A personne! Que tout le monde ici ignore que tu es revenu. » Brusquement, le visage s'éclaira du plus déconcertant, du plus tendre sourire : « A demain, mon petit. »

« Oui », se dit-il, dès que la porte se fut refermée sur Jacques. « Pourquoi pas, après tout...? »

Ce n'était pas qu'il crût à l'efficacité de ce projet extravagant. La fraternisation des armées ennemies! Plus tard, peut-être : après des mois de souffrances, de massacres !... Mais tout ce qui pouvait démoraliser, semer des germes de révolte, était bon...

« Et je le comprends très bien, ce petit : il a envie d'avoir sa part d'héroïsme, pour finir... »

Il se leva, vint pousser le loquet, et fit quelques pas à travers la pièce.

« L'occasion... », se dit-il, en regagnant son lit. « Une chance qui s'offre, peut-être... Une solution !... »

LXXIX

Jacques appuie sa tête contre la cloison de bois. Le tintamarre du train pénètre son corps, se propage en lui, l'exalte. Il est seul dans ce compartiment de troisième classe. Une température de fournaise, malgré les fenêtres ouvertes. Trempé de sueur, il s'est jeté sur la banquette, du côté de l'ombre... Ce n'est plus le bruit du train qu'il entend, c'est le ronflement d'un moteur... L'avion en plein ciel... Des centaines, des milliers de papiers blancs s'éparpillent dans l'espace...

Le courant d'air qui caresse son front est chaud, mais les battements des stores donnent une illusion de fraîcheur. En face de lui, son sac oscille à tous les cahots : un sac de toile jaune, décoloré, gonflé comme une besace de pèlerin : vieux compagnon, fidèle jusqu'au dernier voyage... Jacques y a entassé, précipitamment, quelques paperasses, un peu de linge; sans choix, avec une totale indifférence. Tout juste s'il a eu le temps d'attraper l'express. Il s'est conformé aux instructions de Meynestrel : il a quitté Genève, en une heure, sans laisser d'adresse, sans avoir vu personne. Depuis le matin, il n'a rien mangé; même pas eu le temps de prendre des cigarettes à la gare. Peu importe. Il est parti. Et, cette fois, c'est bien *le départ :* un départ solitaire, anonyme, — sans retour. N'étaient cette chaleur, ces mouches qui l'énervent, ce bruit d'enclume qui lui martèle le crâne, il se sentirait calme. Calme et fort. L'angoisse, le désespoir des jours qu'il vient de vivre, sont dépassés.

Une seconde, il ferme les yeux. Mais il les rouvre aussitôt. Il n'a besoin d'aucun recueillement pour vivre son rêve...

Il rase des crêtes de collines, s'abaisse vers des vallées bleues, survole des prés, des forêts, des villes. Il est assis dans la carlingue, derrière Meynestrel. A ses pieds s'entassent les manifestes. Meynestrel fait un signe. L'avion s'est rapproché de la terre. Un grouillement de capotes bleues, de pantalons rouges, de tuniques feldgrau... Jacques se baisse, saisit une brassée de tracts, la jette. Le moteur ronfle. L'avion file dans le soleil. Jacques se baisse, se relève, sème sous lui, sans arrêt, la nuée de papillons blancs. Meynestrel le regarde par-dessus l'épaule. Il rit!

Meynestrel... Meynestrel, c'est le point solide autour duquel tourne l'idée de sa mission.

Jacques vient de le quitter. Si différent, ce matin, du Meynestrel d'hier! Le chef d'autrefois! Un torse droit, des gestes précis et vifs. Habillé, chaussé : il venait de sortir. Et, dès l'accueil, ce sourire triomphant! « Ça va! Nous avons de la chance. Tout sera plus facile que je ne pensais. Nous pouvons décoller dans trois jours. » *Nous?* Jacques, qui hésitait encore à comprendre, avait balbutié des mots vagues : « ...certaines vies précieuses... qui sont l'âme d'un groupe... qu'il serait criminel de risquer... » Mais le Pilote avait, d'un coup d'œil, coupé court; et le haussement d'épaules qui accompagnait ce regard dur, qui l'humanisait, semblait dire : « Je ne suis plus bon à rien ni à personne... » Puis il s'était redressé, et, très vite : « Pas de phrases, mon petit... Il faut immédiatement que tu files à Bâle. Pour de multiples raisons. En partant de la frontière, notre avion sera tout de suite sur l'Alsace... Chacun sa tâche : moi, je prépare l'oiseau; toi, les tracts. Etablir le texte, d'abord. Difficile; mais tu as dû y réfléchir. Ensuite l'imprimer. Pour ça, Plattner. Tu ne le connais pas? Voilà un mot pour lui. Il est libraire, dans la Greifengasse. Il a une imprimerie, des gens sûrs. Là-bas, tous parlent aussi bien allemand que français; ils te traduiront ton manifeste; ils te tireront un million d'exemplaires, dans les deux langues, en quelques nuits de travail... Que tout soit prêt, à tout hasard, dès samedi. Trois jours pleins. Pas impossible... N'écris pas. Ni à moi ni à personne : la poste est surveillée. S'il y a quelque chose, je te ferai prévenir par quelqu'un que je sais. L'adresse est là, dans cette enveloppe. Avec d'autres instructions précises. Et quelques cartes... Non, laisse! Tu regarderas ça en route... Donc, rendez-vous, près de la frontière, au point que je choisirai, au jour et à l'heure que je te fixerai... D'accord? » Alors seulement les traits s'étaient adoucis, et la voix avait légèrement fléchi : « Bon. Tu as un train pour Bâle à 12 h 30. » Il s'était avancé, et il avait posé ses deux mains sur les épaules de Jacques : « Je te remercie... Un rude service que tu me rends là... » Son regard s'était voilé. Jacques, l'espace d'une seconde, avait cru que Meynestrel allait le serrer dans ses bras. Mais, au contraire, le Pilote avait retiré ses mains d'un mouvement brusque : « J'aurais fini, fatalement, par un geste idiot. Celui-là, du moins, peut servir. » Et il avait, en boitillant, poussé Jacques vers la porte : « Tu vas manquer ton train. A bientôt! »

Jacques se lève, et s'approche de la fenêtre, pour quêter un peu d'air. Il regarde dehors; mais le paysage familier du lac et des Alpes, sous le soleil d'août, resplendit pour la dernière fois devant ses yeux, sans qu'il le voie.

Jenny... Hier encore, sur la banquette de cet autre train qui l'amenait de Paris, dès que le souvenir de Jenny l'envahissait, une intolérable souffrance lui coupait le souffle. Tenir, encore une fois, entre ses mains la petite tête aux prunelles bleues, enfoncer ses doigts dans cette chevelure, voir, de tout près, chavirer ce regard, s'entrouvrir ces lèvres! Une fois, une fois seulement, sentir encore contre lui ce jeune corps, si souple, si chaud!... Il se levait alors, d'un bond, gagnait le couloir, étreignait de ses poings la barre de la fenêtre, et, les yeux clos, il restait là, tordu, palpitant, offrant son visage à la morsure du vent, de la fumée, des escarbilles... Maintenant, il peut penser à elle, sans souffrir autant. Elle repose dans son souvenir : une morte passionnément aimée. L'irréparable porte en soi son apaisement. Depuis que le but est si proche, tout, — son existence d'hier, Paris, les secousses de la dernière semaine, — tout a pris soudain un tel recul! Il songe à son amour comme à son enfance, comme à un passé révolu que rien ne peut ressusciter. Ce qui lui reste d'avenir, n'est plus qu'un demain fulgurant...

Il laisse retomber le store qu'il avait machinalement soulevé. Il enfonce les mains dans ses poches, et les retire aussitôt, moites. Cette chaleur l'exaspère; cette poussière, ce bruit, ces mouches! Il se rassied, arrache son col, et tapi dans l'angle de la banquette, un bras pendant hors de la fenêtre, il s'efforce de réfléchir.

L'important reste à faire : écrire ce manifeste, dont tout dépend. Il faut que ce soit un éclair dans la nuit, qui atteigne au cœur ces hommes prêts à s'entre-tuer, qui les pénètre d'évidence, et les redresse tous, dans un même élan!

Déjà, des mots, sans lien, s'entrechoquent dans sa tête. Des phrases, même, s'ébauchent, avec des sonorités de meetings :

« Armées ennemies... Pourquoi, ennemies? Français, Allemands... Hasard de naissance... Des hommes, les mêmes! Majorité d'ouvriers, de paysans. Des travailleurs! Travailleurs! Pourquoi ennemis? Nationalités différentes? Mais intérêts identiques! Tout les lie! Tout fait d'eux des alliés naturels!... »

Il tire de sa poche un carnet, un bout de crayon : « Si je notais déjà, à tout hasard, ce qui me vient? »

Français, Allemands. Tous frères! Vous êtes pareils! Et pareillement victimes! Victimes de mensonges imposés! Aucun de vous n'a quitté, de son gré, sa femme, ses enfants, sa maison, son usine, son magasin, son champ, pour servir de cible à d'autres travailleurs pareils à lui! Même horreur de la mort. Même répugnance à tuer. Même conviction que toute existence est sacrée. Même conscience que la guerre est absurde. Même désir de s'évader de ce cauchemar, de retrouver, au plus tôt, femme, enfants, travail, liberté, paix! Et, pourtant, vous voilà aujourd'hui face à face, avec des balles dans vos fusils, stupidement prêts à vous entre-tuer au premier signal, sans vous connaître, sans aucun motif de haine, sans même savoir pourquoi on vous force à devenir des meurtriers!

Le train ralentit et stoppe.

— « Lausanne! »

Mille souvenirs... Sa chambre de sapin blond, à la pension Cammerzinn... Sophia...

Pour n'être pas reconnu, il résiste à la tentation de descendre. Il écarte un peu le rideau. La gare, les quais, le kiosque à journaux... C'est sur le 3e quai, là-bas, qu'il a fait les cent pas, un soir d'hiver, avec Antoine, avant de revenir à Paris pour la mort de son père... Il lui semble que ce voyage avec son frère date de dix ans!

Des gens vont et viennent, dans le couloir, portant des valises, traînant des enfants. Deux gendarmes passent, inspectent le convoi. Un couple âgé entre dans le compartiment et s'installe. L'homme, un vieil ouvrier aux mains durcies par le travail, qui a mis pour voyager ses habits du dimanche, enlève sa veste, sa cravate, s'éponge le front et allume un cigare. La femme a pris la veste, la plie soigneusement et la garde sur ses genoux.

Jacques, enfoncé dans son coin, a repris son carnet. Fébrilement, il griffonne :

En moins de deux semaines, folie collective, démoniaque. L'Europe entière! La presse, les fausses nouvelles. Tous les peuples, grisés par les mêmes mensonges! Ce qui, hier encore, semblait impossible, odieux, est devenu inévitable, nécessaire, légitime!... Partout, les mêmes foules, artificiellement fanatisées, chauffées à blanc, prêtes à se ruer les unes contre les autres, sans savoir pourquoi! Mourir et tuer, devenu synonyme d'héroïsme, de suprême noblesse!... Pourquoi tout ça? Pour qui? Les responsables, où sont-ils?

Les responsables... Il prend dans son portefeuille un feuillet plié. C'est une phrase que Vanheede a extraite pour lui d'un livre sur Guillaume II, une phrase d'un discours prononcé par le Kaiser : *Je suis persuadé que la plupart des conflits entre nations sont le résultat des ma-*

nœuvres et des ambitions de quelques ministres, qui usent de ces moyens criminels, à seule fin de conserver leur pouvoir et d'accroître leur popularité.

« Il faudrait retrouver le texte allemand », se dit-il. « Pour pouvoir leur dire : " Voyez ! Votre Kaiser lui-même !... " Retrouver le texte. Où ? Comment ?... Vanheede ? Impossible d'écrire, Meynestrel a défendu... Retrouver le texte !... A la bibliothèque de Bâle ? Mais, le titre du livre ? Et le temps de chercher... Non... Pourtant !... Retrouver le texte !... » Le sang lui monte à la tête, l'étourdit. « Les responsables... Les responsables... » Il s'agite, change de pose. Ces gens l'exaspèrent. La vieille le suit des yeux, avec étonnement. Elle est assise en face de lui sur la banquette trop haute ; elle porte des bottines noires et des bas blancs ; les cahots balancent ses petites jambes... « Les responsables... Retrouver le texte... » Si la vieille continue à la regarder, il... Elle prend dans son cabas une tranche de pain et des mirabelles ; elle mâche avec lenteur, et crache les noyaux dans le creux de sa main, où brille une alliance. Sur son front, une mouche qu'elle ne paraît pas sentir, va et vient, comme sur un mort... Intolérable !

Il se lève.

Comment retrouver ce texte... A Bâle ? Non, non peine perdue... Trop tard... Il sait qu'il ne le retrouvera pas !

Avide de fraîcheur, il gagne le couloir et s'agrippe des deux mains à la fenêtre. Des nuées sombres coiffent maintenant la chaîne des Alpes. « Il va y avoir de l'orage. Voilà pourquoi il fait si lourd... »

Le lac, vu de haut, a la densité du mercure, son éclat mort. Les vignes sulfatées, qui dévalent jusqu'au rivage, sont d'un bleu de poison.

« Les responsables... Quand on recherche un incendiaire, on se demande d'abord à qui l'incendie profitera... » Il s'éponge la figure, reprend son crayon, et, debout, adossé au chambranle, s'efforçant d'être indifférent à tout, à la vieille, à cette touffeur d'orage, aux mouches, au bruit, aux secousses, au paysage, à tout l'univers hostile, il note, fiévreusement :

Une puissance occulte, l'Etat, a disposé de vous comme le fermier de son bétail!... L'Etat! Qu'est-ce que l'Etat? L'Etat français, l'Etat allemand, sont-ils les représentants authentiques, autorisés, du peuple? les défenseurs des intérêts de la majorité? Non! L'Etat, en France comme en Allemagne, c'est le représentant d'une minorité, c'est le chargé d'affaires d'une association de spéculateurs dont l'argent seul a fait le pouvoir, et qui sont aujourd'hui maîtres des banques, des grandes sociétés, des transports, des journaux, des entreprises d'armement, de tout! Maîtres absolus d'un système social vassalisé, qui sert les avantages de quelques-uns aux dépens du plus grand nombre! Ce système, nous l'avons vu à l'œuvre, ces dernières semaines! Nous avons vu ses rouages compliqués briser une à une toutes les résistances pacifiques! Et c'est lui, aujourd'hui, qui vous jette, baïonnette au canon, sur la frontière, pour la défense d'intérêts qui sont étrangers, qui sont même funestes, à la presque totalité d'entre vous!... Ceux qui vont se faire tuer, ont le droit de se demander à qui profitera leur sacrifice! Le droit, avant de donner leur peau, de savoir à qui, à quoi, ils la donnent!...

Eh bien, les premiers responsables, ce sont ces minorités d'exploiteurs publics, les grands financiers, les grands industriels qui, de pays à pays, se font une concurrence acharnée, et qui n'hésitent pas, aujourd'hui, à immoler le troupeau pour consolider leurs privilèges, pour accroître encore leur prospérité! Une prospérité qui, loin d'enrichir les masses et d'améliorer leur sort, ne servira qu'à assujettir davantage ceux d'entre vous qui échapperont au massacre!...

Mais ces exploiteurs ne sont pas les seuls responsables. En chaque pays, ils se sont assuré, dans le personnel des gouvernements, des soutiens, des auxiliaires... Parmi les responsables, il y a, au second rang, cette poignée d'hommes d'Etat mégalomanes, dénoncés par le Kaiser lui-même...

« Retrouver le texte », se dit-il. « Retrouver le texte... »

...cette poignée de charlatans, de ministres, d'ambassadeurs, de généraux ambitieux, qui, dans l'ombre des diplomaties et des Etats-Majors, par leurs intrigues, leurs manœuvres politiques, ont froidement joué votre vie, sans vous consulter, sans même vous avertir, vous, peuple français,

peuple allemand, qui étiez les enjeux de leurs combines... Car, c'est ainsi : dans cette Europe démocratisée du XXe siècle, aucun peuple n'a su se réserver la direction de sa politique extérieure; et aucun de ces parlements que vous avez élus, qui devraient vous représenter, aucun n'a jamais connaissance de ces engagements secrets, qui, du jour au lendemain, peuvent vous précipiter — tous — dans la tuerie!

Et, derrière ces grands responsables, il y a enfin, en France comme en Allemagne, tous ceux qui, plus ou moins sciemment, ont rendu la guerre possible, soit en favorisant les agiotages de la haute banque, soit en encourageant de leur approbation partisane les ambitions des hommes d'Etat. Ce sont les partis conservateurs, les organisations patronales, la presse nationaliste! Ce sont aussi les Eglises, dont les clergés constituent, en fait, presque partout, une sorte de gendarmerie spirituelle au service des classes possédantes; les Eglises qui, trahissant leurs devoirs surnaturels, sont partout devenues les alliées et les otages des puissances d'argent!

Il s'arrête et tente en vain de se relire. La crispation de ses doigts sur ce bout de crayon, sa fièvre, la position incommode, les cahots, lui font une écriture presque indéchiffrable.

« Faire un tri là-dedans », se dit-il. « Mauvais... Plein de redites... Trop long... Pour convaincre, il faut faire dense et court... Mais, pour qu'*ils* puissent réfléchir, se reprendre, il leur faut bien aussi les données fondamentales!... Difficile! »

Il n'en peut plus d'être debout. Se rasseoir. Etre seul... Il parcourt le couloir, en quête d'un compartiment vide. Tous sont occupés et bruyants. Force lui est de revenir à sa place.

Le soleil, qui commence à baisser, emplit le wagon d'un or rouge, aveuglant. L'homme ronfle, abruti de chaleur, versé sur un coude, son cigare éteint aux lèvres. La vieille, tenant toujours la veste sur ses genoux joints, s'évente avec un journal; l'air fait voleter ses frisons gris. Elle évite le regard de Jacques; mais, à tous moments, il surprend, fixé sur lui, un regard furtif, borné et sévère.

Alors il croise les bras, ferme les yeux, compte jusqu'à cent pour s'obliger au calme. Et brusquement submergé de fatigue, il s'endort.

Il s'éveille en sursaut, stupéfait d'avoir dormi. Quelle heure? Le train ralentit. Où est-on? Ses compagnons de voyage sont debout : l'homme a remis sa veste, rallumé son mégot; la femme cadenasse son cabas... Le cerveau engourdi, Jacques cherche à reconnaître la gare. Berne? Déjà?

— « *Grüetzi* [1] », dit l'homme, en passant devant lui.

Il y a du monde sur le quai. Le train est pris d'assaut. Le compartiment est envahi par une famille loquace, qui parle allemand : la mère, la grand-mère, deux fillettes, une bonne. Les filets plient sous un amoncellement de paniers à provisions, de jouets d'enfants. Les femmes ont des visages fatigués, craintifs. Les fillettes, énervées par la chaleur, se querellent pour occuper les coins libres. Sans doute, des gens que la guerre a surpris en vacances, et qui regagnent leur pays; le père a dû rejoindre son régiment, dès les premiers jours.

Le train repart.

Jacques s'évade dans le couloir, qui est bondé de voyageurs debout; des hommes, pour la plupart.

Sur la gauche, trois jeunes gens, des Suisses, causent à voix haute, en français :

— « Viviani garde la Présidence du Conseil, mais sans portefeuille... » — « Qu'est-ce que c'est que ce Doumergue, qui prend les Affaircs étrangères? »

A droite, deux voyageurs, un jeune étudiant, sa serviette sous le bras, et un homme âgé, à lorgnon, un professeur peut-être, parcourent les journaux.

— « Vous avez vu? » dit l'étudiant, goguenard, en passant à son compagnon le *Journal de Genève*. « Le Pape en a de bonnes! Il vient de lancer un *Appel aux Catholiques du monde!* »

— « Eh bien? » fait l'autre. « Que tu le veuilles ou

1. « Dieu vous garde! » Diminutif de : *Gott grüsse Sie!*

non, il existe encore des millions de catholiques sur terre. L'anathème du Pape? Mais, s'il était formel, retentissant... Et, s'il était lancé *avant* que ça commence...! »

— « Lisez », reprend l'étudiant. « Vous croyez peut-être qu'il condamne solennellement la guerre? qu'il donne tort aux Pouvoirs? qu'il confond, sans distinction, tous les Etats belligérants, dans une même excommunication à grand fracas? Doucement! Et la prudence apostolique? Non, non... Tout ce qu'il trouve à dire, à ces millions de catholiques qui, demain, vont être armés pour tuer, et qui, sans doute, attendent anxieusement ses ordres pour se mettre en règle avec leur conscience — ce n'est pas : « Tu ne tueras point! Refuse! » — ce qui aurait peut-être, en effet, rendu la guerre impossible... Non! Il dit, gentiment : « Allez-y, mes enfants!... Allez-y, mais n'oubliez pas *d'élever vos âmes vers le Christ!* »

Jacques écoute, distrait. Il se souvient tout à coup d'un prêtre mobilisé qu'il a vu quelque part. Où donc? A la gare du Nord, en conduisant Antoine... Un jeune prêtre sportif, à l'œil brillant (du genre « abbé de patronage », « entraîneur de jeunes »), qui portait deux musettes en travers de sa soutane retroussée sur des brodequins d'alpiniste tout neufs, et un petit calot de sergent, coquettement campé sur l'oreille... La gare du Nord, Antoine... Antoine, Daniel, Jenny... Tous ceux que son souvenir évoque involontairement, et tous ces hommes, ces femmes qui l'entourent, font partie du monde dont il n'est plus : ce monde des vivants, pour lesquels l'avenir existe, et qui continuent sans lui leur traversée...

Vers la gauche, les trois jeunes Suisses commentent avec indignation l'ultimatum adressé par l'Allemagne à la Belgique.

Jacques fait un pas vers eux, et prête l'oreille.

— « C'était affiché : un corps d'armée allemand a franchi la frontière belge, cette nuit, et marche sur Liége. »

Un homme, encore jeune, sort d'un compartiment voisin pour se mêler au groupe. Il est Belge. Il regagne en hâte Namur, pour s'engager.

— « Moi, je suis socialiste », déclare-t-il aussitôt. « Mais, justement pour ça, je ne peux pas accepter que la Force écrase le Droit! »

Il parle d'abondance. Il hausse le ton. Il flétrit la Barbarie teutonne; il exalte la Civilisation occidentale.

D'autres voyageurs s'approchent. Tous, également, se montrent révoltés par le cynisme du gouvernement allemand.

— « La Chambre belge a fait réunion ce matin », dit un homme d'une cinquantaine d'années, qui parle le français avec un fort accent tudesque. « Vous croyez que les Socialistes voteront les crédits de défense nationale? »

— « Comme un seul homme, monsieur! » s'écrie le Belge, terrassant son interlocuteur d'un regard flambant de défi.

Jacques n'a soufflé mot. Il sait que le Belge dit vrai. Mais il se rappelle, rageusement, l'attitude des socialistes belges, à Bruxelles, leurs professions de pacifisme intégral... Vandervelde... Jeudi dernier : il n'y a pas six jours!...

— « A Paris aussi », dit l'un des Suisses, « c'est aujourd'hui que la Chambre se réunit pour les crédits de guerre. »

— « A Paris, ce sera pareil! » affirme le Belge, avec feu. « Dans tous les pays alliés, les socialistes voteront les crédits, ça ne fait pas question! Nous avons pour nous la Justice!... Cette guerre, elle nous est imposée. Dans cette lutte contre le militarisme prussien, tout vrai socialiste se doit d'être au premier rang! » Il ne cesse, en parlant, de toiser l'homme au parler germanique, qui se tait.

Au secours de la Patrie menacée! Sus à l'impérialisme allemand! C'est le refrain de tous. Dans les derniers journaux français de gauche que Jacques a lus hier, c'était partout le même mot d'ordre : partout, les socialistes renonçaient à l'opposition. On annonçait hier encore, par-ci, par-là, en banlieue, quelques réunions de sections, mais c'était pour « délibérer sur les moyens de venir en aide aux familles des mobilisés »! La guerre était devenue un fait; un fait accepté sans protestation. Le numéro de *la Guerre sociale* était particulièrement significatif. Gustave Hervé, en première page, avait le front d'écrire : *Jaurès, vous êtes heureux de ne pas assister à l'écroulement de notre beau rêve... Mais je vous plains d'être parti sans avoir vu comment notre race nerveuse, enthousiaste et idéaliste, a accepté d'aller accomplir le douloureux devoir! Vous auriez été fier de nos ouvriers socialistes!...* Et, plus significatif encore était le « Manifeste aux cheminots » lancé par ce Syndicat des Chemins de fer, qui, naguère encore, affirmait si violemment son antinationalisme : *Devant le danger commun s'effacent les vieilles rancunes! Socialistes, Syndicalistes et Révolutionnaires, vous déjouerez les bas calculs de Guillaume, et vous serez les premiers à répondre à l'appel, quand retentira la voix de la République!* « Quelle dérision... », se disait Jacques. « Le voilà réalisé, dans chaque pays, cet accord des partis populaires, qui semblait impossible! Et réalisé justement *par* la guerre! Alors que, s'il avait été réalisé *contre* elle... Quelle dérision! Les partisans de l'Internationale, partout unanimes aujourd'hui à accepter *nationalement* le conflit! Alors que, pour l'empêcher, il aurait suffi, quinze jours plus tôt, qu'ils soient unanimes à décider la grève préventive! » Le seul, le dernier écho d'indépendance, c'est dans un journal anglais, les *Daily News*, que Jacques l'avait trouvé : un article, qui avait le ton d'un manifeste, écrit avant l'ultimatum à la Belgique. On y dénonçait la naissance des premiers courants bellicistes à travers l'opinion britannique; et l'on y proclamait fermement la nécessité, pour l'Angleterre, de se défendre de la contagion, de conserver sa liberté, sa neutralité d'arbitre, de n'intervenir en aucun cas, *même si* l'une des armées ennemies se risquait à violer la frontière belge. Oui... Mais, aujourd'hui, l'Angleterre officielle annonçait qu'elle aussi entrait généreusement dans la danse macabre!

La voix vibrante du socialiste belge s'élève dans le couloir :

— « Jaurès lui-même, serait le premier à donner l'exemple! Jaurès, Monsieur? Mais il courrait s'engager! »

« Jaurès... », se dit Jacques. « Aurait-il empêché les

défections? Aurait-il tenu jusqu'au bout? » Il se revoit soudain, avec Jenny, devant le café de la rue Montmartre... la foule silencieuse amassée dans la nuit... l'ambulance... « C'est aujourd'hui qu'ils l'enterrent », songe-t-il. « Sous des fleurs, des discours, des drapeaux tricolores, des musiques militaires! Ils ont accaparé le grand cadavre, pour le brandir au nom de la Patrie... Ah, si vraiment le cercueil de Jaurès traverse ce Paris qu'on mobilise, sans déclencher l'émeute, c'est que tout est fini, c'est que l'*Internationale ouvrière* est bien morte, et qu'on l'enterre avec lui... »

Oui, pour l'instant, tout est fini, là-bas, dans les villes magnétisées; à l'arrière, oui, tous les ressorts, pour l'instant, sont rompus. Mais, sur la ligne de feu, les malheureux qui ont pris contact avec la guerre, ceux-là, il en est sûr, n'attendent qu'un appel pour rompre l'infernal envoûtement... Une étincelle, et la révolte libératrice éclatera enfin!...

Des phrases décousues s'ébauchent de nouveau dans sa tête : *Vous êtes jeunes, vivants... On vous envoie à la mort... On vous arrache de force votre vie! Et pour en faire quoi? Du capital frais, dans les coffres des grands banquiers!...* Il touche son carnet au fond de sa poche. Mais comment prendre des notes dans ce va-et-vient, dans ce bruit? D'ailleurs, avant vingt minutes, il sera à Bâle. Il faudra partir à la recherche de Plattner, s'enquérir d'un logement, d'un abri où travailler...

Tout à coup, son parti est pris. Il a bien fait de dormir. Il se sent lucide, énergique. Plattner peut attendre. Ce serait stupide de laisser retomber cette fièvre qui le tient. Au lieu de courir la ville, il se réfugiera dans un coin de la salle d'attente; et, ces phrases qui bouillonnent et se pressent dans son cerveau, il les jettera, toutes chaudes, sur le papier... Dans la salle d'attente, ou bien au buffet, — car il meurt de faim.

LXXX

Asile inespéré! La *Restauration Dritterklasse* est si vaste que les clients, pourtant nombreux, n'occupent que le centre du hall : le fond est entièrement désert.

Jacques a choisi, contre le mur, une grande table parmi d'autres grandes tables libres.

Il a retiré son veston, ouvert son col. Il a dévoré une savoureuse portion de veau, généreusement lardée, fricassée dans la poêle et garnie de carottes. Il a bu toute une carafe d'eau glacée.

Au plafond, les ventilateurs ronronnent. La servante a posé devant lui de quoi écrire, près d'une tasse de café qui embaume.

Un garçon circule devant le comptoir, avec un plateau : *Cigaren! cigaretten!* Ah, oui, *cigaretten!*... Après douze heures de privation, la première bouffée est un enchantement! Un bien-être capiteux, un surcroît de vie, courent dans ses veines, font trembler ses mains. Penché sur la table, le front plissé, les yeux clignotants à travers la fumée, il n'attend pas, il ne cherche pas à ordonner les idées qui se pressent. Le tri se fera plus tard, à tête reposée...

Avec une impatience vorace, sa plume, déjà, galope sur le papier :

Français ou Allemands, vous êtes des dupes!

Cette guerre, on vous l'a présentée, dans les deux camps, non seulement comme une guerre défensive, mais comme une lutte pour le Droit des Peuples, la Justice, la Liberté. Pourquoi? Parce qu'on savait bien que pas un ouvrier, pas un paysan d'Allemagne, pas un ouvrier, pas un paysan de

France, n'aurait donné son sang pour une guerre offensive, pour une conquête de territoires et de marchés!

On vous a fait croire, à tous, que vous alliez vous battre pour écraser l'impérialisme militaire du voisin. Comme si tous les militarismes ne se valaient pas! Comme si le nationalisme belliqueux n'avait pas eu, ces dernières années, autant de partisans en France qu'en Allemagne! Comme si, depuis des années, les impérialismes de vos deux gouvernements n'avaient pas couvé les mêmes risques de guerre!... Vous êtes des dupes! On vous a fait croire, à tous, que vous alliez défendre votre patrie contre l'invasion criminelle d'un agresseur, — alors que chacun de vos Etats-Majors, français et allemand, étudiait depuis des années avec la même absence de vergogne, les moyens d'être le premier à déclencher une offensive foudroyante! alors que, dans vos deux armées, vos chefs cherchaient à s'assurer les avantages de cette « agression », qu'ils font mine de dénoncer aujourd'hui chez l'adversaire, pour justifier à vos yeux cette guerre qu'ils préparaient!

Vous êtes des dupes! Les meilleurs d'entre vous croient, de bonne foi, se sacrifier pour le Droit des Peuples. Alors qu'il n'a jamais été tenu compte ni des Peuples ni du Droit, autrement que dans les discours officiels! alors qu'aucune des nations jetées dans la guerre n'a été consultée par un plébiscite! alors que vous êtes tous envoyés à la mort par le jeu d'alliances secrètes, anciennes, arbitraires, dont vous ignoriez la teneur, et que jamais aucun de vous n'aurait contresignées!... Vous êtes tous des dupes! Vous, Français dupés, vous avez cru qu'il fallait barrer la route à l'invasion germanique, défendre la Civilisation contre la menace de la Barbarie. Vous, Allemands dupés, vous avez cru que votre Allemagne était encerclée, que le sort du pays était en jeu, qu'il fallait sauver votre prospérité nationale exposée aux convoitises étrangères. Et tous, Allemands ou Français, chacun de votre côté, pareillement dupes, vous avez cru de bonne foi que, pour vous seuls, cette guerre était une guerre sainte; et qu'il fallait, sans marchander, par amour patriotique, faire à l' « honneur » de votre nation, au « triomphe de la Justice », le sacrifice de votre bonheur, de votre liberté, de votre vie!... Vous êtes des dupes! Contaminés, en quelques jours, par cette excitation factice qu'une propagande éhontée a fini par vous communiquer, à vous tous qui en serez les victimes, vous êtes partis, héroïquement, les uns contre les autres, au premier appel de cette patrie qu'aucun danger réel n'a jamais menacée! sans comprendre que, des deux côtés, vous étiez les jouets de vos classes dirigeantes! sans comprendre que vous étiez l'enjeu de leurs combinaisons, la monnaie qu'ils gaspillent pour satisfaire leurs besoins de domination et de lucre!

Car c'est bien exactement avec les mêmes mensonges que les pouvoirs constitués de France et d'Allemagne vous ont sournoisement dupés! Jamais les gouvernements d'Europe n'avaient encore fait preuve d'un tel cynisme, disposé d'un pareil arsenal d'habiletés, pour multiplier les calomnies, suggérer les fausses interprétations, répandre des nouvelles mensongères, semer par tous les moyens cette panique et cette haine dont ils avaient besoin pour faire de vous leurs complices!... En quelques jours, sans même avoir eu le temps d'évaluer l'énormité du sacrifice qu'on exige de vous, vous avez été encasernés, équipés, poussés au meurtre et à la mort. Toutes les libertés supprimées d'un coup! Dans les deux camps, le même jour, l'état de siège! Dans les deux camps, une dictature militaire impitoyable! Malheur à qui voulait raisonner, demander des comptes, se reprendre! D'ailleurs, qui de vous l'aurait pu? Vous ignoriez tout de la vérité! Votre seul moyen d'information, c'était la presse officielle, le mensonge national! *Toute-puissante, au cœur de ses frontières fermées, cette presse n'a plus qu'une voix : la voix de ceux qui vous commandent, et pour qui votre ignorance crédule, votre docilité, sont indispensables à la réalisation de leurs buts!*

Votre faute a été de ne pas prévenir l'incendie, quand il en était encore temps! Vous pouviez empêcher la guerre! Votre écrasante majorité d'hommes pacifiques, vous n'avez su ni la grouper, ni l'organiser, ni la faire intervenir à temps, d'une façon cohérente, décisive, pour déclencher contre les incendiaires un mouvement de toutes les classes, de tous les pays, et imposer aux gouvernements d'Europe votre volonté de paix.

Maintenant, partout, une discipline implacable a muselé les consciences individuelles. Partout, vous êtes réduits à la soumission aveugle de l'animal auquel on a bandé les yeux... Jamais l'humanité n'a connu un pareil abaissement, un pareil étouffement de l'intelligence! Jamais les forces du pouvoir n'ont imposé aux esprits une si totale abdication, ni si férocement bâillonné les aspirations des masses!

Jacques aplatit dans sa soucoupe le bout de cigarette qui lui a brûlé la lèvre. D'un geste hargneux, il repousse sa mèche, et essuie la sueur qui lui coule des joues. *...ni si férocement bâillonné les aspirations des masses!* La sonorité des mots vibre à ses oreilles, comme s'il les avait lui-même lancés, à pleine voix, sur le front de ces deux armées que son hallucination dresse réellement devant lui. Il éprouve le même transport, le même tumulte du sang, le même surpassement de soi, qui l'électrisaient naguère, quand un subit élan de foi, de colère et d'amour, un fougueux besoin de convaincre et d'entraîner, le projetaient à la tribune d'un meeting, et l'élevaient soudain au-dessus des foules, et de lui-même, dans l'ivresse de l'improvisation.

Sans allumer la cigarette qu'il a sortie de sa poche, il laisse de nouveau courir sa plume :

Maintenant, vous y avez goûté, à leur guerre!... Vous avez entendu le sifflement des balles, le gémissement des blessés, des mourants! Maintenant, vous pouvez pressentir l'horreur des charniers qu'ils vous préparent!... Déjà, la plupart d'entre vous, dégrisés, sentent trembler au fond de leur conscience la honte de s'être si docilement laissé duper! Le souvenir des êtres chers que vous avez si vite abandonnés, vous hante. Sous la pression des réalités, vos esprits se réveillent, vos yeux s'ouvrent, enfin! Que sera-ce quand vous aurez compris pour quels mobiles inavouables, pour quels espoirs de conquête et d'hégémonie, pour quels profits matériels qui vous sont étrangers et dont aucun de vous ne profitera jamais, la féodalité d'argent, maîtresse de cette guerre, vous impose ce monstrueux sacrifice!

Qu'a-t-on fait de votre liberté? de votre conscience? de

votre dignité d'hommes? Qu'a-t-on fait du bonheur de vos foyers? Qu'a-t-on fait de l'unique trésor qu'un homme du peuple ait à défendre : sa vie? L'Etat français, l'Etat allemand, ont-ils donc le droit de vous arracher à votre famille, à votre travail, et de disposer de votre peau, contre vos intérêts personnels les plus évidents, contre votre volonté, contre vos convictions, contre les plus humains, les plus purs, les plus légitimes, de vos instincts? Qu'est-ce qui leur a donc donné, sur vous, ce monstrueux pouvoir de vie et de mort? Votre ignorance! Votre passivité!

Un éclair de réflexion, un sursaut de révolte, et vous pouvez encore être délivrés!

En êtes-vous incapables! Attendrez-vous sous les obus, dans les pires souffrances physiques et morales, cette paix lointaine, — et que vous ne connaîtrez jamais, vous, les premiers immolés de la guerre; cette paix, que vos cadets eux-mêmes, levés en masse pour vous remplacer sur la ligne de feu, et sacrifiés comme vous en de « glorieuses » hécatombes, ne connaîtront sans doute pas plus que vous?

Ne dites pas qu'il est trop tard, que vous n'avez plus qu'à vous résigner à la servitude et à la mort! Ce serait lâche!

Et ce serait faux!

L'instant est venu, au contraire, de secouer le joug! Cette liberté, cette sécurité, cette joie de vivre, tout ce bonheur qui vous a été ravi, il ne tient qu'à vous *de le reconquérir!*

Ressaisissez-vous, pendant qu'il en est temps encore!

Vous avez un moyen, un moyen infaillible, de mettre vos Etats-Majors dans l'impossibilité de poursuivre un jour de plus cette tuerie fratricide. C'est de refuser de combattre! *C'est de saper brutalement leur autorité, par une révolte collective.*

Vous le pouvez!

Vous le pouvez, DÈS DEMAIN!

Vous le pouvez, et sans courir aucun risque de représailles!

Mais, à cela, trois conditions, trois conditions formelles : que votre soulèvement soit subit, *qu'il soit* général, *qu'il soit* simultané.

Subit, parce qu'il ne faut pas laisser à vos chefs le temps de prendre contre vous des mesures préventives. Général et simultané, parce que le succès dépend d'une action de masse, *déclenchée en même temps des deux côtés de la frontière! Si vous étiez cinquante à refuser le sacrifice, vous seriez impitoyablement passés par les armes. Mais si vous êtes cinq cents, si vous êtes mille, dix mille; si vous vous soulevez* en masse, *dans les deux camps à la fois; si votre cri de révolte se propage de régiment en régiment, dans vos deux armées; si vous faites éclater enfin l'invulnérable force du nombre,* aucune répression n'est possible! *Et les chefs qui vous commandent, et les gouvernements qui vous ont donné ces chefs, se trouveront, en quelques heures, paralysés pour jamais au centre même de leur puissance criminelle!*

Comprenez tous la solennité de cet instant décisif! Pour récupérer d'un coup votre indépendance, trois seules conditions, et qui, toutes trois, ne dépendent que de vous seuls : il faut que votre soulèvement soit SUBIT; *il faut qu'il soit* UNANIME *et* SIMULTANÉ!

Son masque est contracté, sa respiration courte, sifflante. Il s'arrête une seconde. Il lève vers la verrière un regard d'aveugle. Le monde réel s'est évanoui : il ne voit rien; il n'entend rien; il n'a plus, devant lui, que cette multitude de condamnés, qui tournent vers lui des visages d'angoisse.

Français et Allemands! Vous êtes des hommes, vous êtes des frères! Au nom de vos mères, de vos femmes, de vos enfants; au nom de ce qu'il y a de plus noble en vous; au nom de ce souffle créateur, venu du fond des siècles, et qui tend à faire de l'homme un être juste et raisonnable, — saisissez cette dernière chance! Le salut est à votre portée! Debout! Tous debout! avant qu'il soit trop tard!

Cet appel, il est lancé, aujourd'hui, en même temps, à des milliers et des milliers d'exemplaires, en France et en Allemagne, sur tout votre front de combat. En cet instant précis, dans vos deux camps, des milliers de cœurs français et allemands frémissent du même espoir que le vôtre, des milliers de poings se dressent, des milliers de consciences optent pour la révolte, pour le triomphe de la vie contre le mensonge et la mort!

Courage! N'hésitez pas! Tout retard peut vous perdre! Il faut que votre révolte éclate DÈS DEMAIN!

DEMAIN, *à la même heure,* AU LEVER DU SOLEIL, *Français et Allemands,* TOUS ENSEMBLE, *dans un même élan d'héroïsme et d'amour fraternel, levez vos crosses, jetez vos armes, poussez le même cri de délivrance!*

TOUS DEBOUT, POUR REFUSER LA GUERRE! POUR IMPOSER AUX ETATS LE RÉTABLISSEMENT IMMÉDIAT DE LA PAIX!

TOUS DEBOUT, DEMAIN, AU PREMIER RAYON DU SOLEIL!

Il repose avec précaution la plume sur l'encrier.

Lentement, son buste se redresse et s'écarte un peu de la table. Il a les yeux baissés. Ses mouvements sont doux, feutrés, silencieux, comme s'il craignait d'effaroucher des oiseaux. Toute contraction a disparu de son visage. Il semble attendre quelque chose : l'accomplissement d'un phénomène interne, un peu douloureux : que le cœur s'apaise, que les tempes cessent de battre si fort; que la lente remontée vers le réel s'achève sans trop de souffrance...

Machinalement, il rassemble les feuillets, couverts d'une écriture fébrile, sans ratures. Il les plie, les palpe, et, soudain les appuie fortement contre sa poitrine. Sa tête se penche un instant; et, sans remuer les lèvres, il murmure, comme une prière : « ...rendre la paix au monde... »

LXXXI

Plattner a logé Jacques chez une vieille femme, la mère d'un militant nommé Stumpf, que le Parti vient d'envoyer en mission. Jacques est censé habiter Bâle pour travailler à la librairie. Plattner lui a remis un contrat en règle. Si la police, particulièrement active depuis les déclarations de guerre, s'inquiète de sa présence, il pourra témoigner d'un emploi et d'un domicile.

La maison de la vieille Mme Stumpf, située au Petit-Bâle, dans le misérable quartier de la Erlenstrasse (non loin de cette Greifengasse où Plattner tient boutique), est une bicoque branlante, vouée à la démolition. La chambre louée à Jacques forme un étroit couloir, percé à chaque bout d'une fenêtre basse. L'une d'elles, sans vitres, donne sur la cour; il monte de là un relent de clapier et d'épluchures aigries. L'autre s'ouvre sur la rue, et, par-delà la chaussée, sur les docks charbonneux de la gare badoise; c'est-à-dire, ou presque, sur territoire allemand. Au plafond, et si proches du crâne qu'on peut les atteindre avec la main, s'alignent les tuiles du toit, chauffées par le soleil, et d'où émane, jour et nuit, une température de plaque de four.

C'est là, dans cette étuve, que Jacques s'enferme pour rédiger son manifeste, sans autre alimentation que le bol de café et la tartine de graisse d'oie que la vieille maman Stumpf dépose le matin, devant sa porte. Parfois, autour de midi, la température devient si accablante, qu'il essaie de s'évader. Mais, à peine dehors, il regrette son taudis et se hâte d'y revenir. Il regagne son lit, et, là, trempé de sueur, les yeux clos, il renoue impatiemment le fil de son rêve... L'avion, en plein ciel... Assis derrière Meynestrel, il se penche, saisit des poignées de tracts, les éparpille dans l'espace... Le ronflement du moteur se confond avec le battement de son sang. Il est lui-même cet oiseau aux grandes ailes; ces messages, c'est de son cœur qu'il les arrache, pour les semer sur le monde... *Tous debout, demain, au lever du soleil!* Les diverses parties du manifeste s'ordonnent. Les phrases, peu à peu, ont pris forme. Il les sait par cœur. Couché, l'œil au plafond, il se les récite sans trêve. Parfois, il se lève d'un bond, court à sa table pour modifier un paragraphe, pour déplacer un mot. Puis il se rejette sur son lit. A peine s'il aperçoit le misérable décor qui l'entoure. Il vit parmi ses visions... Il voit l'insurrection gagner de proche en proche... Dans les postes de commandement les officiers se concertent, les secrétaires s'affolent; les communications avec le Quartier Général sont coupées. Toute répression est impossible. S'ils veulent encore sauver la face, les gouvernements n'ont qu'un recours : conclure en hâte un armistice...

Son obsession le ronge, et le soutient, — comme le café. Il ne peut plus se passer ni de l'une ni de l'autre. Dès qu'une obligation urgente — une brève visite à la librairie, ou seulement une rencontre, sur le palier, avec Mme Stumpf, — l'éloigne un instant de son rêve, il en éprouve un tel malaise qu'il revient précipitamment à sa solitude, comme un intoxiqué à sa drogue. Et, aussitôt, il retrouve l'apaisement. Pas seulement du calme : une sorte de fièvre heureuse, active... Par instants, lorsque le tremblement de sa main l'oblige à cesser d'écrire, ou lorsqu'il découvre, dans le fragment de miroir cloué au mur, son visage luisant de sueur, ses joues creuses, son regard d'ensorcelé, pour la première fois de sa vie, l'idée lui vient qu'il est malade. Et cette idée le fait sourire. Qu'importe, maintenant?... Pendant la nuit brûlante où il ne parvient pas à fermer l'œil, où il se lève toutes les dix minutes pour tremper une serviette dans le broc et rafraîchir son corps brûlant, il s'attarde un moment à sa lucarne. Elle s'ouvre sur l'Enfer : dans le vacarme des docks, une armée de cheminots grouille sous la lueur des lampes à arc; plus loin, dans la nuit des dépôts, des camions brimbalent, des wagonnets se heurtent, des lumières courent en tous sens; et, plus loin encore, sur les voies qui luisent, d'interminables convois sifflent et manœuvrent avant de s'enfoncer les uns derrière les autres dans les ténèbres de l'Allemagne en guerre. Alors, il sourit. Lui seul sait. Lui seul sait que toute cette agitation est vaine... La délivrance approche... Le tract est écrit. Kappel en fera la version allemande. Plattner le tirera à douze cent mille exemplaires... A Zurich, Meynestrel prépare l'avion... Quelques jours encore! *Tous debout, demain, au premier rayon du soleil...*

Après quarante-huit heures de ce travail fiévreux, il se décide enfin à remettre son manuscrit. « Etre prêt pour samedi », a dit Meynestrel...

Plattner est dans l'arrière-boutique de sa librairie, entre ses ballots de papier, derrière sa double porte de moleskine, tous volets clos malgré l'heure matinale. C'est un homme d'une quarantaine d'années, petit, laid, mal portant; il souffre de l'estomac; il a mauvaise haleine. Son thorax bombe comme un bréchet; son crâne déplumé, son cou maigre, son nez proéminent et busqué, font penser à un vautour. Ce nez en porte-à-faux semble entraîner le corps en avant, déplacer son centre de gravité, et causer à Plattner une sensation constante de déséquilibre, dont la gêne se communique à l'interlocuteur. Il faut s'habituer à cette disgrâce pour remarquer l'ingénuité du regard, la cordialité du sourire, la douceur d'une voix un peu traînante, facilement émue, et où frémit à tout instant comme une offre d'amitié. Mais Jacques n'a que faire d'un nouvel ami. Il n'a plus besoin de personne.

Plattner est effondré. Il vient de recevoir confirmation du vote des crédits de guerre, au Reichstag, par la fraction parlementaire des social-démocrates.

— « Le vote des socialistes français, à la Chambre, c'est déjà un coup terrible », avoue-t-il, d'une voix qui tremble d'indignation. « On s'y attendait un peu, malgré tout, depuis l'assassinat de Jaurès... Mais les Allemands! Notre social-démocratie, la grande force prolétarienne d'Europe!... C'est le coup le plus dur de toute ma vie de militant!... J'avais refusé de croire les journaux officiels. J'aurais donné ma main à couper que les social-démocrates tiendraient tous à infliger une condamnation publique au gouvernement impérial. Quand j'ai lu la note d'agence, j'ai ri! Ça puait le mensonge, la manœuvre! Je me disais : " Demain, nous aurons le démenti! " Et voilà. Aujourd'hui, il faut se rendre à l'évidence. Tout est exact, sinistrement exact!... Je ne sais pas encore bien comment les choses se sont passées, dans la coulisse. Peut-être qu'on ne saura jamais la vérité... Rayer prétend que Bethmann-Hollweg aurait convoqué Sudekum, le 29, pour obtenir de lui que la social-démo cesse son opposition... »

— « Le 29? » dit Jacques. « Mais, le 29, à Bruxelles, le discours de Haase!... J'y étais! Je l'ai entendu! »

— « Possible. Rayer affirme que, quand la délégation allemande est rentrée à Berlin, le comité directeur s'était réuni, et la soumission était faite : le Kaiser savait qu'il pouvait décréter la mobilisation; qu'il n'y aurait pas de soulèvement, pas de grève générale!... Il a dû y avoir une réunion du Parti, en séance secrète, avant le vote du Reichstag, et ça n'a pas dû aller tout seul! Je me refuse encore à douter de gens comme Liebknecht, comme Ledebour, comme Mehring, comme Clara Zetkin, comme Rosa Luxembourg! Seulement, ils ont dû être en minorité : il leur a fallu s'incliner devant les traîtres... Le fait est là : ils ont voté *pour!* Trente années d'efforts, trente années de luttes, de lentes et difficiles conquêtes, annulées par un vote! En un jour, la social-démo perd, pour jamais, l'estime du monde prolétarien... A la Douma, au moins, les socialistes russes, eux, ont fait front contre le tsarisme! Ils ont tous voté contre la guerre! Et en Serbie aussi! J'ai vu la copie d'une lettre de Douchan Popovitch : l'opposition socialiste serbe reste indomptable! Le seul pays, pourtant, où le patriotisme de la défense nationale aurait eu quelque excuse!... Même en Angleterre, la résistance est opiniâtre : Keir-Hardie ne désarme pas. J'ai là le dernier numéro de l'*Independent Labour Party*. Ça, c'est tout de même réconfortant, n'est-ce pas? Il ne faut pas désespérer. Nous nous ferons entendre, peu à peu. On ne nous bâillonnera pas tous... Tenir bon, envers et contre tout! L'Internationale renaîtra! Et, ce jour-là, elle demandera des comptes à ceux qui avaient sa confiance, et que la dictature impérialiste a si facilement domestiqués! »

Jacques le laisse parler. Il approuve, par contenance. Après ce qu'il a vu, à Paris, aucune défection ne peut plus l'étonner.

Il a pris, sur la table, quelques journaux qui traînent, et il parcourt distraitement les manchettes : *Cent mille Allemands marchent sur Liége... L'Angleterre mobilise sa flotte et son armée... Le grand-duc Nicolas est nommé généralissime de toutes les forces russes... La neutralité de l'Italie est officielle... Victorieuse offensive des Français en Alsace.*

En Alsace... Il repousse les journaux. Offensive en Alsace... *Vous y avez goûté, maintenant, à leur guerre! Vous avez entendu le sifflement des balles...* Tout ce qui le distrait de son exaltation solitaire lui est devenu insupportable. Il a hâte de quitter la librairie, de se retrouver dehors.

Dès que Plattner a pris le manuscrit en main pour commencer le calibrage, il s'évade, sans se laisser retenir.

Bâle s'offre à sa flânerie. Bâle, et son Rhin majestueux, et ses squares, ses jardins; Bâle, tout en contraste d'ombre et de lumière, de chaleur torride et de fraîcheur; Bâle, et ses fontaines d'eau vive où il baigne ses mains moites... Le soleil d'août embrase le ciel. De l'asphalte, monte une odeur âcre. Il grimpe, par une ruelle, vers la cathédrale. La place du Münster est déserte: aucune voiture, aucun passant... Congrès de Bâle, 1912!... L'église semble fermée. Son grès rouge a le ton d'une ancienne poterie : une vieille châsse en terre cuite, abandonnée au soleil, monumentale et inutile.

Sur la terrasse qui domine le Rhin, sous les marronniers où l'ombre de l'abside et le courant du fleuve entretiennent un air frais, Jacques est seul. D'en bas, d'une école de natation cachée dans la verdure, montent, par intervalles, des cris joyeux. Il est seul avec des ramiers. Il suit un instant des yeux leurs battements d'ailes. Non, jamais encore jusqu'à son arrivée à Bâle, lui, le solitaire, il ne s'est senti aussi définitivement seul. Et, cet isolement total, il en savoure avec ivresse la dignité, la puissance : il n'en veut plus sortir, maintenant, jusqu'à ce que tout soit consommé... Brusquement, sans motif, il pense : « Je n'agis ainsi que par désespoir. Je n'agis ainsi que pour me fuir... Je ne torpillerai pas la guerre... Je ne sauverai personne, personne d'autre que moi-même... Mais, moi, je me sauverai, en m'accomplissant! » Il se lève pour chasser la pensée terrible. Il serre les poings : « Avoir raison, contre tous! Et s'évader, dans la mort... »

Par-dessus le parapet rougeâtre, au-delà de la courbe que fait le fleuve entre ses ponts, au-delà des clochers, des cheminées d'usines du Petit-Bâle, tout cet horizon fertile et boisé, baigné de chaudes vapeurs, c'est l'Allemagne, l'Allemagne d'aujourd'hui, l'Allemagne mobilisée, que le branle-bas des armes a déjà bouleversée jusqu'au cœur. L'envie le prend d'aller, vers l'ouest, jusqu'au point où le tracé de la frontière se confond avec le Rhin; où, de la berge suisse, il aura devant lui, à portée d'un jet de pierre, cette rive, cette campagne, qui sont allemandes.

Par le quartier de Saint-Alban, il gagne la banlieue. Le soleil s'élève lentement dans un ciel implacable. De pimpantes villas, entre leurs haies taillées, avec leurs tonnelles, leurs balançoires, leurs parterres qu'arrosent des hélices d'eau, leurs tables blanches couvertes de nappes à fleurs, témoignent que rien encore n'est venu troubler la quiétude de ce coin encore immunisé, au centre de l'Europe en feu. Pourtant, à Birsfelden, il croise un bataillon de soldats suisses, en tenue de manœuvre, qui descend de la Hard, en chantant.

La forêt est sur la droite, allongée au flanc de la colline. Une longue allée, parallèle au fleuve, s'ouvre à travers une futaie de jeunes arbres. Une plaque indique : *Waldhaus*. Sur la gauche, à travers les troncs, la plaine verte, ensoleillée, au centre de laquelle coule le Rhin sinueux; sur la droite, au contraire, c'est l'épaisseur de la forêt, une montagne boisée et abrupte. Jacques avance lentement, sans penser à rien. Après ces jours de réclusion, après cette marche au soleil entre des maisons, l'ombre des arbres est apaisante. Au sommet d'un vallonnement, appuyée aux bois, une construction blanche apparaît dans la verdure. « Ce doit être ça, leur *Waldhaus* », se dit-il. Un sentier dévale en biais, jusqu'à la berge. La proximité de l'eau rend le sous-bois plus frais encore. Et, brusquement, il se trouve au bord du Rhin.

L'Allemagne est là, séparée seulement de lui par cette coulée lumineuse.

L'Allemagne est déserte. Plus un pêcheur sur la grève d'en face. Plus un cultivateur, dans les prés plantés de pommiers qui s'étendent entre le fleuve et ce petit hameau de toits rouges, groupés autour d'un clocher, au pied des collines qui barrent l'horizon. Mais Jacques distingue, au bord de l'eau, dissimulé dans les broussailles du talus, le faîte d'une cabane rayée aux trois couleurs : guérite de sentinelles? poste de territoriaux? de douaniers?...

Il ne peut plus s'arracher à ce paysage chargé de signes mystérieux. Les mains au fond des poches, les pieds plantés dans le sol humide, il regarde posément l'Allemagne et l'Europe. Jamais il n'a été aussi calme, aussi lucide, aussi conscient, qu'à cette minute où, seul sur la berge du fleuve historique, il ouvre tout grands les yeux sur le monde et sur son destin. Un jour viendra, un jour viendra!... Les cœurs battront à l'unisson, l'égalité des hommes se fera, dans la dignité, la justice... Peut-être faut-il que l'humanité passe encore par cette étape de haine et de violence, avant d'atteindre l'ère de la fraternité... Pour lui, il n'attendra pas. Il est arrivé à l'heure de sa vie où il ne peut plus différer le don total. S'est-il jamais donné, totalement donné? A une pensée, à un ami, à une femme?... Non... Pas même, peut-être, à l'idée révolutionnaire. Pas même à Jenny! A tout don il a toujours soustrait une part importante de lui. Il a traversé la vie en amateur inquiet, qui choisit parcimonieusement les parts de lui-même qu'il abandonne. Maintenant seulement, il connaît le don où tout l'être se consume... Le sentiment de son sacrifice le brûle comme une flamme. Fini, le temps où il frôlait sans cesse le désespoir; où il luttait chaque jour contre des velléités d'abdication! La mort consentie n'est pas une abdication : elle est l'épanouissement d'une destinée!

Des pas, dans le sous-bois, lui font tourner la tête. C'est un couple de bûcherons, vêtus de noir : l'homme porte une serpe à sa ceinture; la femme tient un panier au bout de chaque bras. Ils ont le visage sévère des paysans suisses, cette bouche coulissée, ce regard soucieux, qui semblent affirmer que la vie n'est pas une promenade. Tous deux examinent avec méfiance cet inconnu qu'ils ont surpris, à demi caché par les arbustes, scrutant de tous ses yeux ce qui se passe *là-bas*.

Il a eu tort de s'aventurer si près de la frontière. Sans doute y a-t-il au bord du fleuve des rondes de douaniers, des patrouilles de soldats... Il rebrousse hâtivement chemin, et pique à travers le taillis pour rejoindre la grand-route.

Le même jour, à la fin de l'après-midi, Jacques se rend au rendez-vous que lui a fixé Kappel.

— « Attends-moi dehors », lui dit l'étudiant. « C'est l'heure de la contre-visite, et le patron n'est pas là. Je te rejoins dans dix minutes. »

L'*Hôpital des Enfants* est situé dans le Petit-Bâle, sur le quai. Un jardin étroit, enclos de palissades de lierre, entoure le bâtiment à trois étages, tout en terrasses comme un sanatorium, où les lits des enfants malades sont exposés au soleil. Des sièges blancs sont disposés à l'ombre des massifs. Jacques s'assied. Calme, silence... Un silence qui n'est troublé que par le pépiement des oiseaux et celui, plus lointain, des petits malades que Jacques aperçoit à travers les branches : par instants, un buste frêle se soulève sur les oreillers, à l'approche d'une infirmière.

Quelques bonds sur le gravier. C'est Kappel. Sans blouse et sans lunettes, mince et souple dans sa chemise bouffante et son pantalon de toile, il a l'air d'un gamin. Les cheveux sont très blonds, le visage légèrement évidé aux joues, la peau tendre et lisse. Mais le front étonne : sillonné de rides, c'est le front d'un vieil homme; et le regard aussi, d'un bleu métallique, frangé de cils blonds, surprend par sa maturité.

Kappel est sujet allemand. Il poursuit, à Bâle, ses études de médecine. Il n'a même pas songé à rentrer en Allemagne. Le jour, il travaille avec le professeur Webb, au *Kinderspital;* le soir, la nuit, il milite pour la révolution. Familier de la librairie, c'est lui que Plattner a chargé de faire, en un après-midi, la version allemande. Il ne sait d'ailleurs rien des projets de Jacques; il n'a posé aucune question.

Il sort de sa poche quatre pages d'une écriture gothique fine et pointue. Jacques s'empare des feuillets, les examine, les palpe. Ses doigts tremblent. Va-t-il parler, va-t-il confier à l'Allemand cet espoir qui l'étouffe?... Non. L'heure n'est plus aux épanchements, aux échanges pour ces quelques jours qui lui restent, il s'est condamné à la solitude des forts. Il replie les feuilles et dit seulement :

— « Merci. »

Discrètement, Kappel parle déjà d'autre chose. Il a tiré un journal de sa poche.

— « Tiens, écoute : *A l'Académie des Sciences morales, M. Henri Bergson, président en exercice, a pris la parole pour saluer les correspondants belges de la compagnie. La lutte engagée contre l'Allemagne, a-t-il déclaré, est la lutte même de la Civilisation contre la Barbarie...* Bergson!... »

Brusquement il s'interrompt, comme s'il prêtait l'oreille à un bruit éloigné.

— « C'est bête... Tu n'es pas comme ça, toi? Vingt fois par jour, — le soir surtout, la nuit, — je crois entendre des coups sourds... le bruit de la canonnade, en *Elsass...* »

Jacques détourne les yeux. En Alsace... Oui, là-bas, l'hécatombe est commencée... Une pensée nouvelle lui vient à l'esprit. A l'heure où tant de victimes innocentes sont vouées au plus obscur, au plus passif des sacrifices, il éprouve de la fierté à être demeuré maître de son destin; à s'être choisi sa mort : une mort qui sera, tout ensemble, un acte de foi et sa dernière protestation d'insurgé, sa dernière révolte contre l'absurdité du monde; — une entreprise délibérée, qui portera son empreinte, qui sera chargée de la signification précise qu'il aura voulu lui donner.

Kappel, après une pause, s'est remis à parler :

— « A Leipzig, quand j'étais petit, nous habitions près de la prison. Un soir d'hiver, — il neigeait, — la nouvelle est venue dans le quartier que le bourreau était arrivé dans la ville, et qu'il y aurait une exécution à l'aube. Je me souviens : je suis parti, sans rien dire, dans la nuit. Il était tard. La neige était épaisse. Personne dehors. Un silence effrayant sur la place. J'ai fait, tout seul, plusieurs fois, le tour de la prison. Je ne pouvais plus rentrer chez moi. Je ne pouvais plus ôter de ma tête cette pensée : un homme est là, de l'autre côté de ce mur, un homme que les hommes ont condamné à mourir, et qui le sait, et qui attend... »

Quelques heures plus tard, assis au fond de la *Kaffeehalle*, dans la fumée de mauvais cigares, le dos appuyé à la fraîche céramique du poêle, Jacques trempe du pain dans un bol de café au lait, et rêve. L'ampoule nue, pendue au plafond comme une araignée au bout de son fil, l'aveugle, l'hypnotise, l'isole.

Plattner avait insisté pour le retenir à souper; mais Jacques, prétextant la fatigue, après avoir corrigé en hâte les épreuves du manifeste, a fui. Il a de l'affection pour le libraire, et se reproche de ne pouvoir la lui témoigner davantage. Mais ces bavardages révolutionnaires pleins de lieux communs et de redites, ces regards accaparants, cette main griffue que Plattner pose à tout instant sur le bras de son interlocuteur, cette façon qu'il a de baisser soudainement son bec vers sa poitrine difforme et d'achever ses phrases, tout bas, comme un conspirateur qui livre son secret, exaspèrent Jacques, excèdent sa résistance nerveuse.

Ici, il est bien. La *Kaffeehalle* est sombre, pauvre, meublée de grandes tables sans nappes, d'un bois usé, déteint, qui a la couleur et le grain de la mie de seigle. On y sert, à bon marché, des portions de saucisses aux choux, des assiettées de soupe, des tranches de pain taillées en pleine miche. A défaut de solitude, Jacques y a trouvé l'isolement; l'isolement dans une promiscuité anonyme de troupeau.

Car la *Kaffeehalle* ne désemplit pas. Bizarre public, où se coudoient toutes les catégories des isolés, des célibataires, des vagabonds. Il y a là des étudiants, familiers et bruyants, qui connaissent le prénom des servantes, commentent les dépêches du soir, discutent tour à tour de Kant, de la guerre, de bactériologie, de machinisme, de prostitution. Il y a là des commis de magasins, des employés de bureau, décemment vêtus, silencieux, séparés les uns des autres par une circonspection semi-bourgeoise qui leur pèse mais qu'ils ne savent pas surmonter. Il y a là des êtres malingres, difficiles à classer, ouvriers en chômage, convalescents évacués de l'hôpital et autour desquels flotte encore un relent d'iodoforme; des infirmes, comme cet aveugle qui s'est installé près de la porte et garde sur ses genoux serrés une trousse d'accordeur. Il y a, devant le comptoir, une table ronde où dînent trois femmes de l'Armée du Salut, qui ne mangent que des légumes, et qui se font, en chuchotant, d'édifiantes confidences sous leurs cabriolets à brides. Il y a aussi toute une clientèle flottante d'épaves, de pauvres hères charriés là par on ne sait quelles vagues de misère, de crime ou de déveine, et qui, heureux d'être assis, sans trop oser lever les yeux, courbant le dos sous un passé qui semble lourd, tassent longuement leur pain dans leur soupe avant d'y enfoncer la cuillère. L'un d'eux vient de prendre place vis-à-vis de Jacques. Leurs yeux se sont croisés, une seconde. Et, dans le regard de l'homme, Jacques a surpris au passage cette lueur fugitive, qui est comme le langage chiffré de tous les hors-la-loi : échange intime, mystérieux, à l'extrémité des antennes visuelles; pointe d'interrogation, brève comme l'éclair, toujours la même : « Et toi? Es-tu aussi un inadapté, un réfractaire, un traqué? »

Une jeune femme paraît sur le seuil et fait quelques pas dans la salle. La silhouette est svelte; la démarche, légère. Elle porte un tailleur noir. Ses yeux cherchent quelqu'un, qu'elle n'aperçoit pas.

Jacques a baissé la tête. Son cœur, soudain, lui fait mal. Et brusquement, il se lève, pour s'évader.

Jenny... Où est-elle, à cette heure? Que devient-elle sans lui, sans autres nouvelles que cette carte laconique, expédiée de la frontière française? Il pense souvent à elle, ainsi, dans un élan subit et court, passionné, nostalgique; et, chaque nuit, dans son insomnie, il la serre convulsivement entre ses bras... L'idée du besoin qu'elle a de lui, l'idée de l'avenir incertain auquel il l'abandonne, lui sont, lorsqu'il y songe, intolérables. Mais il y songe peu. Jamais la tentation de conserver sa vie pour elle ne l'a effleuré. Le sacrifice de son amour ne lui apparaît pas comme une trahison : plus il se sent fidèle à lui-même, à celui que Jenny a aimé, plus, au contraire, il se sent fidèle à son amour.

Dehors, c'est la nuit, la rue, la solitude. Il court presque, sans savoir où il va. Un chant sourd, viril, accompagne sa marche. Il a échappé à Jenny. Il est hors de portée. Il n'y a plus en lui que l'ardente, la purifiante exaltation des héros.

LXXXII

Chaque jour, son premier soin est de se conformer à l'une des instructions que lui a remises Meynestrel : *Passer tous les matins, entre huit et neuf, devant le nº 3 de la Jungstrasse. Le jour où tu verras une étoffe rouge à la fenêtre, tu demanderas Mme Hultz et tu lui diras : « Je viens pour la chambre à louer. »*

Le dimanche 9 août, en passant vers huit heures et demie au coin de la Elssäserstrasse et de la Jungstrasse, son cœur, une seconde, cesse de battre : du linge sèche au balcon du nº 3; et parmi les nappes, les serviettes, en belle vue, pend un morceau d'andrinople rouge!

La rue, à cet endroit, est faite de petites maisons, séparées de la chaussée par un jardinet. Comme il met le pied sur le perron du nº 3, la porte vire sur ses gonds. Dans la pénombre de l'entrée, il distingue la silhouette d'une femme blonde, en corsage clair, les bras nus.

— « Madame Hultz? »

Sans répondre, elle repousse derrière lui la porte d'entrée. Le couloir forme un étroit vestibule, assez obscur, clos de toutes parts.

— « Je viens pour la chambre à louer... »

Elle glisse prestement deux doigts dans son corsage, et en tire quelque chose qu'elle lui tend : un minuscule rouleau de papier-pelure comme en transportent les pigeons voyageurs. En l'enfouissant au fond de sa poche, Jacques a le temps de sentir sur le papier la tiédeur d'une chair.

— « Je regrette, il y a erreur », fait la jeune femme, à voix haute.

En même temps, elle a rouvert la porte sur le perron.

Il cherche son regard, mais elle a baissé les yeux. Il s'incline et sort. La porte se referme aussitôt.

Quelques minutes plus tard, penché avec Plattner sur une cuvette photographique, il déchiffre le texte du message :

Renseignements sur opérations en Alsace incitent à agir sans attendre. Ai fixé notre vol au lundi 10. Départ quatre heures du matin. Pendant la nuit de dimanche à lundi, transportez tracts sur hauteurs nord-est de Dittingen. Voir carte-frontière éditée par Etat-Major français. Tirer ligne droite entre G de Burg et D de Dittingen. Point du rendez-vous est situé à égale distance de G et D, sur plateau découvert dominant chemin de terre. Guetter avion dès la fin de la nuit. Si possible, étaler draps blancs sur le terrain pour aider atterrissage. Apportez cinquante litres essence.

— « Cette nuit... », murmure Jacques, en se tournant vers le libraire; son visage n'exprime que du saisissement.

Plattner est né conspirateur. Cet infirme, prématurément vieilli dans le commerce des livres, possède l'imagination fertile, la prompte décision, d'un chef de bande. Son penchant naturel pour le danger et l'aventure a toujours tenu, dans son dévouement au parti révolutionnaire, autant de place que ses convictions.

— « Nous avons suffisamment réfléchi là-dessus, depuis deux jours », dit-il aussitôt. « Il faut s'en tenir à ce que nous avons décidé. Reste l'exécution. Laisse-moi faire. Mieux vaut que tu te montres le moins possible. »

— « Mais, la camionnette? L'auras-tu ce soir? Et le conducteur?... Qui préviendra Kappel? Tu sais qu'il faut être plusieurs, pour porter rapidement les tracts jusqu'à l'avion... »

— « Laisse-moi faire », répète Plattner. « Tout sera prêt, comme convenu. »

Certes, s'il était livré à ses seules ressources, Jacques aurait, aussi bien que Plattner, pris les initiatives nécessaires. Mais, après ces quelques jours d'isolement, d'inaction, dans l'état de faiblesse physique où il se trouve, c'est un soulagement pour lui de céder au despotisme du libraire.

Celui-ci a déjà prévu tous les détails. Parmi les militants de sa section, il connaît un garagiste, d'origine polonaise, auquel on peut faire confiance. Pour le rejoindre, il saute sur sa bicyclette, laissant Jacques seul dans l'arrière-boutique, devant la petite cuve où flotte encore la lettre de Meynestrel.

Pendant l'heure qu'il demeure là, à attendre, Jacques ne fait aucun mouvement. Il a demandé au libraire une carte d'état-major, l'a dépliée sur ses genoux, a trouvé Burg et Dittingen; puis, tout s'est brouillé devant ses yeux. Le fardeau de ses pensées l'écrase, au point, presque, de l'empêcher de penser. Depuis une semaine, il vivait dans son rêve, uniquement obsédé par le but. Ce n'est qu'incidemment qu'il songeait à lui-même, au sort qui lui est destiné. Le voici brutalement placé en face de l'action, du geste qu'il va accomplir dans quelques heures, et qui, pour lui, sera le dernier. Il se répète, comme un automate : « Cette nuit... Demain... demain, à l'aube... l'avion. » Mais sa pensée est : « Demain, tout sera fini. » Il sait qu'il ne reviendra pas. Il sait que Meynestrel poussera le vol au plus loin, jusqu'à l'épuisement des réserves d'essence. Après... Après, qu'adviendra-t-il? L'avion, abattu dans les lignes?... L'avion, capturé?... Le conseil de guerre, français ou allemand?... De toutes façons, pris sur le fait : exécution, sans jugement... Cabré d'horreur, atrocement lucide, il serre, un instant, son front entre ses mains : « La vie est l'unique bien. La sacrifier est fou. La sacrifier est un crime, le crime contre nature! Tout acte d'héroïsme est absurde et criminel!... »

Brusquement, un calme étrange se fait en lui. La vague d'épouvante est passée... Elle lui a fait franchir comme un cap : il aborde un autre rivage, il contemple un autre horizon... La guerre, jugulée peut-être... La révolte, la fraternisation, l'armistice!... « Et même si ça ne réussit pas, quel exemple! Quoi qu'il arrive, ma mort est un *acte*... Relever l'honneur... Être fidèle... Fidèle, et utile... *Utile*, enfin ! Racheter ma vie, l'inutilité de ma vie... Et trouver la grande paix... »

C'est, maintenant, une détente dans tous ses membres, un sentiment de repos, presque de douceur : comme une satisfaction mélancolique... Il va enfin déposer le faix... Il va en avoir terminé avec ce monde difficile, décevant; avec l'être difficile, décevant, qu'il a été... Il pense à la vie sans regret; à la vie, à la mort... Sans regret, mais avec une stupeur animale, hébétée, si absorbante, qu'il ne peut fixer son esprit sur rien d'autre... La vie, la mort...

Plattner le retrouve, à la même place, les coudes sur les genoux, la tête dans les paumes. Il se lève machinalement et dit, à mi-voix : « Ah, si le socialisme n'avait pas trahi...! »

Plattner a ramené le garagiste, un homme grisonnant, au masque placide et résolu.

— « Voilà Andrejew... Sa camionnette est prête. Il nous conduira. On mettra les tracts, l'essence, dans le fond... Kappel est prévenu. Il arrive... On partira à la tombée de la nuit... »

Mais Jacques, que l'arrivée des deux hommes a tiré de sa torpeur, exige, pour plus de sûreté, qu'on reconnaisse la route, au jour. Andrejew approuve.

— « Viens, je te mène là-bas », propose-t-il à Jacques. « Je prendrai ma petite auto découverte : comme ça, nous aurons l'air de deux qui promènent... »

— « Mais, le ficelage des tracts? » dit Jacques au libraire.

— « Presque fini... Une heure de travail... Ça sera fait pour ton retour. »

Jacques prend la carte et suit Andrejew.

Plattner les attend dans sa cave, en achevant avec Kappel l'empaquetage du chargement.

Le tract est imprimé sur quatre pages — deux, en français; deux, en allemand — et tiré sur un papier spécial, léger et résistant. Jacques a fait diviser ces douze cent mille tracts en rames de deux mille exemplaires, chaque rame tenue par une mince bande de papier qu'on peut rompre d'un coup d'ongle. Le poids total dépasse à peine deux cents kilos. Se conformant aux instructions de Jacques, Plattner, aidé de Kappel, réunit ces rames par paquets de dix : soixante paquets, liés chacun par une ficelle dont le nœud à boucle est facile à défaire d'une seule main. Et, pour rendre plus aisé le transport de ces soixante paquets, Jacques s'est procuré de grands sacs de toile comme en utilisent les postiers. Tout le chargement se réduit à six sacs, pesant chacun une quarantaine de kilos.

A cinq heures, l'auto du Polonais est de retour.

Jacques est inquiet, fébrile :

— « Ça va très mal... La route par Metzerlen est surveillée... Impossible : douaniers, petits postes... L'autre, par Laufen, est bonne jusqu'à Röschenz. Mais là, il faut prendre un chemin de terre, impraticable... La camionnette ne passerait pas... Il faut renoncer à l'auto... Il faut trouver une charrette... une charrette de cultivateur, tirée par un cheval... Ça passera partout, et ça n'attirera pas l'attention. »

— « Une charrette? » dit Plattner. « Facile... » Il tire un carnet de sa poche et compulse ses listes. « Viens avec moi », dit-il à Andrejew. « Vous deux, restez là, pour achever la mise en sac. »

Il paraît si sûr de lui que Jacques consent à ne pas les accompagner.

— « Je n'ai besoin de personne pour ficeler les derniers ballots », dit l'Allemand à Jacques, dès qu'ils sont seuls. « Repose-toi, tâche de dormir un peu... Non? » Il s'approche et lui prend le poignet : « Tu as le mal de fièvre », déclare-t-il, après un instant. « Quinine? » Et comme Jacques refuse d'un haussement d'épaules : « Alors, ne reste pas dans ce trou sans air, qui pue la colle... Va promener un peu! »

La Greifengasse est encombrée de familles endimanchées, qui flânent. Jacques se mêle au flot, jusqu'au pont. Là, il hésite, tourne à gauche et descend sur le quai. « J'ai de la chance... une belle fin de journée... » Il se redresse, et parvient à sourire. Ne pas penser, se raidir... « Pourvu qu'ils trouvent une charrette... Pourvu que tout se passe bien... »

Le trottoir qui longe la berge est presque désert; il domine de haut la nappe mouvante, dont le couchant fait une coulée de vermeil. Au bas du talus, sur le chemin de halage, des baigneurs profitent des derniers rayons du soleil. Jacques s'arrête une minute : l'air est d'une douceur qui fait mal; les torses nus dans l'herbe ont un éclat si tendre... Des larmes lui viennent aux yeux. Il reprend sa marche. Maisons-Laffitte, les bords de la Seine, les baignades, l'été, avec Daniel...

Par quels chemins, quels détours, la destinée a-t-elle conduit jusqu'à ce dernier soir l'enfant de jadis? Suite de hasard? Non. Certes, non!... Tous ses actes se tiennent. Cela, il le sent, il l'a toujours confusément senti. Son existence n'a été qu'une longue et spasmodique soumission à une orientation mystérieuse, à un enchaînement fatal. Et maintenant, c'est l'aboutissement, l'apothéose. Sa mort resplendit devant lui, semblable à ce coucher de soleil glorieux. Il a dépassé la peur. Il obéit à l'appel, sans vaine crânerie, avec une tristesse résolue, enivrante, tonique. Cette mort consciente est bien l'achèvement de cette vie. Elle est la condition de ce dernier geste de fidélité à soi-même... de fidélité à l'instinct de révolte... Depuis son enfance, il dit : non! Il n'a jamais eu d'autre façon de s'affirmer. Pas : Non à la vie... Non au monde!... Eh bien, voici son dernier refus, son dernier : Non! à ce que les hommes ont fait de la vie...

Il arrive, sans s'être aperçu du chemin, sous le pont de Wettstein. En haut, passent des véhicules, des tramways, — des vivants. Un square, en contrebas, s'ouvre comme un asile de silence, de verdure, de fraîcheur. Il s'assied sur un banc. De petites allées tournent autour des pelouses et des massifs de buis. Des pigeons roucoulent sur les branches basses d'un cèdre. Une femme, en tablier mauve, jeune encore, avec un corps de fillette mais un visage usé, est assise de l'autre côté de l'allée. Devant elle, dans une voiture d'enfant, dort un nouveau-né : un fœtus, aux cheveux rares, au teint cireux. La femme mord goulûment dans une tranche de pain; elle regarde au loin, dans la direction du fleuve; de sa main libre, qui est frêle comme une main d'enfant, elle balance distraitement la voiture délabrée, dont toutes les jointures grincent. Le tablier mauve est déteint, mais propre; le pain est beurré; l'expression de la femme est paisible, presque satisfaite; rien ne révèle un excès de pauvreté, et toute la misère du siècle, pourtant, s'étale là, si insoutenable, que Jacques se lève et fuit.

A la librairie, Plattner vient de rentrer.

Il a l'œil brillant, et bombe le thorax :

— « J'ai ce qu'il faut! Une voiture bâchée. Le chargement y sera invisible. Une bonne jument de trait. Andrejew conduira, il a été garçon de ferme, en Pologne... On mettra plus longtemps, mais on est sûr de passer partout. »

LXXXIII

Minuit sonne au clocher de la Heiliggeistkirche. Une charrette de maraîcher traverse au pas les rues désertes du faubourg sud, et gagne la grand-route d'Aesch.

Sous la bâche épaisse, bouclée de tous côtés, l'obscurité est complète. Plattner et Kappel, assis à l'arrière, parlent à voix basse, la main devant la bouche. Kappel fume; on voit par instants se déplacer le feu de sa cigarette.

Jacques s'est glissé tout au fond. Calé entre deux ballots de tracts, les épaules pliées, serrant ses genoux entre ses mains jointes, replié sur lui-même dans le noir, il s'efforce, pour vaincre sa fébrilité, de demeurer immobile et les yeux clos.

La voix de Plattner lui arrive, étouffée :

— « Maintenant, mon vieux Kappel, pensons à nous. Un avion, à cette heure-là... Pourrons-nous tranquillement repartir, tous les trois, dans notre carriole, sans être inquiétés, sans qu'on nous demande ce que nous faisons là? Qu'est-ce que tu crois, toi? » ajoute-t-il, en se penchant vers le fond de la voiture.

Jacques ne répond pas. Il pense à l'atterrissage... Ce qui adviendra ensuite, sur terre, aux survivants...!

— « D'autant plus », continue Plattner, loquace, « que, même si nous dissimulons la charrette dans les buissons..., il faut renvoyer Andrejew et la voiture avant l'arrivée de l'avion, tout de suite après le déchargement, pour qu'il rejoigne la grand-route avant le jour. »

Jacques se voit déjà dans l'avion... Il se penche hors de la carlingue... Les papiers blancs tournoient dans le vide. Des prairies, des bois, des troupes massées... Les tracts, par milliers, s'éparpillent sur la campagne... Des balles crépitent. Meynestrel se retourne. Jacques voit son visage ensanglanté. Son sourire semble dire : « Tu vois, nous leur apportons la paix, et ils nous canardent !... » L'avion, touché à l'aile, descend, en vol plané... Les journaux en parleront-ils ? Non, la presse est muselée. Antoine ne saura pas. Antoine ne saura jamais.

— « Et nous, alors ? » dit Kappel.

— « Nous ? Dès que l'avion sera chargé, nous décamperons, chacun de notre côté, comme nous pourrons ! »

— « *All right!* » fait Kappel.

La voiture doit être en terrain plat, la jument s'est mise au petit trot. La carriole, haut suspendue et peu chargée, bringuebale sur ses ressorts, et ce balancement monotone, dans la nuit, invite au silence, au sommeil. Kappel éteint sa cigarette, et allonge ses jambes sur les ballots.

— « Bonsoir. »

Au bout d'un instant, Plattner grommelle :

— « Andrejew est idiot. A ce train-là, on va arriver trop tôt, tu ne crois pas ? »

Kappel ne répond rien. Plattner se tourne vers Jacques :

— « Plus nous serons en avance, plus nous risquons d'être remarqués, tu ne crois pas ?... Tu dors ? »

Jacques n'a pas entendu. Il est debout, au centre de la salle. Il est vêtu de ce bourgeron de treillis qu'il portait au pénitencier. Devant lui, en demi-cercle, les officiers du conseil de guerre. La tête haute, il parle en martelant chaque syllabe : « Je sais ce qui m'attend. Mais j'use du dernier droit qui me reste : vous ne m'exécuterez pas sans m'avoir entendu ! » C'est la grande salle moyenâgeuse d'un palais de justice, avec un plafond compliqué, à caissons peints rehaussés d'or. Le général qui préside est juché, au milieu du prétoire, sur un siège élevé. C'est M. Faîsme, le directeur du pénitencier de Crouy. Engagé volontaire, sans doute, et général... Toujours le même, jeune et blond, avec ses joues rondes, rasées de près et poudrées, et ses lunettes qui brillent, qui cachent son regard. Il porte coquettement son dolman noir à brandebourgs, garni d'astrakan. Au-dessous de lui, côte à côte à une petite table, deux vieux invalides, la poitrine constellée de médailles. Ils écrivent, sans arrêt; sous la table, leurs pilons de bois sont tendus en avant. « Je ne cherche pas à me défendre! On n'a pas à se défendre d'avoir agi selon ses convictions. Mais il faut que ceux qui sont ici entendent, de la bouche d'un homme qui va mourir, la vérité... » Sa main étreint la balustrade demi-circulaire plantée devant lui dans le sol. Ceux qui sont ici... Il sent derrière lui des gradins à perte de vue, des gradins de vélodrome, surchargés de spectateurs. Jenny est venue. Elle est assise, seule, au bout d'un banc, pâle, absente, avec son tablier mauve et une voiture d'enfant. Mais il évite de tourner la tête. Il ne parle pas pour elle. Il ne parle pas non plus pour cette multitude étrangement silencieuse, dont l'attention pèse, comme un fardeau, sur sa nuque. Il ne parle pas pour cette rangée d'officiers qui braquent leurs yeux sur lui. Il parle uniquement pour M. Faîsme, qui l'a si souvent humilié jadis. Il fixe passionnément le visage impassible sans pouvoir, un seul instant, accrocher son regard. Les yeux sont-ils seulement ouverts? L'éclat des lunettes, l'ombre du képi empêchent d'en être sûr. Jacques se rappelle si bien la lueur mauvaise, au fond des petits yeux gris! Non, il semble bien à l'aspect figé des traits, que les paupières soient obstinément baissées. Comme il se sent seul, devant le directeur! Seul au monde avec son chien, ce barbet boiteux qu'il a trouvé dans les docks de Hambourg... Si Antoine venait, il forcerait bien M. Faîsme à ouvrir les yeux. Comme il se sent seul! Seul contre tous! Général, officiers, invalides, et cette foule anonyme, et Jenny elle-même, tous voient en lui un accusé qui a des comptes à rendre. Dérision! Il est plus grand, plus pur, qu'aucun de ceux qui s'arrogent le droit de le juger! C'est contre la société entière qu'il fait front... « Il y a une loi supérieure à la vôtre : celle de la conscience. Ma conscience parle plus haut que tous vos codes... J'avais le choix entre un absurde sacrifice sur vos champs de bataille et le sacrifice dans la révolte, pour la libération de ceux que vous avez dupés. J'ai choisi! J'ai accepté de mourir : mais pas à votre service! Je meurs, parce que c'est l'unique moyen que vous m'avez laissé de lutter jusqu'au bout pour la seule chose qui continue à compter pour moi, en dépit de vos excitations à la haine : la fraternité entre les hommes! » A la fin de chacune de ses phrases, la petite rampe, scellée au sol, vibre sous son poing crispé. « J'ai choisi! Je sais ce qui m'attend! » La brusque vision d'un peloton de soldats qui le mettent en joue le fait frissonner. Au premier rang, il a reconnu Pagès et Jumelin. Il relève la tête, et se retrouve dans la salle. L'image du peloton a été si précise, qu'une crispation du visage le fait encore grimacer; mais il réussit à faire de cette grimace un rictus hautain. Il regarde l'un après l'autre les officiers. Il regarde M. Faïsme; il le regarde fixement, comme il faisait jadis lorsqu'il cherchait, avec un mélange d'angoisse et de défi, à deviner ce que cachaient les silences du directeur. Il jette, d'une voix mordante : « Moi, je sais ce qui m'attend! Mais, vous autres, le savez-vous? Vous vous croyez les plus forts? Aujourd'hui! Sur un signe, avec quelques balles, oui, vous pourrez vous enorgueillir de m'avoir fait taire. Mais vous n'arrêterez rien en me supprimant! Mon message me survit! Demain, il portera des fruits que vous ne soupçonnez pas! Et, même si mon appel n'avait pas d'écho, les peuples, noyés par vous dans le sang, ne tarderont pas à comprendre et à se ressaisir! Après moi, vous verrez se lever contre vous des milliers d'hommes pareils à moi, forts de leur conscience et du sentiment de leur solidarité! En face de vous et de vos institutions criminelles, se dressent une réalité humaine et une force spirituelle devant lesquelles vos pires moyens de répression sont vains! Le progrès, l'avenir du monde, travaillent infailliblement contre vous! Le socialisme international est en marche! Qu'il ait trébuché, cette fois, c'est possible. Et vous avez sauvagement profité de son faux pas. Oui, vous avez réussi votre mobilisation! Mais ne vous illusionnez pas sur cette piètre victoire! Vous ne renverserez pas, à votre profit, l'ordre des choses. C'est l'internationalisme, qui fatalement, triomphera de vous! qui triomphera sur toute la terre! Et ce n'est pas avec mon cadavre, que vous lui barrerez le chemin! » Ses yeux fouillent le masque de M. Faîsme. Masque aveugle, masque de cire. Vague sourire de bouddha, d'une indifférence impénétrable... Jacques tremble de colère. Coûte que coûte, prendre contact avec cet homme, qui est son ennemi! Avoir, une fois au moins, forcé son regard! Il crie, brutalement : « Monsieur le directeur, regardez-moi! »

— « Qu'est-ce qu'il y a? Que dis-tu? Tu m'as appelé? » demande Plattner.

Les paupières du général se soulèvent. Un regard sans âme : le regard que le moribond d'hôpital rencontre dans les yeux de l'infirmier professionnel, pour qui l'homme entré en agonie n'est déjà plus qu'un cadavre à ensevelir... Et, tout à coup, une pensée atroce traverse l'esprit de Jacques : « Il fera tuer aussi mon chien. Par Arthur, le gardien, puisqu'il l'a pris pour ordonnance!... »

— « Qu'est-ce que tu dis? » répète Plattner.

Comme Jacques ne répond pas, il allonge la main dans l'obscurité, et lui touche la jambe. Jacques ouvre les yeux. Mais ce qu'il voit, d'abord, ce n'est pas la voûte de la bâche, c'est le plafond de la cour d'assises, avec ses caissons dorés. Enfin, il reprend conscience : Plattner, les ballots de tracts, la carriole...

— « Tu m'as appelé? » répète Plattner.

— « Non. »

— « On ne doit plus être loin de Laufen », remarque le libraire, après un silence. Puis, renonçant à vaincre le mutisme de Jacques, il se tait.

Kappel, couché sur le plancher de la voiture, dort d'un sommeil d'enfant.

De temps à autre, Plattner se dresse, et, par la fente de la bâche, il cherche à regarder dehors. Au bout d'un instant, il annonce, à mi-voix :

— « Laufen! »

La charrette, au pas, traverse la ville déserte. Il est deux heures.

Une vingtaine de minutes s'écoulent encore. Puis la jument s'arrête.

Kappel sursaute :

— « Quoi? Qu'est-ce qui se passe? »

— « Chut! »

La voiture vient de traverser Röschenz. Il faut maintenant quitter la vallée : à la sortie du village, la route se continue par un chemin de terre abrupt, plein de fondrières desséchées. Andrejew est descendu de son siège. Il éteint les lanternes, et saisit la jument par la bride. L'équipage repart.

Des cahots secouent la voiture; les ressorts, les arceaux de bois gémissent. Jacques, Plattner et Kappel s'emploient à empêcher le chargement de glisser d'un côté à l'autre de l'étroite caisse. Ces heurts, ce bruit ont éveillé dans la mémoire de Jacques un rythme, une phrase musicale, tendre et nostalgique, et que, d'abord, il ne reconnaît pas... L'étude de Chopin! Jenny... Le jardin de Maisons-Laffitte... Le salon de l'avenue de l'Observatoire... Le soir, si proche, si lointain, où, sur sa prière, Jenny s'est mise au piano...

Enfin, après une grande demi-heure, nouvel arrêt. Andrejew vient déboucler les courroies de la bâche :

— « On y est. »

Silencieusement, les trois hommes sautent de la voiture.

Il n'est que trois heures. La nuit, bien qu'étoilée, est encore très noire. Pourtant, déjà, vers l'est, le ciel commence à pâlir.

Andrejew attache la jument au tronc d'un petit arbre. Plattner, maintenant, se tait : il semble moins assuré que dans la librairie; il cherche à percer du regard l'obscurité qui l'entoure. Il murmure :

— « Mais où est-il votre plateau? »

— « Viens », dit Andrejew.

Les quatre hommes gravissent un talus planté d'arbustes. Au sommet de la pente, au bord du plateau, Andrejew, qui marche devant, s'arrête. Il souffle un instant, pose une main sur l'épaule de Plattner, tend l'autre dans le noir, et explique :

— « A partir de là, — tu verras, tout à l'heure — il n'y a plus d'arbres. C'est ça le plateau. Celui qui l'a choisi, tu sais, il connaît son affaire. »

— « Maintenant », conseille Kappel, « il faut vivement décharger la voiture, pour qu'Andrejew puisse repartir. »

— « Allons-y! » fit Jacques, à voix haute. La fermeté de cette voix le surprend lui-même.

Ils redescendent tous quatre le talus. Le transport des sacs, des bidons, s'effectue en quelques minutes, malgré l'escarpement qui sépare le plateau du chemin.

— « Dès qu'il fera moins noir », dit Jacques, en déposant à terre un paquet de toiles blanches, « nous étalerons les draps sur le plateau, en trois ou quatre points éloignés du centre, pour l'atterrissage. »

— « Maintenant, toi, file avec ta guimbarde! » grogne Plattner, en s'adressant au Polonais.

Andrejew, tourné vers les trois hommes, reste quelques secondes immobile. Puis il fait un pas vers Jacques. On ne distingue pas l'expression de ses traits. Jacques, spontanément, tend les mains. Il est trop ému pour parler; il éprouve soudain, pour cet homme qu'il ne reverra plus, une tendresse que l'autre ne soupçonnera jamais. Le Polonais saisit les mains tendues, et, se penchant, il baise Jacques à l'épaule, sans un mot.

Son pas résonne en dévalant la pente. Un miaulement d'essieux : la voiture tourne sur place. Puis, plus rien... Andrejew doit refermer la bâche, ou vérifier le harnais avant de regrimper sur son siège... Enfin la charrette s'ébranle, et le grincement des roues, le gémissement des ressorts, le pas sourd des sabots dans le sol sableux, d'abord distincts, s'évanouissent progressivement dans la nuit. Sans échanger une parole, Plattner, Kappel et Jacques, coude à coude, debout au bord du talus, attendent, plongeant leurs regards dans les ténèbres, vers le bruit qui s'éloigne. Lorsqu'il n'y a plus rien à écouter que le silence, Kappel, le premier, se retourne vers le plateau, et s'allonge nonchalamment sur le sol. Plattner vient s'asseoir à côté de lui.

Jacques est resté debout. Plus rien à faire, maintenant. Attendre le lever du jour, l'avion... L'inaction forcée le livre, de nouveau, à son angoisse. Ah, qu'il aurait souhaité vivre seul ces derniers moments... Pour fuir ses compagnons, il fait quelques pas, devant lui. « Tout va bien, jusqu'ici... Meynestrel, maintenant... On l'entendra de loin... Dès qu'il fera moins nuit, les draps... » L'obscurité est toute frémissante de crissements d'insectes. Rongé de fièvre, titubant de fatigue, tendant à la fraîcheur de la nuit son visage en sueur, il va et vient, au hasard, sur le plateau, trébuchant contre les aspérités du sol, tournant en rond pour ne pas trop s'éloigner de Plattner et de Kappel, dont, par instants, il perçoit dans l'ombre les voix chuchotantes. Enfin, les jambes rompues par cette déambulation d'aveugle, il se laisse glisser à terre, et ferme les yeux.

Il a reconnu, à travers l'épaisseur des murs, ce pas qui glisse sur les dalles. Il savait que Jenny trouverait un moyen de s'introduire dans la prison, de se frayer encore une fois un chemin jusqu'à lui. Il l'attendait, il l'espérait, et pourtant il ne veut pas... Il se débat... Qu'on ferme les portes! Qu'on le laisse seul!... Trop tard! Elle vient. Il la voit, à travers les barreaux. Elle avance vers lui, du fond de ce long couloir blanc de clinique, elle glisse vers lui, à demi cachée sous ce voile de crêpe qu'elle n'a pas le droit de relever devant lui. *Ils* le lui ont défendu... Jacques la regarde, sans faire un mouvement d'accueil... Il ne cherche pas à l'approcher; il ne cherche plus de contact avec personne : il est de l'autre côté des grilles... Et maintenant, sans qu'il sache comment, il tient entre ses paumes, à travers le crêpe, la petite tête ronde, qui tremble. Sous le voile, il distingue les traits crispés. Elle demande, tout bas : « Tu as peur? » — « Oui... » Ses dents claquent si fort qu'il a de la peine à articuler ses mots. « Oui, mais personne ne le saura, que toi. » D'une voix surprise et paisible, d'une voix chantante qui n'est pas vraiment la sienne, elle murmure : « Pourtant, c'est la fin... l'oubli de tout, la paix... » — « Oui, mais tu ne sais pas ce que c'est... Tu ne peux pas comprendre... » Derrière lui, quelqu'un est entré dans la cellule. Il n'ose pas tourner la tête; il crispe les épaules... Tout s'efface. On lui a fixé un bandeau sur les yeux. Des poings le poussent. Il marche. Un air frais glace la sueur sur son cou. Ses pieds foulent du gazon. Le bandeau lui couvre les yeux, mais il *voit* distinctement qu'il traverse l'esplanade de Plaimpalais, encadrée de troupes. Peu importe les soldats. Il ne pense plus à rien, ni à personne. Il n'a d'attention que pour cet air léger qui l'environne, cette douceur de la nuit finissante et du jour qui naît. Les larmes ruissellent sur ses joues. Il tient haut sa tête aux yeux bandés, et il marche. Il marche à pas fermes, mais par saccades, comme un pantin désarticulé, parce qu'il ne commande plus à ses jarrets, et que le sol lui semble creusé de trous où il enfonce. Peu importe. Il avance. Des rumeurs ont autour de lui un mugissement ininterrompu et doux, comme la chanson du vent. Chaque pas le rapproche du but. Et il lève à deux mains devant lui, comme une offrande, quelque chose de fragile qu'il lui faut porter sans faux pas, jusqu'au bout... Derrière son épaule, quelqu'un ricane... Meynestrel?...

Lentement, il rouvre les yeux. Au-dessus de lui, le firmament, où déjà les constellations s'effacent. La nuit s'achève; elle s'éclaire et se colore là-bas, vers l'est, derrière les crêtes dont la ligne se découpe sur un ciel jeune, poudré d'or.

Il n'a pas le sentiment d'un réveil : il a tout oublié de son cauchemar. Son sang bat avec force. Son esprit est lucide, nettoyé comme un paysage après la pluie. L'action approche : Meynestrel va venir. Tout est prêt... Dans sa tête sonore, où les pensées s'enchaînent avec netteté, la phrase de Chopin, de nouveau, s'élève, comme un accompagnement en sourdine, d'une déchirante douceur. Il tire de sa poche son carnet, et en arrache une page qu'il confiera à Plattner. Sans voir ce qu'il écrit, il griffonne :

« Jenny, seul amour de ma vie. Ma dernière pensée, pour toi. J'aurais pu te donner des années de tendresse. Je ne t'ai fait que du mal. Je voudrais tant que tu gardes de moi une image... »

Un choc amorti, suivi d'un second, vient d'ébranler la terre, sous lui. Il s'arrête, indécis. C'est une suite d'explosions lointaines qu'il entend et qu'il perçoit en même temps par tous ses membres collés au sol. Soudain, il comprend : le canon!... Il fourre le carnet dans sa poche, et se lève d'un bond. Au bord du plateau, près du talus, Plattner et Kappel sont déjà debout. Jacques les rejoint en courant :

— « Le canon! Le canon d'Alsace! »

Rassemblés, ils s'immobilisent, le cou tendu, l'œil ouvert et fixe. Oui : c'est la guerre, là-bas, qui attendait la première lueur de l'aube pour reprendre... De Bâle, ils ne l'avaient pas encore entendue...

Et, tout à coup, tandis qu'ils retiennent leur souffle, de l'autre bout de la terre, un bruit différent les fait se retourner, tous trois, en même temps. Ils s'interrogent des yeux. Aucun d'eux n'ose encore nommer ce bourdonnement à peine perceptible, et qui, pourtant, de seconde en seconde, s'amplifie. La canonnade se poursuit, au loin, à intervalles réguliers; mais ils ne l'entendent plus. Tournés vers le sud, ils scrutent ce ciel pâle qu'emplit maintenant le ronronnement de l'insecte invisible...

Brusquement, ensemble, leurs bras se lèvent : un point noir a surgi par-dessus les crêtes de Hoggerwald. Meynestrel!

Jacques crie :

— « Les repères! »

Chacun d'eux saisit un drap, et s'élance vers un point différent du plateau.

C'est Jacques qui a le plus long trajet à faire. Il court, butant contre les mottes de terre, serrant contre lui le drap plié. Il ne pense plus à rien d'autre qu'à atteindre à temps l'extrémité du plateau. Il n'ose pas perdre une seconde à lever la tête pour suivre le vol de l'avion, dont le grondement l'assourdit, et qui, déjà, décrivant des cercles d'oiseau de proie, semble fondre sur lui pour le cueillir et l'emporter.

LXXXIV

Malgré le vent glacial qui lui cingle la figure, lui emplit les narines, la bouche, lui donne la sensation qu'il se noie, il ne sent pas qu'il avance. Ballotté, bousculé comme s'il était sur la plaque trépidante d'un passage à soufflets entre deux wagons, assourdi par un roulement de tonnerre qui lui tambourine le tympan malgré les oreillettes de son casque, il ne s'est même pas aperçu que l'avion, après une succession de cahots sur le sol du plateau, avait brusquement décollé. L'espace, autour de lui, n'est qu'une masse floconneuse, qui pue l'essence. Il a les yeux ouverts, mais son regard, sa pensée, sont enlisés dans cette ouate. Assez vite, il a retrouvé son souffle. Il lui faut plus longtemps pour accommoder ses nerfs à ce fracas qui pilonne et paralyse le cerveau, qui fait courir, jusqu'aux extrémités des membres, d'incessantes décharges électriques. Peu à peu, cependant, l'esprit recommence à assembler des images, des idées. Non, cette fois, ce n'est plus un rêve!... Il est attaché au dossier de son siège, les genoux immobilisés par les paquets de tracts empilés autour de lui. Il se soulève. A l'avant, dans cette blancheur brouillée qui l'environne, il distingue une silhouette, des épaules, un casque, découpés en ombres chinoises, sous les vastes plans noirs des ailes : le Pilote! Une jubilation frénétique s'empare de lui. L'avion est parti! L'avion est en plein vol! Il pousse un cri animal, un long hurlement de triomphe, qui se perd dans le mugissement de la tempête, sans que le dos de Meynestrel ait tressailli.

Jacques avance la tête au-dehors. Le vent le flagelle, siffle à ses oreilles avec la stridence du couteau sur l'aiguisoir. A perte de vue, c'est une immense et informe fresque grisâtre, une fresque posée à plat et vue de très haut, de très loin : une fresque déteinte, craquelée, plâtreuse, avec des îlots de couleurs ternies. Non pas, une fresque : une page d'atlas cosmographique; la carte muette d'une terre inconnue, avec de grands espaces inexplorés. Alors il songe à cette chose étonnante que Plattner, que Kappel, continuent au-dessous de lui leur vie rampante d'insectes sans ailes... Une sensation de vertige trouble sa vue. Etourdi, il reprend sa place et ferme les yeux... Brusquement, il se revoit enfant. Son père... Antoine et Gise... Daniel... Puis une image floue : Jenny, en robe de tennis dans le parc de Maisons-Laffitte... Puis tout s'efface. Il rouvre les yeux. Devant lui, Meynestrel est toujours là, avec son dos tassé, le globe de son casque. Non, ce n'est pas une hallucination. Le rêve s'est enfin réalisé! Comment cela s'est-il fait? Il ne sait plus. Depuis l'instant où il s'efforçait de déplier le drap sur le plateau, — et où, cédant à un réflexe, il s'est aplati par terre, croyant sentir le monstre sur lui, — jusqu'à cette minute merveilleuse qu'il vit en ce moment, il a perdu tout contrôle de ses actes. A peine si, mécaniquement, sa mémoire a enregistré quelques visions incohérentes : des silhouettes de fantômes se mouvant dans la clarté indécise du petit jour... Il cherche à se souvenir. Ce qu'il revoit, tout à coup, c'est l'apparition diabolique de Meynestrel, lorsque, donnant soudain une âme et une voix à ce bolide chu du ciel, il a dressé hors de la carlingue son buste, son visage serti de cuir : « Vite, les tracts! » Et il revoit les hommes courant, dans la nuit du plateau, les sacs passant de main en main. Et il se rappelle aussi qu'à un moment il s'est hissé auprès de Meynestrel avec un bidon d'essence, et que le Pilote, agenouillé dans l'appareil éclairé où il resserrait quelque boulon avec une longue clef, a tourné la tête : « Mauvais contact! Un mécano! » — « Il est reparti, avec la charrette. » Alors, Meynestrel avait replongé, sans un mot, au fond de sa baignoire... Mais, lui, Jacques, comment s'est-il installé là? Ce casque? Qui lui a bouclé ces courroies?

L'avion avance-t-il? Perdu dans l'espace qu'il emplit de son bourdonnement obstiné, il semble être une chose immobile suspendue dans la lumière.

Jacques se retourne. Le soleil est derrière lui. Soleil levant. Donc, direction nord-ouest? Evidemment : Altkirch-Thann... Il se soulève de nouveau, pour regarder dehors. Emerveillement! La brume est devenue transparente. Maintenant, au-dessous de l'avion, la carte d'état-major sur laquelle il s'est tant usé les yeux depuis quatre jours, se déploie, à perte de vue, ensoleillée, colorée, vivante!

Passionnément intrigué, le menton sur le bord métallique, Jacques prend possession de ce monde inconnu. Une large coulée blanchâtre, qui semble tracer à l'hélice son chemin, divise le paysage en deux. Une vallée? La vallée de l'Ill? Au centre de cette voie lactée, ce reptile ondulant, que des buées d'argent cachent par endroits, c'est la rivière. Et ce trait pâle, qui la longe, sur la droite? Une route? La grand-route d'Altkirch? Et cet inextricable lacis de veines et de veinules, sont-ce d'autres routes qui s'entrecroisent, et qui tranchent en clair sur le vert vaporeux de la plaine? Et cet autre trait d'encre, qu'il n'avait pas remarqué d'abord, presque rectiligne? La voie ferrée? Tout ce qui vit en lui s'est concentré dans ce regard plongeant. Il distingue maintenant le relief des collines qui flanquent la vallée. Ici et là, des nappes de brumes dormantes s'étirent dans le vent, se lacèrent, et laissent paraître de grands espaces nouveaux. Voici la tache vert sombre d'un sommet boisé. Et qu'est-ce là, sur la droite, qui vient de surgir dans une déchirure de l'ouate? Une ville? Une ville, en amphithéâtre, à flanc de coteau, toute une ville minuscule, rose de soleil, grouillante de vies invisibles...

L'avion est légèrement incliné en arrière. Jacques sent qu'il monte, qu'il monte d'un élan continu, allègre et sûr. Maintenant, il est si bien accoutumé au grondement du moteur, qu'il en a besoin, qu'il ne pourrait plus s'en passer, qu'il s'y abandonne et s'en enivre. C'est devenu comme la projection musicale de son exaltation; comme une orchestration symphonique, dont les ondes puissantes traduisent en un langage sonore le prodige de cet instant, la féerie de ce vol qui l'emporte vers le but. Il n'a plus à lutter, plus à choisir; il est dispensé de vouloir. Libération! Le vent de la course, l'air des hauteurs, la certitude têtue de la réussite, font battre son sang plus vite, plus fort. Il perçoit, enfouie au fond de sa poitrine, la pulsation rapide et bien rythmée de son cœur : elle est comme l'accompagnement humain, comme l'intime collaboration de son être à ce fabuleux hymne triomphal, dont vibre tout l'espace autour de lui...

Meynestrel s'agite.

Tout à l'heure déjà, il s'est penché en avant. Pour lire la carte peut-être? Ou, simplement, pour mieux agir sur ses commandes?... Joyeusement, Jacques suit des yeux le manège de son compagnon. Il crie : « Allô! » Mais la distance, le tintamarre empêchent entre les deux hommes toute communication.

Meynestrel s'est redressé. Puis il plonge de nouveau, et reste plusieurs minutes, le buste incliné. Jacques l'observe curieusement. Il ne voit pas ce que fait le Pilote; mais, à de brèves saccades des épaules, il devine des efforts, un travail manuel, peut-être le maniement de cette longue clef, qu'il se souvient d'avoir vue, sur le plateau, entre les mains de Meynestrel.

Aucune inquiétude à avoir : le Pilote connaît son affaire...

Tout à coup, il se produit dans l'air une sorte d'ébranlement, de heurt. Quoi donc? Jacques, étonné, interroge de l'œil l'espace autour de lui. Il met quelques secondes à comprendre : cette secousse, ce trou subit, c'est simplement l'irruption imprévue du silence; un silence total, religieux; un silence interplanétaire, qui, brutalement s'est substitué au vrombissement du moteur... Pourquoi couper les gaz?

Meynestrel s'est relevé. Il doit même être debout : son torse masque l'avant de l'appareil.

Jacques, au guet, ne quitte pas de l'œil ce dos immobile. Agaçant, qu'on ne puisse pas se parler...

L'avion, comme surpris lui-même par son silence, a fait plusieurs ondulations très douces, puis s'est mis à filer droit, sifflant dans l'air avec le bruit soyeux d'une flèche. Vol plané? Vol plongeant? Pourquoi cette manœuvre? Meynestrel craint-il d'être repéré par le son? Veut-il descendre ? Seraient-ils déjà à proximité des lignes? Est-ce bientôt le moment de semer les premiers manifestes? Oui, sûrement : car, très vite, sans se retourner, Meynestrel vient d'esquisser un geste du bras gauche... Jacques, frémissant, allonge la main pour saisir un paquet de tracts. Mais, déporté malgré lui de son siège, il perd l'équilibre. Sa courroie lui laboure les côtes. Que se passe-t-il donc? L'avion a perdu sa position horizontale, et pique du nez. Pourquoi? Est-ce voulu?... Un doute pénètre dans l'esprit de Jacques. L'intuition d'un danger possible lutte avec ce sentiment de confiance totale que lui inspire Meynestrel... Il s'agrippe d'une main au bord de la carlingue, il cherche à se redresser pour regarder dehors. Epouvante! Le paysage chavire. Ces champs, ces prairies, ces bois, qui l'instant d'avant, s'étendaient comme un tapis, oscillent maintenant, se bossellent, se crispent comme une aquarelle qui flambe, et montent, montent vertigineusement vers lui, dans un mugissement de rafale, avec une vitesse de catastrophe!

D'une secousse des reins, il parvient à rompre sa courroie, à se rejeter en arrière.

La chute! Perdu...

Non. L'appareil s'est miraculeusement cambré, s'est presque remis en position de vol... Meynestrel dirige encore... Espoir!

L'appareil flotte une minute, désemparé. Puis des vagues violentes le happent, le soulèvent, le secouent, le disloquent. Le fuselage craque. L'avion s'incline à gauche. Virage sur l'aile? Atterrissage? Tassé sur lui-même, Jacques s'accroche des deux mains à la tôle où ses ongles n'ont pas de prise. Une vision nette s'inscrit sur sa rétine : un bouquet de sapins au soleil, un pré... D'instinct, il a fermé les yeux. Une seconde, interminable. Le cerveau vidé, le cœur dans un étau... Un miaulement de cor lui déchire le tympan. Des rosaces de feu d'artifice l'enveloppent, le roulent, l'emportent dans des lueurs tournoyantes. Des cloches, des cloches, à toutes volées... Il veut crier : « Meynest... » Une commotion d'une violence inouïe lui broie les mâchoires... Son corps est projeté dans l'espace, et lui semble s'aplatir contre un mur, comme une pelletée de mortier.

Une chaleur intense... Des flammes, des crépitements, une puanteur d'incendie... Des pointes, des tranchants, lui fouillent les jambes. Il suffoque, il se débat. Il tente un effort surhumain pour reculer, pour ramper hors du brasier. Impossible. Ses pieds sont rivés dans le feu.

Deux griffes d'acier, derrière lui, l'ont saisi aux épaules, le tirent. Rompu, écartelé, il hurle... On le traîne sur des clous, son corps est en lambeaux...

Et, soudain, toute cette épouvante sombre dans la douceur. Les ténèbres. Le néant...

LXXXV

Des voix... Des paroles, lointaines, interceptées par un épais rideau de feutre. Pourtant elles entrent en lui, tenaces... Quelqu'un lui parle. Meynestrel?... Meynestrel l'appelle... Il lutte, il fait d'épuisants efforts pour s'extraire de ce sommeil cataleptique.

— « Qui êtes-vous? Français? Suisse? »

D'intolérables douleurs le mordent aux reins, aux cuisses, aux genoux. Il est cloué au sol par des pointes de fer. Sa bouche n'est qu'une plaie; sa langue, enflée, l'étouffe. Les yeux clos, il renverse la nuque, il balance la tête de droite et de gauche, il contracte les épaules pour un impossible redressement, et retombe, avec un gémissement étranglé, sur ces clous qui lui percent le dos. Une odeur infecte, d'essence, de drap roussi, emplit ses narines, sa gorge. Il bave; et, du coin de ses lèvres qu'il ne peut presque plus entrouvrir, il rejette un caillot de sang, compact comme la pulpe d'un fruit.

— « Quelle nationalité? Etiez-vous en mission? »

La voix bourdonne à ses oreilles, et violente sa torpeur. Son regard vacillant remonte des profondeurs opaques, se glisse entre les paupières, émerge un instant au jour. Il aperçoit une cime d'arbre, le ciel. Des jambières, blanches de poussière... des pantalons rouges... L'armée... Un groupe de fantassins français est penché sur lui. Ils l'ont tué, il est en train de mourir...

Et les tracts? L'avion?

Il soulève un peu la tête. Son regard se faufile entre les jambes des soldats. L'avion... A trente mètres, un monceau informe de débris fume au soleil comme un bûcher éteint : amas de ferrailles, où pendent quelques loques charbonneuses. A l'écart, profondément piquée en terre, une aile, déchiquetée, se dresse dans l'herbe, toute seule, comme un épouvantail... Les tracts! Il meurt sans en avoir jeté un seul! Les liasses sont là, consumées, ensevelies pour toujours dans les cendres! Et personne, jamais, jamais plus... Il renverse la tête; son regard se perd dans le ciel clair. Une immense pitié pour ces paperasses... Mais il souffre trop; rien d'autre ne compte... Ces brûlures qui lui rongent les jambes jusqu'à la moelle des os... Oui, mourir! Plus vite, plus vite...

— « Eh bien? Répondez! Etes-vous Français? Qu'est-ce que vous foutiez dans cet aéro? »

La voix est toute proche, essoufflée, forte mais sans rudesse.

Il rouvre les yeux. Un visage encore jeune, bouffi de fatigue; deux yeux bleus, derrière un lorgnon, sous la visière d'un képi recouvert d'un manchon bleu. D'autres voix, tout autour, s'élèvent, se croisent, retombent : « Il n'est plus dans les pommes, je te dis! » — « As-tu prévenu le capitaine? » — « Mon lieutenant, il a peut-être des papiers sur lui. Faut le fouiller... » — « Peut se vanter de l'avoir échappé belle! » — « Le major va venir; Pasquin est couru le chercher... »

L'homme au lorgnon a mis un genou en terre. Son menton, mal rasé, son cou, sortent d'une tunique dégrafée; sur la poitrine se croisent des courroies, des sangles.

— « Tu ne sais pas le français?... *Bist du Deutsch? Verstehest du*[1]*?* »

Des doigts rudes se posent sur son épaule meurtrie. Il pousse un râle sourd. Le lieutenant, aussitôt, retire sa main.

— « Vous souffrez? Voulez-vous boire? »

Jacques accepte, d'un battement de cils.

— « En tout cas, il comprend le français », murmure l'officier, en se relevant.

— « Mon lieutenant, c'est sûrement un espion... »

Jacques essaie de tourner la tête vers cette voix criarde. A ce moment, un groupe de soldats, en se déplaçant,

1. « Es-tu Allemand? Comprends-tu? »

laisse voir, par terre, à trois mètres, un amas sombre : une chose sans nom, carbonisée, qui n'a d'humain qu'un bras, recroquevillé sur l'herbe; et, au bout de ce bras, une serre d'oiseau, noire, dont Jacques ne peut plus détacher son regard : une main fine, nerveuse, les doigts en l'air à demi crispés... Autour de Jacques, le bruit des voix semble s'estomper...

— « Tenez, mon lieutenant, voilà Pasquin qui ramène le major... Pasquin, il a tout vu, lui : il portait le jus au petit poste... Il dit que l'avion... »

La voix s'éloigne, s'éloigne, interceptée par le rideau de feutre. Dans le ciel, la cime de l'arbre s'est brouillée. Et la douleur aussi s'éloigne, lentement, se fond en une écœurante langueur... Les tracts... Meynestrel... Mourir aussi...

Pour quelle raison mystérieuse, tyrannique, reste-t-il au fond de ce canot, écrasé, ballotté, impuissant? Meynestrel s'est jeté à l'eau, lui, depuis longtemps, parce que cette tempête sur le lac secouait vraiment trop fort leur barque... Le soleil brûle comme du plomb fondu. Jacques cherche en vain à fuir cette morsure. Dans l'effort qu'il fait pour déplacer les épaules, il soulève à demi les paupières et les referme aussitôt, blessé jusqu'au fond des prunelles par cette flèche d'or. Il souffre. Ces cailloux pointus, au fond du canot, lui déchirent les chairs. Il voudrait appeler Meynestrel, mais il a dans la bouche un charbon ardent qui lui ronge la langue... Un choc. Il le perçoit, douloureusement, jusqu'à l'extrémité de ses nerfs. La barque, roulée par une vague soudaine, a dû heurter l'embarcadère. Il ouvre les yeux... « Hé, *Fragil*, veux-tu boire? » Un képi... C'est un gendarme qui a parlé... un visage inconnu, un visage mal rasé de curé de campagne. Tout autour, des voix rudes, grasses, qui s'entrecroisent. Il souffre. Il est blessé. Il a dû être victime d'un accident. Boire... Contre ses lèvres en feu, il sent le bord d'un quart de fer-blanc. « Mon vieux, leurs flingots, ça n'est rien. Mais leurs mitrailleuses! Et ils en ont partout, les vaches! » — « Nous aussi, on doit bien en avoir, des mitrailleuses! Attends seulement qu'on les sorte! »

Boire... Bien qu'il soit au soleil, et trempé de sueur, il grelotte. Ses dents tremblent contre le métal. Sa bouche n'est qu'une plaie... Il avale avidement une gorgée, et s'étrangle. Un peu d'eau coule sur son menton. Il veut lever un bras : ses poignets sont liés par des menottes et fixés aux sangles du brancard. Il voudrait boire encore. Mais la main qui tenait le quart s'est détournée... Brusquement, il se souvient. De tout! Les tracts... La serre calcinée de Meynestrel, l'avion, le brasier... Il ferme ses yeux que piquent le soleil, les larmes, la poussière, la sueur... Boire... Il souffre. Indifférent à tout, sauf à sa douleur... Mais le brouhaha qui l'environne lui fait rouvrir les yeux.

Tout autour, des fantassins, débraillés, le cou nu, les cheveux collés par la transpiration, vont et viennent, parlent, s'appellent, crient. Il gît au ras du sol, sur une civière posée dans l'herbe, au bord de cette route qui est pleine de soldats. Des voitures grinçantes, attelées de mulets, passent, sans arrêt, au pas, le long de lui, soulevant une poussière épaisse. A deux mètres, sur l'accotement, des gendarmes, debout, boivent, chacun leur tour, à la régalade, en élevant dans la lumière un bidon de soldat. Des faisceaux de fusils, des empilades de sacs, s'alignent, à perte de vue, sur la route. Des soldats, en grappes, vautrés sur le flanc du talus, discutent, font des gestes, fument. Les plus fourbus se sont allongés sur le dos, le coude en travers du visage, et dorment sous le soleil. Dans le fossé, tout près, étendu les bras en croix, un petit soldat, tout jeune, regarde le ciel, de ses grands yeux ouverts, et mâchonne un brin d'herbe. Boire, boire... Il souffre. De partout : de la bouche, des jambes, du dos... Des frissons de fièvre lui parcourent les reins, et lui tirent, chaque fois, une plainte sourde. Cependant, ce ne sont plus ces douleurs fulgurantes qui lui lacéraient le corps, après la chute, après l'incendie. On a dû s'occuper de lui, panser ses blessures. Et, brusquement, une idée traverse son esprit somnolent : on l'a amputé des deux jambes... Qu'importe, maintenant?... Néanmoins, cette pensée d'amputation l'obsède. Ses jambes... Il ne les sent plus... Il voudrait savoir... Des sangles serrées l'attachent au brancard. Il parvient pourtant à soulever la nuque : le temps d'apercevoir ses mains ensanglantées et ses deux jambes qui sortent du pantalon coupé à mi-cuisse. Ses jambes! Entières... Vivantes? Des bandages les emmaillotent, et elles sont garrottées, des genoux aux chevilles, sur des éclisses arrachées sans doute à quelque ancienne caisse d'emballage, car l'une des planchettes porte encore, bien en vue, en lettres noires : FRAGIL... Il repose la tête, épuisé.

Des voix, tout autour, des voix... Des hommes, des soldats... La guerre... Des soldats qui parlent : « Un dragon nous a dit que le régiment se rassemblait par là... » — « Y a qu'à suivre la colonne. Tu verras bien à l'étape. » — « D'où que vous venez, vous autres? » — « Est-ce qu'on sait les noms? De là-bas... Et vous? » — « Nous aussi. Nous, tu sais, on en a vu depuis vendredi! » — « Ben, et nous, alors! » — « Nous, mon vieux, c'est simple : depuis le début de l'attaque — le 7, vendredi, ça fait trois jours, hein? — on n'a pas dormi six heures, en tout. Pas vrai, Maillard? Et rien à bouffer. Samedi on a eu un bout de distribution; le soir; mais, depuis qu'on fout le camp, dans cette pagaïe, ravitaillement, zéro! Si on n'avait pas trouvé à se débrouiller dans les patelins... » D'autres voix, plus loin, rageuses : « Et moi, je te dis que c'est pas fini! » — « Et moi je te dis qu'on est foutus! S'pas, Chabaux? Bien foutus! Et si on veut reprendre l'offensive, on tombera sur un bec!... »

Le plus douloureux de tout, peut-être, c'est la plaie de la bouche, qui l'empêche d'avaler sa salive, de parler, de boire, presque de respirer. Avec précaution, il essaie de remuer sa langue. Il garde au fond de la gorge, un goût tenace d'essence, de vernis brûlé...

— « Et puis, tu sais, toutes les nuits dehors, en alerte... Et quand le bataillon s'est amené devant Carspach... »

Oui, c'est à la langue qu'il est blessé : elle est enflée, déchirée, à vif... Il a dû recevoir un débris dans la figure, ou s'écraser le menton en tombant. Pourtant, c'est à l'intérieur de la bouche qu'il a mal. Son cerveau travaille : « Je me suis coupé la langue avec les dents », se dit-il enfin. Mais cet effort d'attention l'a brisé. Il referme les paupières, étourdi. Des flammes dansent devant ses yeux clos. Dans ses jambes, les élancements ne cessent pas. Il geint faiblement, et s'abandonne de nouveau à cette douceur soudaine... l'oubli...

— « Des brûlures, partout... les jambes en marmelade... espion... »

Il rouvre les yeux. Toujours des bottes, des jambières.

Les gendarmes se sont rapprochés du brancard. Un groupe s'est formé autour d'eux. « Paraît que l'avion... » — « Leur *taube?* Bricard l'a vu... » — « Bricat? » — « Non! Bricard, le grand sous-off' de la 5e. » — « N'en reste rien, de leur *taube!* » — « Un de moins! » — « Lui, *Fragil*, il a encore de la veine... S'en tirera peut-être, malgré ses guibolles... » Cette voix ne lui est pas inconnue. Il tourne la tête : celui qui parle, et qui l'examine, c'est le vieux gendarme curé de campagne, aux yeux pâles, au front dégarni, celui qui lui a donné à boire. « Basta! » lance un autre gendarme, un petit noiraud, râblé, une tête de Corse avec des yeux de braise : « Vous entendez, chef? Marjoulat dit que *Fragil* s'en tirera! Pas pour longtemps! » Le brigadier de gendarmerie ricane : « Pas pour longtemps, non... Paoli a raison. Pas pour longtemps! » C'est un grand diable qui a des galons neufs cousus à ses manches. Il porte une barbe noire, très fournie, qui ne laisse à découvert que deux pommettes couleur de viande. « Alors, pourquoi qu'on lui a pas réglé son compte, sur place? » demande un soldat. Le brigadier ne répond pas. « Et vous allez le porter loin, comme ça? » — « On doit le remettre au corps d'armée », explique le Corse. Le brigadier détourne la tête, mécontent. Il grommelle, d'un ton sentencieux : « On attend des ordres. » Un sergent d'infanterie, gavroche, s'esclaffe : « Comme nous! Voilà deux jours qu'on les attend, les ordres! » — « Et la soupe, avec! » — « Quelle pagaïe! » — « Y a même plus d'agents de liaison, je crois... Le colonel... » Un coup de sifflet les interrompt. « Rompez les faisceaux! La colonne repart! » — « Sac au dos! Debout, là-bas! Sac au dos! »

Un bruyant remue-ménage se fait maintenant autour de Jacques. La colonne reprend sa marche. Il sombre dans un trou ténébreux. L'eau clapote autour de la barque; une vague plus forte la soulève, la berce, l'emporte à la dérive... « Appuyez à droite! » — « Qu'est-ce qu'il y a? » — « A droite!... » Les secousses lui font ouvrir les yeux. Devant lui, le dos du gendarme qui porte l'avant du brancard.

La colonne ondule; le flot s'écarte pour contourner un mulet mort, ballonné, les jambes en l'air, abandonné sur la route. Les hommes crachent, à cause de l'odeur, et se débattent un instant contre les mouches qui se collent aux visages. Puis les rangs se reforment en clopinant, et les semelles cloutées reprennent leur raclement sur le sol caillouteux.

Quelle heure est-il? Le soleil tombe droit et lui brûle la figure. Il souffre. Dix ou onze heures, peut-être? Où le conduit-on?... La poussière empêche de voir à plus de quelques mètres. A gauche, les voitures régimentaires défilent toujours, au pas, dans un nuage âcre, étouffant. La route fume, la route pue le crottin, la laine mouillée, le cuir, l'homme en sueur. Il souffre. Surtout, il est sans forces. Sans forces pour penser, pour sortir de son engourdissement. La gorge irritée par la poussière, les gencives desséchées par la fièvre, par la soif, la langue en sang, il est perdu dans ce piétinement innombrable, dans ce bruit d'armée en marche, perdu et seul, coupé de tout, de la vie, de la mort... Pendant les rares minutes de lucidité qui alternent avec ces longs moments d'inconscience ou de cauchemar, il se répète, sans interruption : « Courage... courage... » Par instants, les hommes marchent si serrés auprès du brancard, qu'il ne voit plus rien que ces torses oscillants, et ces canons de fusils, et l'air qui tremble entre lui et le ciel; il est comme au centre d'une forêt houleuse qui avance, et son œil hébété se fixe obstinément sur une musette gonflée qui se balance, sur un quart luisant attaché à un bidon de drap bleu. Beaucoup de soldats ont débouclé les courroies du sac et fait glisser leur chargement au creux de leurs reins; les épaules plient, les visages sont souillés de poussière et de sueur; les regards que parfois il surprend posés sur lui ont une expression décentrée, à la fois attentive et distraite : une expression troublante, vague à donner le vertige... Ils vont, ils vont droit devant eux, flanc contre flanc, sans rien voir, sans parler, vacillants mais tenaces à suivre cette retraite qui les sauve; et leurs forces s'usent sur cette route comme sur une meule. A droite, un grand soldat efflanqué, au profil de médaille, qui porte un brassard d'infirmier, avance, d'un rythme grave, tête levée, recueilli comme s'il priait. A gauche du brancard, il y en a un petit qui marche à pas précautionneux, et qui boite. Le regard de Jacques, hébété, se fixe sur cette jambe clochante, toujours en retard, et qui, à chaque effort, fléchit un peu du genou. Parfois aussi, quand une débandade écarte les files, Jacques aperçoit des arbres, des haies, des prairies, toute une campagne ensoleillée... Est-ce possible? Tout à l'heure, sur le bord de la route, une cour de ferme lui est apparue, avec sa grange en torchis, sa maison grise aux volets clos, son tas de fumier où picoraient des poules; et l'odeur chaude du purin est venue jusqu'à lui... Engourdi, il se laisse ballotter, les yeux presque constamment clos. Ses jambes... Sa bouche... Si seulement l'homme pensait encore à lui donner à boire... Sans cesse, la marche est interrompue par des arrêts brusques, après lesquels les soldats, haletants, sont obligés de courir pour rattraper la distance et empêcher que les charrettes, profitant des intervalles libres, ne s'insèrent dans la colonne. « C'est malheureux de voir ça! Pourquoi, aussi, qu'on est tous sur la même route! » — « Mais, mon vieux, c'est partout pareil! Y a des convois sur tous les chemins! Tu penses, toute la division en retraite! » — « La division? Tout le VIIe corps, à ce qu'il paraît! »

— « Hé, toi, où que tu vas par là? » — « T'es pas fou? » — « Hé, le territorial! » Un fantassin a traversé la route, en biais, à contre-courant, se dirigeant vers l'Est : vers l'ennemi... Indifférent aux appels, il se glisse entre les charrettes, les soldats. Il n'est plus jeune. Sa barbe grisonne, et pas seulement de poussière. Il est sans arme, sans sac, avec une capote déteinte sur un pantalon de paysan, en velours brun. Une grappe de choses battantes lui pend aux flancs, cartouchières, bidon, musettes. « Hé, pépère, où donc que tu vas? » Il évite les bras tendus. Son visage est hagard, son œil obstiné, sauvage; ses lèvres remuent : il a l'air de dialoguer à voix basse avec un fantôme. « Tu rentres chez toi, vieux? » — « Bonne chance! » — « Tu m'enverras des cartes postales! » Sans tourner la tête, sans un mot, l'homme fonce droit devant lui, escalade un tas de pierres, traverse le fossé, écarte la rangée d'arbustes qui borde le pâturage, et disparaît.

— « Tiens! Des bateaux! » — « Sur la route? » — « Quoi? » — « Une compagnie de pontonniers, qui se débine! » — « Ils ont coupé la colonne. » — « Où? » — « C'est vrai! Regarde! Des bateaux à roulettes! On aura tout vu! » — « Hé, dis donc, Joseph, faut croire que cette fois on a renoncé à passer le Rhin! » — « Avancez! » — « En avant! » La colonne s'ébranle et repart.

Cent mètres plus loin, nouvel arrêt. « Quoi encore? » Cette fois, le stationnement se prolonge. La route croise une voie ferrée, sur laquelle roule un interminable convoi de wagons vides que traîne à petite allure une locomotive soufflante, chauffée à blanc. Les gendarmes posent le brancard dans la poussière. « Faut croire que ça va mal, chef : ils refoulent le matériel à l'arrière! » constate Marjoulat, avec un petit rire. Le brigadier regarde le train, et s'éponge la figure, sans répondre. « Zou! » gouaille le petit Corse, « Marjoulat, il est tout guilleret, chef, depuis qu'on se débine! » — « Marjoulat », dit un troisième gendarme, un athlète au cou de taureau qui s'est assis sur un tas de pierres et mâche un peu de pain, « il était pas trop à son affaire, avant-hier, quand on a vu les uhlans... » Marjoulat est devenu rouge. Il a un gros nez, de gros yeux gris, un regard triste, fuyant, mais volontaire; un front buté; un visage de paysan qui calcule. Il s'adresse au brigadier qui le regarde en silence : « J'ai pas honte de le dire, chef : la guerre, ça me va point. J'suis pas Corse, moi : j'ai jamais été batailleur. »

Le brigadier n'écoute pas. Il s'est tourné vers la droite. Un tambourinement sourd se mêle au bruit du train. Longeant la voie, un groupe de cavaliers s'avance, au trot. « Une patrouille? » — « Non, c'est de l'état-major. »

— « Des ordres, peut-être? » — « Ecartez-vous, bon Dieu! » Le peloton monté se compose d'un capitaine de cuirassiers, suivi de deux sous-off's et de quelques cavaliers. Les chevaux s'insinuent entre les voitures et les fantassins, contournent le brancard, traversent la route, se rassemblent de l'autre côté, et piquent à travers champs, vers l'ouest. « Ils ont de la veine, ceux-là! » — «Penses-tu! Paraît que la division de cavalerie a ordre de se faire bousiller derrière nous, pour *les* empêcher de nous tomber dessus! »

Autour du brancard, des soldats discutent. Entre les revers des capotes déboutonnées, sur les poitrails où ruisselle la sueur, la plaque d'identité, qui doit conserver à chaque cadavre son matricule, pend à son lacet noir. Quel âge ont-ils? Ils ont tous un visage fripé, sali, uniformément vieux. « As-tu encore un peu de flotte? » — « Rien : plus pas une goutte! » — « Je te dis qu'on en a vu un, nous, de zeppelin, dans la nuit du 7. Il volait au-dessus des bois... » — « On recule pas? Non? Alors, qu'est-ce qu'il te faut! » — « Non : c'est un agent de liaison de la brigade, qui a entendu un officier d'état-major l'expliquer au Vieux. On recule pas! » — « Vous entendez, vous autres? Il dit qu'on recule pas, lui! » — « Non! C'est un repli stratégique, qu'on appelle. Pour mieux préparer la contre-offensive... Un coup épatant... On va *les* prendre en pincette. » — « En quoi? — « En pincette! Demande à l'adjudant. Sais-tu ce que c'est, en pincette? On les laisse entrer dans du mou, tu comprends? et puis, crac! on referme la pincette, et ils sont faits! » — « Un *taube!* » — « Où? » — « Là! » — « Où? » — « Juste au-dessus de la meule. » — « Un *taube!* » — « Avancez! » — « Un *taube*, mon adjudant! » — « Avancez! Voilà le fourgon... C'est la queue de la rame. » — « A quoi tu vois que c'est un *taube?* » — « La preuve! On le canarde. Tiens! » Autour du minuscule point brillant, dans le ciel, naissent de petits flocons qui restent un instant en boules, avant de se défaire dans le vent. « Reformez-vous! Avancez! » Les derniers wagons glissent lentement sur les rails. Le passage à niveau est libre.

Bousculade... Oh! ces secousses... Courage... Courage... Lucide une seconde, il entend, au-dessus de lui, le halètement du gendarme qui porte la tête du brancard. Puis tout chavire : un vertige, un écœurement mortel. Courage... Les rangs bariolés des soldats passent en tournoyant comme des chevaux de bois, bleus et rouges. Il pousse un gémissement. La main fine, la main nerveuse de Meynestrel, noircit, se recroqueville à vue d'œil, devient une patte de poule, calcinée... Les tracts! Tous brûlés, perdus... Mourir... Mourir...

La trompe d'une auto. Il soulève les paupières. La colonne est arrêtée à l'entrée d'un bourg. L'auto corne : elle vient de l'arrière. Les hommes se tassent sur le bord de la route pour laisser le passage. Au garde-à-vous, le brigadier salue. C'est une voiture découverte, avec un fanion; elle est chargée d'officiers. Dans le fond, le képi doré d'un général. Jacques referme les yeux. La vision du conseil de guerre traverse son cerveau. Il est debout, au centre du prétoire, devant ce général à képi doré... M. Faîsme... La trompe corne sans arrêt. Tout se brouille... Quand il rouvre les yeux, il aperçoit une haie bien taillée, des pelouses, des géraniums, une villa avec des stores rayés... Maisons-Laffitte... Au-dessus de la grille pend un drapeau blanc à croix rouge. Devant le perron, une voiture d'ambulance, vide, criblée de balles, toutes ses vitres brisées. La colonne passe. Elle avance pendant quelques minutes, et s'arrête. Le brancard touche terre, durement. Maintenant, au moindre stationnement, la plupart des soldats, au lieu d'attendre, debout, se laissent tomber sur la route, à l'endroit même où ils ont stoppé, sans quitter leur sac ni leur fusil, comme s'ils voulaient s'anéantir là.

On est à deux cents mètres du village. « Paraît qu'on va faire halte au patelin », dit le brigadier.

Remue-ménage. « En route! » La colonne repart, fait cinquante mètres et s'arrête encore.

Un choc. Qu'est-ce qu'il y a? Le soleil est encore haut, et brûlant. Depuis combien d'heures, depuis combien de jours, dure cette marche? Il souffre. Dans sa bouche, le sang extravasé donne à la salive une saveur infecte.

Les taons, les mouches, dont les mulets sont couverts, s'acharnent sur son menton, sur ses mains.

Un gosse du village, les yeux allumés, raconte en riant à des soldats qui l'entourent : « Dans la cave de la mairie... Ils sont juste en face du soupirail... Trois! Trois-z-uhlans prisonniers... N'en mènent pas large! On dirait des fouines!... Paraît qu'ils prennent tous les enfants pour leur couper les mains... Y en a un qu'est sorti entre deux sentinelles, pour pisser... Nous, on voulait l'étriper! » Le brigadier appelle le gosse : « Y a-t-il encore du vin, par ici? » — « Pardi! » — « Tiens, voilà vingt sous, va en chercher un litre. » — « Reviendra jamais, chef... » prophétise Marjoulat, désapprobateur. — « On avance! En route! » Nouveau bond de cinquante mètres, jusqu'au croisement d'un chemin où un peloton de cavaliers a mis pied à terre. Sur la droite, dans un grand terrain en contrebas, bordé de lices blanches — un champ de foire, sans doute — des gradés ont rassemblé ce qui reste d'une compagnie de fantassins. Au centre, le capitaine harangue les hommes. Puis les rangs se disloquent. Près d'une meule, une cuisine roulante distribue la soupe. Tintements de gamelles, cris, discussions, bourdonnement d'essaim... Le gosse reparaît, essoufflé, brandissant une bouteille. Il rit : « Le voilà, vot'vin. Quatorze sous, qu'ils ont dit. C'est des voleurs. »

Jacques rouvre les yeux. Le litre, couvert de buée, semble glacé. Jacques le regarde, et bat des paupières : la seule vue de la bouteille... Boire... Boire... Les gendarmes se sont groupés autour de leur chef, qui tient la bouteille entre ses deux mains, comme pour en savourer d'abord, avec ses paumes, la fraîcheur. Il ne se presse pas. Il écarte les jambes, se cale sur ses reins, soulève le litre dans le soleil, et, avant d'introduire le goulot entre ses lèvres, pour avoir la bouche bien nette, il racle la gorge et crache. Quand il a bu, il sourit et tend la bouteille à Marjoulat, le plus ancien. Pensera-t-il à Jacques, Marjoulat? Non. Il boit, et passe le litre à son voisin, Paoli, dont les narines palpitent comme des naseaux. Jacques baisse doucement les paupières, — pour ne plus voir...

Des voix, autour de lui. Il ouvre et referme les yeux. Des sous-off's de dragons, — ceux dont le peloton attend dans le chemin de traverse, — profitent de la halte de la colonne pour venir bavarder avec les fantassins : « Nous, on est de la brigade légère. Le 7, on nous a engagés, avec le VIIe corps... On devait atteindre Thann, faire un mouvement de conversion, comme ça, un redressement le long du Rhin, pour aller couper les ponts. Mais, on s'est trop pressé. On était mal engagé, tu comprends? On avait voulu aller trop vite. Les canassons renâclaient, les biffins étaient fourbus... Il a bien fallu battre en retraite. » — « Une belle pagaïe! » — « Et encore, par ici, c'est rien! Nous, on vient de par là, du nord... Alors, ça! Sur les routes, y a non seulement les troupes, mais tous les civils des patelins, qui ont les foies, et qui se débinent! » — « Nous », dit un sergent d'infanterie, d'une voix grave et chaude, « on était en avant-garde. On est arrivé devant Altkirch à la tombée de la nuit. » — « Le 8? » — « Le 8, samedi; avant-hier, quoi... » — « On y était aussi, nous... La biffe a bien donné, y a rien à dire. Altkirch, c'était plein de Pruscos. En cinq secs, la biffe les a foutus dehors, à la baïonnette... Et nous, on les a poursuivis, dans la nuit, jusqu'à Walheim. » — « Nous, on a même été jusqu'à Tagolsheim. » — « Et le lendemain, rien devant nous... Rien! Jusqu'à Mulhouse... On croyait déjà qu'on était parti comme ça jusqu'à Berlin! Mais, les vaches, *ils* savaient bien ce qu'*ils* faisaient, en nous laissant avancer. Depuis hier, *ils* contre-attaquent. Paraît que ça ronfle, là-haut. » — « Encore heureux qu'on ait reçu l'ordre de se replier! On serait tous fauchés, à cette heure. » Un adjudant d'infanterie et plusieurs sergents de la colonne sont venus écouter. L'adjudant a l'œil fiévreux, les pommettes rouges, une voix saccadée : « Nous, on s'est battu treize heures, treize heures de suite! Pas vrai, Rocher? Treize heures... Les uhlans étaient devant nous, dans un bois de sapins. Je verrai ça ma vie durant. Impossible de les faire déloger. Alors on a envoyé notre compagnie sur la gauche, pour tourner le bois. Moi, je suis comptable chez Zimmer, à Puteaux, alors, vous pensez!... On a fait plus d'un kilomètre sur le ventre, on a mis deux heures, trois heures, on croyait jamais arriver jusqu'à la ferme. On y est arrivé tout de même. Les fermiers étaient dans la cave, les femmes, les gosses pleuraient : une pitié... On les a enfermés à clef. Des Alsaciens, oui, mais on ne sait jamais... On a fait des créneaux dans les murs... On est monté au deuxième..., on a mis des matelas aux fenêtres. On n'avait qu'une mitrailleuse, mais des cartouches en masse. Eh ben, on a tenu toute la journée! Paraît que le colo avait dit que nous étions sacrifiés... On en est revenu tout de même! C'est pas croyable ce qu'on arrive à faire!... Seulement, quand on nous a donné l'ordre de revenir, je vous jure, on se l'est pas fait dire deux fois! On était encore deux cents quand on a quitté le bois. On n'était plus que soixante quand on a quitté la ferme; et, sur les soixante, y en avait bien une vingtaine de blessés... Eh ben, au fond, — tu me croiras pas? — c'est pas si terrible que ça... C'est pas si terrible, parce que tu sais plus ce que tu fais. Ni les hommes, ni les officiers, ni personne. On voit rien. On comprend rien. On se planque. On voit même pas les copains qui tombent. Moi, y en a un, près de moi, qui m'a giclé son sang dessus. Il m'a dit : " Je suis foutu. " Je l'entends encore. J'entends sa voix, mais je ne sais même plus qui c'était. Je crois que j'ai pas eu le temps de le regarder. On va, on va, on crie, on tire, on ne sait plus où on en est. Pas vrai, Rocher? » — « D'abord », dit Rocher en regardant un à un ses interlocuteurs d'un air coléreux, « faut bien le dire : les Pruscos, rapport à nous, eh ben, ça n'existe pas! » — « Chef! » crie un gendarme, « la colonne qui repart! » — « Oui? Alors, en avant! » Les gradés regagnent leurs places en courant. « Serrez, là-bas! Serrez! » — « En avant! » — « Au revoir, et bonne chance! » crie le brigadier, en passant devant les dragons.

La colonne s'est remise en route. Sans autre arrêt, elle pénètre dans le bourg, emplissant la chaussée de ses rangs compacts, de son piétinement de troupeau. L'allure de la marche s'est ralentie. Le ballottement du brancard est moins douloureux. Jacques regarde. Des maisons... Est-ce le terme de son martyre?...

Sur les seuils, les habitants se tiennent debout, par

groupes; des hommes âgés, des femmes qui portent des enfants, des gosses accrochés aux jupons de leurs mères. Depuis des heures, depuis l'aube peut-être, le dos collé au mur, le cou tendu, le visage soucieux, aveuglés de poussière et de soleil, ils sont là et regardent couler à pleine rue cet interminable défilé de voitures régimentaires, de trains de combat, de sections sanitaires, de convois d'artillerie, de régiments harassés, toute cette belle « armée de couverture » qu'ils avaient vue, avec confiance, monter, les jours précédents, vers la frontière, et qui maintenant recule en désordre, les laissant à la merci de l'invasion... La ville, étouffée sous la poussière, fume au soleil comme un chantier de démolition. Un bourdonnement de ruche pillée emplit les rues, les ruelles, les cours. Les boutiques sont envahies de soldats qui raflent ce qui reste de pain, de charcuterie, de vin. La place de l'église est grouillante d'hommes, de convois arrêtés. Des dragons, tenant leurs chevaux par la bride, sont massés sur la droite, où il y a un peu d'ombre. Un commandant, rouge, furieux, se penche sur l'encolure de son cheval pour invectiver un vieux garde champêtre, en uniforme d'opérette. Le portail central de l'église est ouvert à deux vantaux. Dans le clair-obscur de la nef, sur une litière de paille, s'alignent des blessés, autour desquels s'agitent des femmes, des infirmiers, des majors en tablier blanc. Dehors, sur une charrette, en plein soleil, un sergent-fourrier hurle dans le tumulte : « La 5e! Distribution!... » La colonne avance de plus en plus lentement. Derrière l'église, la grand-rue se rétrécit, forme un boyau. Les rangs se tassent, les hommes piétinent sur place, en jurant. Un vieux, dans un fauteuil garni d'oreillers, est assis devant sa porte, comme au spectacle, une main sur chaque genou. Au passage, il interpelle le brigadier : « C'est-il encore loin que vous reculez comme ça? » — « Sais pas. On attend des ordres. » Le vieux promène un instant sur le brancard, sur les gendarmes, son regard clair comme de l'eau, et branle la tête d'un air désapprobateur : « J'ai vu tout ça, en 70... Mais, nous, on avait tenu plus longtemps... »

Jacques croise le regard apitoyé du vieux. Douceur...

La colonne continue à avancer. Elle a maintenant dépassé le centre du bourg. « Paraît qu'on fait halte là-bas, aux dernières maisons », explique le brigadier, qui vient d'interroger un lieutenant de gendarmerie. — « Ça vaut mieux », dit Marjoulat, « on sera les premiers à repartir. » Le pavé cesse : la rue redevient une route, large, sans trottoirs, bordée de maisons basses et de jardinets. « Halte! Laissez passer les voitures! » Les trains régimentaires continuent à avancer. « Vous autres », dit le brigadier, « cherchez voir si la roulante, des fois, n'aurait pas suivi... Il fait faim... Moi, je reste là, avec Paoli, rapport à *Fragil...* »

Le brancard a été posé sur l'accotement, près d'un abreuvoir où des soldats de toutes armes viennent emplir leurs bidons. L'eau, remuée, jaillit par-dessus la margelle, coule en rigoles... Jacques ne peut détacher les yeux de ce ruissellement. Il a dans la bouche un atroce goût de fer. Sa salive est comme du coton humide... « Veux-tu boire, petit? » Miracle! Un bol blanc luit entre les mains d'une vieille paysanne. Autour, un attroupement s'est formé. Des soldats, des civils, des vieux à peau tannée, des gamins, des femmes. Le bol s'approche des lèvres de Jacques. Il tremble... Son regard remercie, comme celui d'un chien. Du lait!... Il boit, douloureusement, gorgée par gorgée. Avec un coin de tablier, la vieille lui essuie le menton à mesure.

Un médecin à trois galons, qui passait, s'est approché : « Un blessé? » — « Oui, Monsieur le major. Pas intéressant... Un espion... Un *alboche...* » La vieille paysanne s'est redressée comme un ressort; d'un coup sec, elle vide le reste de son bol dans la poussière. « Un espion... un *alboche...* » Les mots courent de bouche en bouche. Autour de Jacques, le cercle se resserre, hostile, menaçant. Il est seul, ligoté, sans défense. Il détourne les yeux. Une brûlure à la joue le fait tressaillir. On ricane. Il aperçoit, au-dessus de lui, le buste d'un apprenti, en cotte bleue. L'enfant rit méchamment; il tient encore entre les doigts un mégot incandescent. « Laisse-le tranquille! » gronde le brigadier. — « Pisque c'est un espion! » réplique le gamin. — « Un espion! Viens voir!

Un espion!... » Des gens sont sortis des maisons voisines, et forment un groupe haineux, que les gendarmes ont peine à tenir à distance. « Qu'est-ce qu'il a fait? » — « Où l'a-t-on pris? » — « Pourquoi qu'on ne lui fait pas son affaire? » Un gosse ramasse une poignée de cailloux, et la lance. D'autres l'imitent. « Assez! Foutez-nous la paix, vingt dieux! » crie le brigadier, mécontent. Et, s'adressant à Paoli : « Transportons-le là, dans la cour. Et tu fermeras la barrière. »

Jacques se sent soulevé, emporté. Il ferme les yeux. Les injures, les ricanements, s'éloignent.

Silence... Où est-il? Il hasarde un regard. On l'a mis à l'abri, hors de vue, dans la cour d'une ferme, à l'ombre d'un hangar qui sent le foin chaud. Près de lui, une vieille calèche dresse en l'air deux moignons de brancards, sur lesquels dorment des poules. Ombre silencieuse!... Personne... Mourir là...

L'irruption des gendarmes l'éveille brutalement. Les poules s'enfuient avec des caquètements effarouchés, de grands battements d'ailes.

Que se passe-t-il? De tous côtés, des appels, des galopades, un branle-bas général. Le brigadier endosse précipitamment sa tunique, son harnachement. « Allez! Prenez-moi *Fragil*... Et en vitesse!... » De l'autre côté de la cour, il y a une ruelle où passe au trot une file de voitures d'ambulance. « Chef, ils déménagent même le poste de secours. » — « Je vois bien. Où est Marjoulat? Pressons, Paoli!... Quoi encore? Du génie, maintenant? » Deux camionnettes sont entrées dans la cour, suivies d'un détachement de soldats. Les hommes déchargent en hâte des piquets, des rouleaux de fil de fer. « Les chevaux de frise, dans ce coin-là... Le reste par ici... Vite! » Le brigadier, inquiet, interroge le sergent qui surveille la corvée. « Ça va donc si mal que ça? » — « Faut croire!... Nous, on vient fortifier la position... Paraîtrait qu'*ils* occupent déjà les Vosges... Qu'*ils* descendent sur Belfort... Paraîtrait qu'on parle de capituler, pour éviter l'occupation... » — « Sans blague? Alors, ça serait fini pour nous? » — « En attendant, feriez pas mal de mettre les voiles, vous autres... On fait filer les habitants. Dans une heure, faut que le village soit évacué... » Le brigadier s'est retourné vers ses gendarmes : « Et *Fragil*, à qui le tour? Marjoulat, pas le moment de lambiner! Vite! » Le bruit des moteurs emplit la cour. Les camionnettes, vidées, font demi-tour. La voix d'un capitaine domine le tumulte : « Rassemblez-moi tout ce que vous pourrez trouver de charrues, de herses... même les faucheuses... Allez dire au lieutenant qu'il empêche les civils d'emmener les tombereaux. On en aura besoin pour barricader les routes... » — « Eh bien, Marjoulat! » crie le brigadier. — « Voilà, chef... »

Quatre bras empoignent le brancard. Jacques geint. Les gendarmes rejoignent rapidement la route, où la colonne, reformée, est déjà en marche. Les rangs sont si serrés qu'il n'est pas facile de pénétrer dans cette cohue, avec un brancard. « Pousse! Faut nous faire notre place là-dedans, coûte que coûte! » — « Basta! » grogne Paoli, « on pourra tout de même pas marcher des jours en traînant ce coco-là avec nous! »

Des secousses... des secousses... toutes les douleurs réveillées...

Le village est en plein désarroi. Dans les cours des maisons, ce ne sont qu'appels, cris, lamentations. Les paysans attellent en hâte leurs carrioles. Les femmes y entassent pêle-mêle des ballots, des malles, des berceaux, des paniers de provisions. Beaucoup de familles fuient à pied, mêlées aux soldats, poussant devant elles des brouettes, des voitures d'enfant, remplies d'objets disparates. Sur la gauche de la route, des convois de munitions, des palourdes traînées par de gros percherons, roulent au trot, dans un fracas d'enfer. De toutes les ruelles affluent des charrettes, tirées par des ânes, des chevaux. De vieilles femmes, des enfants y sont juchés sur des empilades de meubles, de caisses, de matelas. Les attelages civils se glissent au milieu des trains régimentaires qui vont au pas et dont la file occupe le centre de la chaussée. Les fantassins, repoussés sur la droite, marchent où ils peuvent, sur l'accotement, dans le fossé. Le soleil tape dur. Dos courbé, képi en arrière, un mouchoir sur la nuque, chargés comme des bêtes de somme (certains ont jusqu'à des fagotins de bois mort en travers des épaules), ils vont, d'un pas hâtif et lourd, sans parler. Ils ont perdu leur régiment. Ils ne savent d'où ils viennent ni où ils vont; peu leur importe : huit jours de guerre, ils ont depuis longtemps déjà renoncé à comprendre! Ils savent seulement qu'« on se débine »; et ils suivent... La fatigue, la peur, la honte et la satisfaction de fuir, leur font à tous le même masque farouche. Ils ne se connaissent pas, ils ne se parlent pas; quand ils se heurtent, ils échangent un juron ou un propos hargneux...

Jacques ouvre et ferme les yeux, au gré des secousses. Les souffrances des jambes se sont plutôt atténuées pendant ce court répit, à l'ombre du hangar; mais, dans sa bouche enflammée, ce sont des élancements continuels... Autour de lui oscillent des torses, des fusils; la poussière, la touffeur de ce bétail humain, le suffoquent; la houle de ces corps qui se balancent en désordre provoque dans son estomac vide des nausées de mal de mer. Il n'essaie pas de réfléchir. Il est une chose abandonnée de tous, et de lui-même...

La marche continue. La route se rétrécit entre deux talus. A tout instant, il y a un embouteillage, un arrêt; et chaque fois, le brancard, posé à terre, heurte rudement le sol; et, chaque fois, Jacques rouvre les yeux et geint. « Basta », bougonne le petit Corse, « à ce train-là, chef, les Pruscos n'auront pas de mal à nous... » — « Allez donc », crie le brigadier, qui s'énerve, « vous voyez bien qu'on ravance! » La colonne s'ébranle de nouveau, fait, cahin-caha, une cinquantaine de mètres et stoppe encore. Les gendarmes se trouvent arrêtés au croisement d'un chemin de terre, où une compagnie de fantassins attend, massée, l'arme à la bretelle. Des officiers, groupés autour du capitaine, se concertent et consultent leurs cartes, debout sur le talus. Le brigadier interroge un adjudant qui s'est approché curieusement du brancard. « Où que vous allez, vous autres? » — « Sais pas... Le capiston attend des ordres. » — « Ça la fout mal, hein? » — « Oui, plutôt... Paraît qu'on a signalé des uhlans, au nord... » Un officier s'est avancé au bord du talus. Il crie : « Arme à la main! Par quatre, derrière moi! » Et, laissant à sa gauche la route encombrée, il emmène ses hommes à travers les prés parallèlement à la route. « Pas bête, celui-là, chef! L'est sûr d'être avant nous à l'étape! » Le brigadier mâchonne sa moustache et ne répond pas.

L'arrêt se prolonge. La colonne paraît sérieusement bloquée. Même les trains d'artillerie, sur la gauche, sont immobilisés. Une section de cyclistes, machines à la main, essaie de se faufiler entre les voitures; mais elle s'enlise, elle aussi, dans cet entassement inextricable.

Vingt minutes passent. La colonne n'a pas avancé de dix mètres. A droite, dans la campagne, des formations d'infanterie font retraite vers l'ouest, sans se soucier des routes. Le brigadier, nerveux, fait un signe à ses gendarmes. Les têtes se rapprochent au-dessus du brancard pour un conciliabule à voix basse. « Vingt dieux, on peut tout de même pas rester la journée là, à faire les zouaves... N'ont qu'à faire marcher leur colonne, s'ils veulent qu'on suive leur route... Moi, j'ai une mission particulière, est-ce pas? Faut livrer ce coco-là à la gendarmerie du corps, ce soir... Je prends tout sur moi. Suivez! Hop! » Sans perdre une seconde, les gendarmes obéissent: bousculant les soldats qui les entourent, ils ont empoigné le brancard, franchi le fossé, grimpé le talus, et ils s'élancent à travers champs, abandonnant la route et ses convois paralysés.

Le saut du fossé, l'ascension du talus, ont arraché à Jacques un long, un rauque gémissement. Il tord la nuque; il essaie d'entrouvrir ses lèvres tuméfiées... Une nouvelle secousse... Une autre encore... Le ciel, les arbres, tout vacille... L'avion flambe; ses pieds sont deux torches; la mort, une mort atroce, le saisit aux jambes, aux cuisses, monte jusqu'au cœur... Il s'évanouit.

Brusquement heurté, il reprend conscience. Où est-il? Le brancard est posé dans l'herbe. Depuis combien de temps? Cette fuite lui semble durer depuis des jours... La lumière a changé, le soleil est plus bas, la journée s'achève... Mourir... L'excès de la douleur l'engourdit comme une drogue. Il lui semble qu'il est enseveli sous terre, à une profondeur où les chocs, les sons, les voix, ne parviennent qu'étouffés, lointains. A-t-il dormi? rêvé? Il a gardé la vision d'un bosquet d'acacias où broutait une chèvre blanche; d'un pré marécageux où les bottes des gendarmes enfonçaient, l'éclaboussant de boue... Il ouvre tout grands les yeux, il cherche à voir. Marjoulat, Paoli, le brigadier, ont mis un genou en terre. Devant, à quelques mètres, un grand tas qui bouge : une compagnie de fantassins couchée : les sacs, imbriqués les uns dans les autres, forment une gigantesque carapace qui tressaille dans l'herbe.

Un capitaine, debout derrière ses hommes, inspecte l'horizon à la jumelle. Vers la gauche, un coteau : une prairie en pente, sur laquelle un bataillon bleu et rouge s'est déployé en éventail et couché, pareil à un jeu de cartes sur un tapis vert...

— « Qu'est-ce qu'on attend, chef? » — « Des ordres. »

— « S'il fallait courir », dit Marjoulat, « comment qu'on ferait pour suivre, nous autres, avec *Fragil?* »

Le capitaine s'est approché du brigadier et lui prête sa jumelle. Soudain, sur la droite, des foulées de chevaux : un peloton de cavaliers, avec, en tête, un sous-off' de dragons, droit sur ses étriers, la crinière au vent. Le sous-off' s'est arrêté près du capitaine. Il a des traits d'enfant, un visage animé, joyeux. Sa main gantée se tend vers la droite : « *Ils* sont là... Derrière la colline... Trois kilomètres... La division de soutien doit être engagée, maintenant! »

Il a parlé haut. Jacques l'a aperçu. L'image de Daniel, avec son casque, traverse sa torpeur...

Un cliquetis métallique vibre dans l'air : sans attendre le commandement, les soldats du dernier rang, qui ont entendu, mettent baïonnette au fusil; leur geste se propage de proche en proche, faisant jaillir du sol un champ de tiges luisantes; et toutes les têtes se soulèvent, tous les regards sont tournés vers la sinistre « colline », où le ciel est doré, paisible, pur... D'un signe, le sous-off' rassemble ses cavaliers, dont les chevaux piétinent l'herbe grasse, et le peloton repart, au trot. Le capitaine crie : « Dites qu'on nous envoie des ordres! » Il se tourne vers le brigadier : « Vous avez déjà vu ça, vous? A gauche, pas de liaison! A droite, non plus! Qu'est-ce qu'ils veulent qu'on foute, dans cette pagaïe? » Il s'éloigne pour rejoindre ses hommes. « Faut pas rester ici, chef, voyons... », balbutia Marjoulat. — « Hé », dit Paoli, « voilà qu'ils bougent, là-bas! » En effet : rangée après rangée, par bonds successifs, le bataillon qui était éployé dans le pâturage, gagne le haut du coteau; et, chacune à leur tour, chaque rangée de soldats disparaît de l'autre côté du versant. « En avant! » crie le capitaine. — « Nous aussi, en avant! » dit le brigadier.

Le brancard est soulevé, secoué. Jacques gémit. Nul ne l'écoute, nul ne l'entend. Ah, qu'on le laisse... qu'on le laisse mourir là... Il ferme les yeux. Oh, ces chocs... Tous les cinquante mètres, le brancard tombe violemment dans l'herbe; les gendarmes, agenouillés, soufflent une minute, et repartent. A droite, à gauche, des soldats, par bonds, gravissent à leur tour le coteau. Les gendarmes arrivent enfin à quelques mètres de la crête. Le capitaine est là. Il explique : « De l'autre côté, au fond du ravin, il doit y avoir un bois, et un chemin... On doit pouvoir se défiler sous bois, vers le sud-ouest. Faut faire vite... Passée la crête, on est en vue... » C'est au tour de la dernière fraction de fantassins. « En avant! » — « Suivons! » crie le brigadier. Le brancard, arraché encore une fois au sol, atteint la ligne de crête. Un pré, coupé d'arbustes, dévale vers une gorge boisée, au-delà de laquelle commencent des bois, qui bornent l'horizon. « Y a qu'à dégringoler tout droit, au plus court! En avant! » Soudain, un long sifflement déchire l'air : un bruit grinçant, en vrille, qui s'enfle, s'enfle... Le brancard, une fois de plus, tombe lourdement dans l'herbe. Les gendarmes se sont aplatis sur le sol, parmi les soldats. Chacun n'a qu'une pensée : se faire le plus plat possible, s'enfouir dans la terre, comme s'ensablent les soles à marée basse. Une explosion sourde et violente éclate, en avant, de l'autre côté du ravin, dans les bois. Les visages ont une expression de panique. « On est repéré! » — « Avance donc! » — « On va se faire bousiller, dans leur bois! » — « Au ravin! Au ravin! » Les hommes se relèvent d'un coup de reins et bondissent sur la pente, profitant du moindre arbuste, du moindre pli de terrain, pour s'écraser contre le sol, avant de bondir de nouveau. Les gendarmes suivent, ballottant, disloquant le brancard. Ils atteignent enfin la bordure du bois. Jacques n'est plus qu'un paquet de chairs meurtries, inertes. Pendant la descente, tout le poids du corps a porté sur les jambes cassées. Les sangles lui entrent dans les bras, dans les cuisses. Il n'a plus conscience de rien. Au moment où le brancard pénètre comme un projectile à travers les sapins de la lisière, il entrouvre une seconde les yeux, cinglé par les branches, criblé de piqûres, écorché au visage, aux mains. Puis c'est un brusque apaisement. Il lui semble perdre la vie comme on perd son sang, d'une coulée tiède, écœurante... Vertige... Chute dans le vide... L'avion, les tracts...

Un sifflement de fusée s'élève, se rapproche, et passe... Jacques ouvre et referme les yeux... Bourdonnement humain... Ombre, immobilité...

Le brancard gît sous bois, sur un sol d'aiguilles de sapins. Tout autour, une agitation indistincte... Entassés torse contre torse, et si près les uns des autres qu'ils semblent soudés en une masse compacte, les fantassins, debout, engoncés dans leurs équipements, paralysés par leurs fusils et leurs sacs qui s'accrochent au feuillage, piétinent sur place sans pouvoir avancer ni se tourner : « Poussez pas ! » — « Qu'est-ce qu'on attend? » — « On a envoyé des patrouilles. » — « Faut bien voir si les bois sont sûrs ! » Des officiers, des sous-off's, se démènent, sans parvenir à regrouper leurs hommes : « Silence ! » — « Sixième, à moi ! » — « Deuxième !... » Contre le brancard, un soldat s'est adossé à un sapin, et, d'un coup, le sommeil l'a pris, comme une mort. Il est jeune; les traits sont creusés, le teint est grisâtre; son bras raidi serre machinalement le fusil contre sa hanche : il a l'air de présenter les armes. « Paraît que le troisième bat' est parti en flanc-garde, pour protéger... » — « Par là, mes p'tits gars ! par là ! » C'est un caporal, un paysan trapu qui entre sous bois, traînant son escouade derrière lui, comme une poule ses poussins.

Un lieutenant enjambe le brancard. Il a cet air arrogant et peureux du chef débordé, prêt à tout pour sauver son prestige. « Les gradés, faites faire silence! Voulez-vous obéir, oui ou merde? Première section, rassemblement! » Les soldats, en rechignant, tentent de se mouvoir : ils ne demandent qu'à retrouver leurs chefs, leurs camarades, pour se sentir de nouveau pris en charge, encadrés. Il y en a qui rient, sottement rassurés par l'horizon limité du sous-bois : comme si la guerre était restée là-bas, de l'autre côté de la lisière, en terrain découvert. Par instants, un agent de liaison, suant, essoufflé, rageur, ne trouvant jamais celui qu'il cherche, se fraie un passage, avec des jurons, et disparaît parmi les arbustes et les hommes, après avoir jeté, d'un air hagard, un numéro de régiment ou le nom d'un colonel... Un nouveau sifflement, plus sourd, plus sec, passe par-dessus les arbres. Brusque silence : les épaules plient, les nuques se tassent contre les sacs. Cette fois, l'explosion est sur la droite... « Ça, c'est un 75! » — « Non! Ça, c'est un 77!... » Les gendarmes, groupés autour du brancard comme autour de leur raison d'être, forment un îlot fixe, contre lequel la houle humaine vient battre.

A l'orée du bois, une voix jaillit soudain : « Hausse à 1.800 mètres!... la ligne de crête... le boqueteau noir... A mon commandement! Feu!... » Une salve nourrie ébranle l'air. Sous bois, le silence s'est fait. Une nouvelle salve éclate. Puis des coups partent, un à un, de plus en plus nombreux. Tous ceux qui sont près de la lisière se sont tournés vers la prairie, et, sans avoir reçu d'ordre heureux d'agir, ils épaulent au hasard, et tirent à travers le feuillage. Le jeune soldat qui tout à l'heure dormait contre l'arbre, agenouillé maintenant au pied du brancard, tire sans arrêt, avec application, le fusil calé dans la fourche de deux branches. Chaque coup cingle Jacques, comme une lanière de fouet; mais il n'a plus la force d'ouvrir les yeux.

Sur la droite, soudain, le galop de quelques chevaux... Un groupe d'officiers montés, deux commandants, un colonel, font irruption sous bois, dans un fracas d'arbustes cassés. Une voix glapissante domine le crépitement du tir : « Qui a donné l'ordre? Vous êtes fous?

Sur quoi tirent-ils? Vous voulez faire repérer toute la brigade? » De tous côtés les gradés hurlent : « Cessez le feu! Rassemblement! » Le tumulte s'arrête brusquement. Obéissant à un élan collectif, tous ces hommes entassés et qui semblaient à jamais prisonniers de leur enchevêtrement, réussissent à se dégager, à se tourner dans le même sens; ils se pressent, s'entrechoquent, se poussent en silence, et bientôt, comme un vol d'oiseaux migrateurs, ils s'ébranlent lentement dans la direction du sud, derrière le peloton des officiers supérieurs. Le tintement des marmites, des quarts, des gamelles, qu'accompagne le piétinement sourd des godillots sur le sol feutré, emplit le sous-bois d'une rumeur de troupeau. Une poussière résineuse monte, en un nuage roux, à travers les sapins.

— « Et nous, chef? » Le brigadier a déjà pris sa décision : « Nous, faut suivre! » — « Avec *Fragil?* » — « Parbleu!... Allez! Derrière moi, en avant! » Et, sans plus attendre, comme s'il marchait à l'attaque, il se coule dans le flot, immédiatement suivi par les deux gendarmes libres. Les deux autres ont prestement soulevé Jacques. « Tu y es, Marjoulat? » souffle Paoli. Il cherche à se glisser dans le courant; mais le flot humain est encore si dense que, à chaque tentative, le brancard est impitoyablement repoussé. « Faut attendre que ça s'espace un peu », conseille Marjoulat. — « Basta! » dit le Corse, en lâchant brutalement le pied du brancard. « Alors, faut que je rattrape le chef, pour lui dire qu'il attende... » — « Hé, Paoli, tu vas pas me laisser là! » crie le vieux gendarme, en lâchant à son tour le brancard. Mais Paoli est déjà hors d'appel : agile comme une anguille, il s'est faufilé dans la cohue, et son képi bleu, sa courte nuque hâlée ont aussitôt disparu. « Nom de Dieu! » fait Marjoulat. Il se penche vers Jacques, comme il faisait pour lui donner à boire. Un éclair de rage luit dans ses yeux : « Tu nous en auras fait voir, salaud! » Mais Jacques ne l'entend pas. Il a perdu connaissance.

Le gendarme écarte les branches, et cherche à saisir un fantassin par sa patte d'épaule : « Aide-moi à porter ça! » — « Pas brancardier », fait l'autre, en se dégageant d'un coup sec. Le gendarme avise un gros blond, à l'air bonasse : « Un coup de main, vieux! » — « Penses-tu! » — « Quoi faire de ce coco-là », murmure Marjoulat. Il a tiré son mouchoir, et s'éponge machinalement la figure.

Bientôt, le flot est moins compact. Si Paoli revenait, on pourrait avancer, c'est sûr! « Mon capitaine! » balbutia Marjoulat. Un officier passe, tirant un cheval par la bride; il regarde devant lui, sans même tourner la tête... Ceux qui défilent maintenant sont des retardataires. Ils se hâtent, en débandade, tête basse, épuisés, tirant la jambe, inquiets d'être à la traîne. Inutile d'essayer : aucun d'eux ne voudra s'encombrer d'un brancard...

Soudain, de l'autre côté de la lisière, dans la prairie, des voix, une course précipitée... Marjoulat s'est retourné, tout pâle : d'instinct, ses doigts ouvrent l'étui de son revolver et saisissent la crosse. Non! des voix françaises : « Par là! Par là!... Un blessé surgit entre les sapins. Il court comme un somnambule, le front bandé, la figure exsangue. A sa suite, une dizaine de fantassins font irruption dans le taillis. Sans sacs, sans armes : de petits blessés, eux aussi, un bras en écharpe, une main, un genou, entourés de linges. « Alors, vieux, c'est par là, dis? On peut filer par là?... Sont pas loin, tu sais! » — « Pas... pas loin? » bégaie Marjoulat.

Les branches s'écartent de nouveau : un major paraît, à reculons. Il fraie le passage à deux infirmiers qui portent sur leurs mains nouées en forme de siège un gros homme, nu-tête, au teint cadavérique, les yeux clos; sa tunique d'officier est ouverte; quatre galons; le ventre bombe sous la chemise tachée de sang. « Doucement... doucement... » Le major aperçoit le gendarme, et Jacques à ses pieds. Il se retourne vivement : « Une civière! Qu'est-ce que c'est? Un civil? Un blessé? » Marjoulat, au garde-à-vous, bredouille : « Un espion, Monsieur le major... » — « Un espion? Manquerait plus que ça!... Besoin de la civière pour le commandant... Allez, ouste! »

Le gendarme, docile, commence à déboucler les sangles, à dénouer les liens. Jacques tressaille, bouge une main, ouvre les yeux... Un képi de major? Antoine?... Il fait un effort surhumain pour comprendre, pour se souvenir. On va le délivrer, lui donner à boire... Mais que lui fait-on? Le brancard se soulève! Aïe!... Pas si fort! Les jambes!... Une souffrance atroce : malgré les planchettes, ses tibias fracturés lui entrent dans les chairs, des pointes rougies à blanc lui fouillent les moelles... Nul n'a vu ses lèvres tordues de douleur ni son regard dilaté d'épouvante... Versé mollement hors du brancard comme d'une brouette qu'on vide, il s'effondre sur le côté, avec un rauque gémissement. Un froid soudain, un froid qui vient des jambes, monte, avec une lenteur mortelle, jusqu'au cœur...

Le gendarme n'a pas protesté. Il regarde avec effroi autour de lui. Le major examine sa carte, tandis que les infirmiers installent hâtivement sur le brancard le commandant aux yeux clos et dont la chemise est devenue rouge. Marjoulat balbutie : « Sont pas loin, Monsieur le major? » Un brusque hululement aigu, traînant, déchire l'air, brutalement suivi d'un éclatement, tout proche, qui fait sauter le cerveau dans la boîte crânienne. Et, presque aussitôt, venant de la prairie, le crépitement d'un feu de salve.

— « En avant! » crie le major. « On va se faire prendre entre deux feux... Sommes foutus si nous restons là! »

Marjoulat, comme les autres, s'est aplati par terre au moment de l'explosion. Il a du mal à se remettre debout. Il aperçoit la civière qu'on emporte, le détachement des blessés qui s'enfonce dans le bois. Il hurle, d'une voix étranglée d'angoisse : « Eh bien? Et moi? Et *Fragil?*... » Le vieux sous-off' au bras bandé, qui ferme la marche, se retourne, sans s'arrêter. « Et moi? » répète Marjoulat, suppliant. « T'en va pas... Qu'est-ce que je vais en foutre, de ce coco-là? » Le sous-off', un rengagé, un ancien colonial à peau tannée, fait un porte-voix de sa main valide : « Belle camelote, ton espion! Fous-y son compte, imbécile! Et débine-toi, si tu ne veux pas être fait comme un rat! »

— « Nom de Dieu de nom de Dieu! » glapit le gendarme.

Maintenant, il est seul : seul avec ce demi-cadavre,

versé sur le flanc, les yeux clos. Tout autour, un silence solennel, anormal... *Sont pas loin... Fous-y son compte...* L'œil peureux, il glisse la main dans son étui à revolver. Ses cils battent. La peur d'être pris lutte avec la peur de tuer. Il n'a jamais tué; pas même une bête... Sans doute, à ce moment-là, si les yeux du blessé s'étaient une fois encore entrouverts, s'il avait fallu que Marjoulat affronte un regard vivant... Mais ce profil blême d'où la vie semble s'être déjà retirée, cette tempe qui s'offre, à plat... Marjoulat ne regarde pas. Il crispe les paupières, les mâchoires, et allonge le bras. Le canon touche quelque chose. Les cheveux? L'oreille?... Pour se donner le courage — pour se justifier aussi — les dents serrées, il crie :

— « Fumier! »

Cri et coup sont partis en même temps.

Libre! Le gendarme se redresse, et, sans se retourner, bondit dans le taillis. Les branches lui fouettent la figure; le bois mort craque sous ses bottes. A travers le fourré, le sillage de la retraite a tracé un chemin. Les camarades sont proches... Sauvé! Il court. Il fuit le danger, sa solitude, son meurtre... Il retient son souffle pour galoper plus vite; et, à chaque nouveau bond, pour exhaler sa rancune et sa peur, il répète, sans desserrer les dents :

— « Fumier!... Fumier!... Fumier!... »

TABLE

SEPTIÈME PARTIE

(Suite)

ACHEVÉ D'IMPRIMER
PAR L'IMPRIMERIE FLOCH
MAYENNE

(4620)

LE 27 OCTOBRE 1960

N° d'éd. : 7.767. Dép. lég. : 3e trim. 1953

Imprimé en France

PRINTED IN FRANCE
Gramley Library
Salem College
Winston-Salem, NC 27108